WITHDRAWN

EL MITO EN LA OBRA NARRATIVA DE CARLOS FUENTES

ORDIZ VAZQUEZ, Francisco Javier

El mito en la obra narrativa de Carlos Fuentes / Francisco
Javier Ordiz Vázquez. — León: Universidad, Servicio de Publicaciones (etc.), D. L. 1987
246 p.; 21 cm.
ISBN 84-7719-045-3

1. Fuentes, Carlos — Crítica e interpretación. I. Universidad
de León. Servicio de Publicaciones. II. Título

860 (72) Fuentes, Carlos 1.06

Edita:
UNIVERSIDAD DE LEON
Servicio de Publicaciones
© Francisco Javier Ordiz Vázquez y Universidad de León
ISBN: 84-7719-045-3
Depósito Legal: LE - 414 - 1987
Printed in Spain - Impreso en España por:
Gráficas Cornejo, S.A.
Avda. de Asturias 13 - LEON

La presente publicación se acoge a los términos
de la Obra Social en colaboración constituída
por la Caja de Ahorros y Monte de Piedad de León
y la Universidad de León con fines de
investigación, enseñanza y cultura.

Francisco Javier Ordiz

EL MITO EN LA OBRA NARRATIVA DE CARLOS FUENTES

UNIVERSIDAD DE LEON
SERVICIO DE PUBLICACIONES

PQ
7297
.F793
Z79
1987

INDICE DE ABREVIATURAS

LDE - *Los días enmascarados.*

RMT - *La región más transparente.*

LBC - *Las buenas conciencias.*

MAC - *La muerte de Artemio Cruz.*

CC - *Cantar de ciegos.*

ZS - *Zona sagrada.*

CP - *Cambio de piel.*

TN - *Terra nostra.*

CH - *La cabeza de la hidra.*

UFL - *Una familia lejana.*

AQ - *Agua quemada.*

GV - *Gringo viejo.*

115993-19

INTRODUCCION

La palabra *mito* aparece ante el hablante y el investigador como un término en principio ambiguo, plurisignificativo y de concreciones semánticas imprecisas. Se trata de un vocablo utilizado con relativa frecuencia en el acto de comunicación diaria, pero cuyo sentido a este nivel se halla obviamente empobrecido y limitado a una mera sinonimia de "mentira" o "falsedad". En realidad, bajo tal denominación se engloba una importante realidad cultural cuyas formas de manifestación y sentido han preocupado al ser humano desde los albores de la cultura occidental.

Ya en la época clásica, en la obra de los grandes filósofos y escuelas de pensamiento de la Grecia antigua, encontramos abundantes referencias al mito. Originariamente la palabra connotaba tan sólo la idea de "relato", aunque muy pronto pasó a oponerse al *logos* en lo que suponía una confrontación entre el discurso falso e irreal y el riguroso, fiable y demostrable.

En los siglos posteriores serán muchos los autores que amplíen y modifiquen esta acepción, aunque será necesario llegar hasta el Romanticismo para asistir al verdadero nacimiento de una teoría seria y acabada sobre el mito. A pesar de sus indudables logros, los autores del XIX, como Max Müller, Andrew Lang o J.F. Frazer, adolecieron de un importante defecto: sus teorías nacieron en una época dominada por un racionalismo positivista que creía de forma optimista en la idea de un progreso continuado de la raza humana, lo cual, unido al etnocentrismo cultural de Occidente, les condujo a valorar a las sociedades tradicionales y sus sistemas de creencias como algo primitivo y propio de una fase infantil en el proceso de evolución de las civilizaciones. El mito, por tanto, era analizado como si fuera un fósil que tan sólo admitía un tipo de estudio histórico.

El siglo XX traerá consigo una transformación importante en estas opiniones. La Primera Guerra Mundial supone una conmoción profunda que hace tambalearse los cimientos del pensamiento positivista. El hombre europeo cae en la cuenta de que en realidad no es tan distinto del individuo de las sociedades "bárbaras" o tradicionales, lo cual, en el orden de los estudios antropológicos, trae consigo una considerable relativización del etnocentrismo decimonónico; el mito empieza así a ser visto como algo vivo en la mente del hombre de todo tiempo y lugar. Esta evolución da como resultado la aparición de estudios y de corrientes teóricas que varían las convicciones de sus predecesores y que intentan construir una teoría fundada y científica sobre los distintos aspectos de esta realidad cultural.

Las investigaciones sobre el mito en el presente siglo alcanzan un radio de acción muy extenso y casi inabarcable. Destacan en primer lugar por su gran importancia las conclusiones que alcanza Karl Jung —seguidor en parte de Freud— quien ve al mito como una realidad atemporal y universal cuyo origen se halla en la propia mente del hombre como medio de dar forma a tendencias de pensamiento comunes que encuentran su expresión concreta dependiendo del contexto[1]. En consonancia con las apreciaciones del crítico chileno Juan Villegas, podríamos denominar *mito* a esa configuración mental universal, en tanto que su concreción cultural, variable y contingente, recibiría el nombre de *mitología*[2]. Otros investigadores importantes, como Eliade, Cassirer, Bachelard o Gilbert Durand tomaron su fundamento, en mayor o menor medida, en esta dirección *simbolista* de análisis del mito iniciada por Jung.

De forma simultánea a estos que acabo de mencionar, otros autores han tratado de ahondar en el valor *social* del mito. Lugar señalado ocupa en este sentido la obra de Roland Barthes *Mitologías,* donde se contempla a esta realidad como una forma de dominación del individuo por parte de una clase o casta gobernante[3]. Efectivamente, el mito ha tenido siempre, en todas las sociedades tradicionales, una clara función de *cohesión*, de unión del grupo o clan en torno a unas creencias o ideas determinadas. En el mundo actual, las narraciones antiguas se han convertido en las distintas formas de "propaganda" lanzada desde los centros

---

[1] Ver p.ej. su obra *Símbolos de transformación.* Barcelona, Paidós, 1982.
[2] Villegas, Juan; *La estructura mítica del héroe.* Barcelona, Planeta, 1973, pp. 48-51.
[3] Barthes, Roland; *Mitologías.* Madrid, Siglo XXI, 1980.

de poder, que tienen como finalidad mantener al ciudadano dentro del orden ideológico de una comunidad concreta.

La tercera gran dirección de estudio del mito en el siglo XX es la vertiente *estructuralista,* encabezada por Lévi-Strauss. Este investigador concibe al comienzo de sus trabajos la idea de trasladar los hallazgos de la moderna lingüística al terreno de la etnología y, en un concepto que en principio parece tener ciertos puntos de contacto con la teoría jungiana, concluye afirmando la existencia de una especie de inconsciente universal estructurador de todas las formas de actividad y de organización social del hombre. En este orden de ideas, el mito sería una realidad compuesta por una estructura interna inconsciente susceptible de ser descompuesta en una serie de unidades mínimas que reciben el nombre de *mitemas*[4].

Una definición global de lo que significa el mito ha de tener en cuenta de una forma conjunta y no excluyente las distintas direcciones teóricas arriba mencionadas: el mito es realmente, como señala Cassirer, una forma de pensamiento particular, diferente de los mecanismos "lógicos" de la mente[5], pero a su vez es un *relato*, susceptible de ser analizado y desmenuzado en sus funciones y secuencias integrantes. El mito, asimismo, tiene una evidente función social cohesionante o integradora, que en la actualidad se proyecta bajo la forma del llamado "mito moderno", tendente en gran medida a mantener un orden ideológico o económico determinado.

Estas instancias formantes del mito hacen su aparición en la obra del escritor mexicano Carlos Fuentes. Por ello, el trabajo que me propongo abordar a continuación tiene como finalidad descubrir y analizar las distintas modalidades de plasmación de esta realidad en la narrativa de este autor con el fin de acceder a una interpretación final que nos deje al descubierto los problemas más candentes de su mente. En esta labor he seguido como fundamento teórico principal la perspectiva que adopta el grupo argentino del C.E.L.A. (Centro de Estudios Latinoamericanos) en sus estudios literarios[6], así como la obra de autores ya más concretos, inscritos en una vertiente mítico-simbólica de análisis textual, y en-

---

[3] Barthes, Roland; *Mitologías.* Madrid, Siglo XXI, 1980.

[4] Ver su trascendental artículo "La estructura de los mitos" en *Antropología Estructural.* Buenos Aires, Eudeba, 1968, pp. 186-210.

[5] Cassirer, Ernst; *Filosofía de las formas simbólicas II.* México, FCE, 1972.

[6] La teoría crítica de este grupo puede encontrarse en el volumen conjunto titulado *Hacia una crítica literaria latinoamericana.* Buenos Aires, Fernando García Cambeiro, 1976.

tre los que cabe señalar a Juan Villegas[7], John J. White[8] o Michel Palencia-Roth[9], además de algunos otros cuyo nombre irá surgiendo a lo largo del trabajo. Estos autores se plantean como objetivo primordial de sus investigaciones acceder al núcleo semántico principal de la obra literaria a través del camino de penetración que ofrece el mito. Se trata por tanto, a un cierto nivel, de una actividad *hermeneútica* o explicativa —que surge también como eje medular de mi actividad— que ha de operar necesariamente a partir de determinados datos relativos al contorno vital y creativo del autor. Debido a ello, antes de entrar de lleno en lo que supone el estudio del mito en la obra indicada, he creído necesario hacer un breve recorrido a través de las circunstancias contextuales en que nace la narrativa de Fuentes, así como establecer el marco cronológico y argumental de sus obras. Esta especie de preámbulo que constituyen los capítulos I y II dará paso seguidamente a un análisis detenido de la función y el sentido que adopta el mito en los relatos de Carlos Fuentes.

---

[7] Sobre todo con su libro anteriormente citado.

[8] De este autor destaca su trabajo titulado *Mythology in the Modern Novel. A Study of Prefigurative Techniques.* Princeton University Press, 1971. Se trata de uno de los mejores estudios contemporáneos sobre las relaciones mito-literatura. El autor analiza los problemas de interpretación que genera el empleo del mito en la ficción literaria y los distintos mecanismos de adaptación de la materia tradicional a la creación artística.

[9] La división interna del capítulo III debe mucho a las sugerencias de este autor en su reciente obra *Gabriel García Márquez. La línea, el círculo y las metamorfosis del mito.* Madrid, Gredos, 1983.

CAPITULO I
EL MARCO

A) CONTEXTO GENERAL: LA NOVELA HISPANOAMERICANA CONTEMPORANEA

En los años 60 tuvo lugar el surgimiento de lo que se ha venido en llamar el "boom" de la novela hispanoamericana. A este éxito y difusión sin precedentes contribuyeron, por un lado, la indudable calidad artística de una serie de novelistas que ejercieron su oficio en un lapso de tiempo muy cercano, y un no menos importante apoyo editorial, sustentado por una publicidad que extendió el conocimiento de los nuevos escritores fuera de sus fronteras, y cuyo inicio puede cifrarse tras la concesión del premio Biblioteca Breve de la editorial española Seix-Barral a *La ciudad y los perros* de Vargas Llosa en el año 1962.

Se han debatido mucho por parte de la crítica los problemas concernientes al número de autores que se pueden considerar incluídos dentro de este grupo, así como el momento en que se puede decir que comienza y termina —si es que ha terminado— el "boom". Lo que si parece hoy día generalmente admitido es la impropiedad de este término para definir lo que realmente constituyó una importantísima y lentamente gestada renovación en el terreno de las letras hispanoamericanas. Como señala José Donoso, tal denominación es esencialmente peyorativa, "creación de la histeria, de la envidia y de la paranoia"[1], puesto que connota la idea de estallido publicitario poco importante y pasajero. Por ello será preciso,

---

[1] Donoso, José; *Historia personal del "boom"*. Barcelona, Anagrama, 1972, p.11.

como defiende John s. Brushwood [2], distinguir cuidadosamente entre el llamado "boom", fenómeno circunscrito a un inusitado éxito editorial de autores muy concretos, y la "nueva novela", término que designa, como su nombre indica, una trasformación en el género de proceso paulatino.

Los primeros atisbos de tal renovación comienzan a percibirse ya desde las décadas iniciales del siglo XX, cuando una serie de escritores jóvenes empiezan a desmarcarse de los moldes al uso de la narrativa de la época. La novela llamada "regionalista", "indianista" o "nativista" —que, en una dimensión distinta, de tono social, se prolonga en México en la llamada "novela de la Revolución"—, suponía un modelo de relato de corte realista, que pretendía dar una cumplida panorámica de las realidades locales de cada escritor, quien, en palabras de José Donoso "escribía para su parroquia, sobre los problemas de su parroquia, dirigiéndose al número y a la calidad de lectores (...) que su parroquia podía proporcionarle, sin mucha esperanza de más"[3].

Al autor le importaba mucho más el *mensaje* de la novela que su elaboración artística, lo cual hacía caer a menudo a este tipo de obras en moldes maniqueístas (sobre todo en el caso de la novela indigenista), o en un afán didáctico demasiado evidente.

Esta estética dominó, con algunas variantes dependiendo del país, en el terreno de la novelística hispanoamericana hasta, aproximadamente, los años cuarenta. Ya en la década anterior habían surgido algunos relatos que, aún de forma callada y sin ningún tipo de apoyo crítico oficial, habían comenzado a dejar constancia del nacimiento de una nueva sensibilidad. Miguel Angel Asturias con *Leyendas de Guatemala* (1930), Alejo Carpentier con *Ecue-Yamba-O* (1931), Jorge Luis Borges con *Historia universal de la infamia* (1935), o la obra del argentino Roberto Arlt, marcan en la década de los treinta el inicio de un desmarque de esa realidad documental, que se profundizará en las dos décadas siguientes merced a la aparición de una serie de obras que suponen ya una neta ruptura con el regionalismo[4].

---

[2] Brushwood, John S.; *La novela hispanoamericana del siglo XX*. México, FCE, 1984.

[3] Donoso, José; *ob. cit.*, p. 19.

[4]. Se pueden señalar, entre otras, *Adan Buenosayres* (1948) de Marechal, *El señor presidente* (1946) y *Hombres de maíz* (1949) de Asturias, *El reino de este mundo* (1949) de Carpentier, *Al filo del agua* (1947) de Yáñez, y, ya en los 50, *El Llano en llamas* (1953) y *Pedro Páramo* (1955) de Rulfo, *Casi el paraíso* (1956) de Spota, y las primeras obras de los autores "consagrados" del "boom", como Carlos Fuentes, que en 1954 publica su volumen de cuentos *Los días enmascarados* y cuatro años más tarde su primera gran novela, *La región más transparente*.

Este lento proceso de renovación viene marcado por un desplazamiento de la temática narrativa desde el "exterior" al "interior" del hombre, en un rechazo del localismo anterior en aras de una necesaria universalidad que rompiera la incomunicación reinante, y en un afán perfeccionista por hacer de la novela una obra de arte, para lo cual se lanzan a experimentar técnicas que constituían toda una novedad para la estética de comienzos de siglo. La ruptura con la generación anterior, aunque, como hemos visto, generada a lo largo al menos de dos décadas, fue total y, como señala de nuevo Donoso, dejó a los nuevos novelistas sin otras posibilidades que acudir al extranjero en busca de "padres" literarios.

> Nuestra sensibilidad huérfana se dejó contagiar sin titubeos por norteamericanos, franceses, ingleses e italianos que nos parecían mucho más 'nuestros', mucho más 'propios' que un Gallego o un Güiraldes, por ejemplo, o que un Baroja[5].

Así se llega a los años sesenta, en que dos hitos importantes: la entrega del premio "Biblioteca breve" a Vargas Llosa en 1962 y la publicación de *Cien años de soledad* de García Márquez en 1967 provocaron el nacimiento de ese "boom" qe no fue más que la punta del iceberg y el espaldarazo editorial de una realidad que ya se venía gestando tiempo atrás. A partir de entonces, y aunque las décadas posteriores no han visto la aparición de obras de tanta categoría como las de la "década dorada" de los 60, la producción novelística del continente ha continuado en un primer plano de la actualidad internacional debido en parte a la aparición de jóvenes valores que, con ciertas modificaciones, continúan la labor de los "consagrados" (el llamado "post-boom" y "boom junior") y en parte a que estos últimos han continuado publicando obras de indudable interés y calidad.

Sería algo ingenuo y por otra parte alejado de la más elemental sensatez creer que los autores que se pueden agrupar en esta empresa de la "nueva novela" presentan unas características homogéneas e inmutables. En realidad, son muchas las diferencias que los separan, sobre todo en la producción de los últimos tiempos, lo cual, sin embargo, no impide la aparición en la gran mayoría de sus componentes de una determinada actitud ante el hecho literario y ante determinadas circunstancias históricas que puede considerarse, con ciertas excepciones, común. Estos que podríamos llamar "factores aglutinantes" de los autores de la moderna novela del continente, se pueden desglosar en dos vertientes, referidas

---

[5] Donoso, José; *ob. cit.;* p. 23.

una a las circunstancias de índole externa a la creación literaria que todos ellos vivieron o experimentaron, y la otra a su común reacción ante la estética narrativa anterior, que configura un proyecto bastante aproximado entre ellos acerca de lo que ha de ser el género novelístico.

Entre los factores de índole externa, cabe destacar el ambiente creado en el período de entreguerras y la conclusión de la Segunda Guerra Mundial. La pérdida del optimismo, de la confianza en el progreso y el derrumbamiento del etnocentrismo europeo, hace que los intelectuales hispanoamericanos tomen conciencia de su pertenencia a una rica cultura que ya no puede considerarse "excéntrica" e inferior, sino integrada dentro de la vasta multiplicidad de culturas humanas. En 1937 el filósofo y ensayista Alfonso Reyes, que tanta influencia había de ejercer en la joven generación, decretaba el final de ese complejo de inferioridad del americano con respecto al europeo y reclamaba para él un sitio en el mundo:

> Y ahora yo digo ante el tribunal de pensadores internacionales que me escucha: reconocednos el derecho a la ciudadanía universal que ya hemos conquistado. Hemos alcanzado la mayoría de edad. Muy pronto os habituaréis a contar con nosotros[6].

Se vuelven los ojos hacia el ser del país y su ambiente con la intención de definirlos y de llegar a su esencia, pero no con un afán localista, como habían hecho los escritores anteriores, sino con la intención de estudiar el "alma nacional" como una parte más del ser universal. Especial relevancia alcanzó esta tendencia en México donde, principalmente a partir del año 1934, fecha de aparición de *El perfil del hombre y la cultura en México* de Samuel Ramos, se abre la amplia corriente de introspección denominada "filosofía de lo mexicano". Las especulaciones generadas en este ámbito dominan el panorama cultural del país en los años cincuenta, y, justamente al comienzo de la década, se publica la obra que más influjo habría de ejercer en años sucesivos: *El laberinto de la soledad*, de Octavio Paz, quien intenta llegar a una definición del mexicano acudiendo a su historia y a paradigmas míticos. Los jóvenes escritores del momento, como Juan José Arreola, José Revueltas, Vicente Leñero, Rosario Castellanos y Elena Garro, al tiempo que se hacen eco de las nuevas tendencias narrativas, incorporarán a su novelística buena parte de las tesis expuestas por Paz. Obras como *La región más transparente* (1958) o *La muerte de Artemio Cruz* (1962) de Carlos Fuentes, deben mucho, como veremos más adelante, a las ideas sustentadas en este libro.

---

[6] Reyes, Alfonso; "Notas sobre la inteligencia americana". En, Martínez, José Luis; *El ensayo mexicano moderno*. México, FCE, 1958, p. 311.

Consecuentemente a esta pérdida de vigencia del molde europeo, el intelectual hispanoamericano comienza a escarbar en las raíces de su personalidad y de su cultura, extrayendo el rico caudal procedente del mundo prehispánico, sin el cual no se podría comprender la actualidad del continente. Los mitos de las antiguas civilizaciones americanas comienzan por tanto a adquirir carta de naturaleza en el trabajo de los nuevos novelistas, lo cual es patente ya en la temprana obra de Miguel Angel Asturias y se prolonga hasta alcanzar a los más renombrados escritores posteriores.

No menos importante es la actitud política que van a adoptar en su mayoría estos jóvenes autores. La conclusión de la Segunda Guerra Mundial con la división del mundo en dos bloques antagónicos, generó una acentuación del dominio norteamericano sobre los países del continente, que llegaron a adquirir una total dependencia del poderoso vecino del norte. Esta forma de neocolonialismo, con la evidente merma en la capacidad de autogobierno de las repúblicas latinoamericanas, regidas en su mayoría por "personas de confianza" de Washington, propició el deslumbramiento que los intelectuales experimentaron tras la revolución cubana de 1959, en la que veían una posibilidad de liberar a América Latina del yugo imperialista. Todos ellos se dedicaron a propagar los logros de la Revolución, lo cual contribuyó a aglutinar a estos jóvenes intelectuales en torno a una causa común. La trascendencia de este hecho la destaca de nuevo Donoso al afirmar:

> Creo que si en algo tuvo unidad completa el boom —aceptando la variedad de matices—, fue en la fe en la causa de la revolución cubana [7].

Este activismo político es también de suma importancia a la hora de tener en cuenta la producción novelística de estos escritores, en cuyas páginas es frecuente hallar abundantes críticas a la sociedad de consumo propagada por los norteamericanos, y una defensa de la causa revolucionaria que puede aparecer de forma más o menos manifiesta.

El siglo XX asiste también a la creación de grandes núcleos urbanos, nacidos de la incesante emigración desde el campo a la ciudad. Capitales como Buenos Aires o México D.F. se convierten en grandes monstruos urbanísticos en los que conviven grupos humanos muy variados de procedencias distintas. La ciudad adquiere así especial protagonismo en la na-

---

[7] Donoso, José; *ob. cit.,* p. 58. El llamado "caso Padilla", en 1971, dio lugar a que autores tan destacados como Vargas Llosa o Carlos Fuentes se distanciaran un tanto de la inicial euforia, hecho que determina para algunos, como el propio Donoso, el acta de defunción del "boom".

rrativa contemporánea. Los escritores suelen contemplarlas como el paradigma del país y tratan de penetrar en sus recovecos para mostrar un panorama, en general dominado por la soledad y la incomunicación, de estas grandes urbes. destacan por su especial relevancia, *Adan Buenosayres* (1948) de Leopoldo Marechal y *La región más transparente* (1958) de Carlos Fuentes, que supone una introducción en la vida caótica del México de la época.

La lectura e influencia de autores extranjeros —señalada anteriormente por Donoso—, también constituyó un punto decisivo en la nueva estética narrativa. Con Joyce entra en Iberoamerica todo el mundo del monólogo interior y su carga de subjetivismo. Proust, con su culto a la memoria, introduce la dimensión del tiempo interior, que Kafka profundiza en un intento de penetrar en el alma del hombre contemporáneo. Asimismo es muy destacable el influjo de la novelística norteamericana, especialmente John Dos Passos, con su técnica del tiempo y los personajes múltiples y, sobre todo, William Faulkner, en cuyas páginas se inspiraron la gran mayoría de los jóvenes narradores.

Todos estos son factores de índole histórica, ideológica y literaria, que marcan el contexto de nacimiento y el período creativo de esta nueva generación de novelistas y que encuentran su proyección en la obra desarrollada por ellos, en la cual también es posible advertir algunas notas comunes que le otorgan una relativa homogeneidad.

La mencionada reacción contra la forma novelística de principios de siglo impulsa a los jóvenes escritores a experimentar con las leyes del género y a romper las categorías del relato lineal. En sus obras resulta frecuente la desaparición del tradicional narrador omnisciente en favor de un perspectivismo que permite contemplar la historia o los personajes desde distintos puntos de vista. Como ha señalado Vargas Llosa:

> Las mejores novelas son siempre las que agotan su materia, las que no dan una ley sobre la realidad sino muchas. Los puntos de vista para enfocar la realidad son infinitos. Es imposible que la novela los presente todos, naturalmente, pero las novelas serán más grandes y más vastas en la medida en que exploren más niveles de realidad[8].

---

[8] Osorio, Nelson; "La expresión de los niveles de realidad en la narrativa de Vargas Llosa". Ponencia leída en la Primera Reunión de Profesores e Investigadores de Literatura Hispanoamericana, celebrada en Concepción en Julio de 1967. Cit. por Jara, René: "El mito y la nueva novela hispanoamericana". A propósito de 'La muerte de Artemio Cruz'. En Giacoman, Helmy F.(ed.); *Homenaje a Carlos Fuentes*. New York, Las Américas Publishing Co., 1972, p. 159.

Se rompen también las fronteras tradicionales entre los géneros literarios, y la novela se deja penetrar por la poesía y el ensayo. En este último caso, resulta muy frecuente que en las obras actuales los novelistas ofrezcan un panorama de la realidad circundante o de sus ideas políticas, filosóficas o literarias, a través de personajes o incluso mediante observaciones directas del narrador intercaladas en el desarrollo del argumento.

Frente a quienes han tildado su literatura de "fantástica" estos autores se definen a sí mismos como "realistas", aunque con un concepto de "realidad" que va mucho más allá de la acepción tradicional del término. Se trata de captar no solamente aquéllo que el hombre puede percibir de forma empírica, sino también la realidad de su ser e identidad profundas, que abarcan desde los procesos inconscientes de la psique hasta los mitos del área cultural de la que forman parte y que siguen aún vivos en el pensamiento esencialmente analógico del hombre hispanoamericano de hoy. La recurrencia a lo "mágico" que llevan a cabo autores de la talla de Carpentier o García Márquez, no es entendida por ellos más que como una forma de captar la realidad del continente, difícilmente perceptible para el espíritu racionalista europeo[9]. El empleo del mito supone también una forma de reacción contra el mundo "científico" que ha dominado la época contemporánea y cuyo fracaso a estas alturas parece evidente. Su utilización como materia literaria es algo ya palpable en los grandes autores europeos y norteamericanos del siglo XX, y en la América Latina se convierte en un vehículo ideal para tratar los temas relativos a la identidad del hombre en general y del americano en particular, y para dar cuenta del fin de la sociedad tecnificada y de la necesidad del cambio. Graciela Maturo, en su obra *De la Utopía al Paraíso*[10] indica que uno de los temas centrales de la moderna narrativa del continente alude a esa necesaria transformación y nacimiento de un "tiempo nuevo" que acabe con el pasado y ofrezca al hombre una segunda oportunidad. Ello trae como consecuencia que en estas obras abunden los símbolos apocalípticos y de creación, que en muchos casos ya se perciben desde los mismos títulos. Ernesto Sábato, en sus artículos y ensayos es probablemente quien mejor resume este sentir:

> Los tiempos modernos, cuyo fin sangriento estamos viviendo y sufriendo, se edificaron sobre el culto de la razón, de la ciencia, de la técnica, con olvido y hasta con menosprecio de los atributos

---

[9] Ver, p. ej. Carpentier, Alejo; "De lo real maravilloso americano". En; *Tientos y diferencias*, Montevideo, Arca, 1967, pp. 102-120.
[10] Maturo, Graciela; *La literatura hispanoamericana. De la Utopía al Paraíso*. Buenos Aires, Fdo. G. Cambeiro, 1983.

irracionales del hombre. Se practicó una bárbara escisión entre el pensamiento mágico y el pensamiento lógico, se sobrevaloró éste hasta la idolatría y se tiró por la borda, con absoluto desprecio, al pensamiento mágico. (...) El mito, echado a puntapiés por la puerta, se metió de nuevo por la ventana mediante el arte y la literatura, que son siempre, por esencia, mitopoéticos y que, como tales, ayudan a la salvación del ser humano. (...) Hay dos movimientos que debemos apoyar en esta formidable crisis de nuestro tiempo. Uno, el de la liberación de los pueblos oprimidos y el de la justicia social. El otro es común para cualquier sociedad actual o futura: el retorno a la unidad primigenia del hombre, con la revalorización de lo irracional. Para esto el arte desempeña un papel esencial y de primera magnitud, frente a la ciencia, que ha sido responsable de la fatal escisión[11].

Esta "revalorización de lo irracional" postulada por la mayoría de los novelistas actuales, supone la contemplación del mundo y del hombre a través del prisma del "pensamiento mítico", lo cual se traduce en sus relatos en la formulación de un tiempo circular o detenido, que alterna con espacios "sagrados" y con estructuras que tienen como correlato objetivo un mito determinado. La conocida afirmación de Carlos Fuentes de que hoy día "la novela es mito, lenguaje y estructura"[12] hace alusión a la relevancia que el primero adquiere en el proceso de renovación actual, y nos lleva a la segunda vertiente importante de la moderna narrativa hispanoamericana: la búsqueda de un nuevo lenguaje, más propio, que elimine la situación de colonialismo lingüístico del continente:

> El hispanoamericano no se siente dueño de su lenguaje, sufre un lenguaje ajeno, el del conquistador, el del señor, el de las academias. (...) La historia de América Latina es la de una des-posesión de lenguaje[13].

El rechazo de los cánones académicos produce la irrupción de formas lingüísticas propiamente americanas, y de neologismos que evidencian una particular preocupación por la expresión artística.

Estas breves notas definitorias de los puntos centrales que aglutinan buena parte de la novela hispanoamericana contemporánea, contribuyen

---

[11] Leiva, Angel; "Entrevista a Ernesto Sábato". En *El País,* Domingo, 25 de Julio de 1982. Sección "Libros", p. 8.

[12] Fuentes, Carlos; *La nueva novela hispanoamericana.* México, Joaquín Mortiz, 1980, p. 20.

[13] *Ibid.,* p. 81.

a perfilar un tipo de narrativa que se abre a la experimentación y a la aparición de múltiples niveles de lectura. El lector deja de ser el ente pasivo que recibía una historia lineal y cerrada y se convierte en el auténtico co-creador del relato. Como señala acertadamente D.P. Gallagher:

> For gone are the days when the reader was treated like an incompetent simpleton, for whom the aim of a novel had to be spelt out on every page. The new novelists rather trust the reader's intelligence and invite his active participation. He must disentangle the novel's complexities as strenously as the characters have to [14].

Estos factores hacen que la novela caiga a menudo en un intelectualismo en ocasiones excesivo, que la convierte en un tipo de literatura "para iniciados" o "snobs". Esta ha sido una de las objeciones más generalizadas que se han dirigido contra estos autores, en quienes también se ha querido ver una cierta contradicción entre su "compromiso" con Hispanoamérica y sus ideas izquierdistas, y la cómoda vida que algunos llevan en Europa, principalmente en París. Especial importancia dada la categoría de su autor y su pertenencia al elenco de autores modernos, tiene la dura arremetida de Mario Benedetti contra los colegas que, como Cortázar, Fuentes o Vargas Llosa, disfrutan de un dulce exilio, alejados del epicentro de los problemas del continente, con un tipo de vida propio de la alta burguesía a quien luego censuran en sus obras[15]. Otra acusación que también hace Benedetti a estos autores, y que constituye otra de las críticas más comunes al grupo, es la de haber formado una auténtica "mafia" literaria que controla todos los mecanismos editoriales y críticos, y que ha dado lugar a una situación muy similar a la que existía en las primeras décadas del siglo cuando la estética oficial reinante impedía el triunfo de escritores con ideas nuevas. Esta "mafia" se gestó en México y se prolongó más tarde a todo el continente:

---

[14] ("Lejos están ya los días en que al lector se le trataba como un tonto incompetente para quien el sentido de la novela debía ser deletreado en cada página. Los nuevos novelistas confían por el contrario en la inteligencia del lector y le invitan a participar activamente. Debe desentrañar las complejidades de la novela tan tenazmente como los personajes").
Gallagher, D.P.; *Modern Latin American Literature.* Oxford University Press, 1973 p. 92.

[15] Benedetti, Mario; *El escritor latinoamericano y la revolución posible.* México, Edit. Nueva Imagen, 1974.

El célebre *boom* fue en realidad una prolongación internacional de la mafia; y no es casual que los mexicanos hayan sido sus más fervientes y eficaces promotores[16].

Probablemente ninguno de los novelistas hispanoamericanos de los últimos años reúnan en su aspecto personal y literario todas estas características reseñadas como lo hace el mexicano Carlos Fuentes. Auténtico "alma" del "boom", hábil manejador de los entresijos editoriales, "niño bien", que gusta vivir fuera de México y siempre en contacto con la alta sociedad, es a la vez uno de los más prolíficos novelistas de la actualidad y uno de los que con mayor perfección y habilidad ha experimentado con el género. Un breve repaso a su biografía y a sus ideas nos permitirá conocer su personalidad algo más de cerca.

B) CONTEXTO PARTICULAR. CARLOS FUENTES
APUNTES BIOGRAFICOS

Carlos Manuel Fuentes Macías nace en Panamá el 11 de Noviembre de 1928[1]. Su llegada al mundo en esta república centroamericana supone un dato puramente circunstancial, ya que su padre, D. Rafael Fuentes Boettiger, cumplía en esa época el papel de Encargado de Negocios de México en la capital panameña. La infancia de Fuentes se halla profundamente marcada por los constantes traslados a que era sometido el embajador, y que le llevaron en el período comprendido entre 1929 y 1943 a Montevideo, Washington, Santiago de Chile y Buenos Aires. Particular importancia en su formación va a tener su estancia en Washington entre 1934 y 1940. Carlos llega a la capital estadounidense con seis años de edad y hasta los doce recibe su educación en inglés y emplea este idioma como su forma de expresión habitual. Sus padres, preocupados por la posible pérdida de la lengua materna, envían al joven todos los años al Colegio de Verano de México para que el muchacho no se desligue del contacto con su cultura y su país. Durante sus años en Washington,

---

[16] *Ibid.*, p. 137.

[1] Frecuentemente se da como lugar de nacimiento del escritor la ciudad de México. Aida Elsa Ramírez Mattei, sin embargo, contrasta el dato de su nacimiento en Panamá con el documento que a tal efecto se puede hallar hoy día en el Registro Civil de dicha ciudad, Tomo 56, Partida 423. (Ramírez Mattei, Aida Elsa; *La narrativa de Carlos Fuentes.* Universidad de Puerto Rico, 1983). Richard M. Reeve, uno de los críticos que más profundamente ha estudiado la personalidad y la obra del escritor mexicano también aporta este dato. (En VVAA; *Narrativa y crítica de nuestra América.* Madrid, Castalia, 1978).

Fuentes comienza a tomar conciencia de su nacionalidad, en lo cual jugó un papel importante la nacionalización del petróleo mexicano que emprende el presidente Cárdenas en 1938. El escritor refiere así el influjo que causó en él tal circunstancia:

> Hasta ese momento yo había sido un niño, un niño querido en la escuela, que participaba en los juegos y en las representaciones teatrales, que era un buen alumno, y que tenía amigos... pues bien, de la noche a la mañana empezaron a aparecer esos titulares gigantescos en la prensa: 'El rojo Cárdenas nos roba nuestro petróleo', 'Los mexicanos nos han confiscado', etc., y me convertí en un apestado. Me dí cuenta de que pertenecía a una nación, a su cultura y a su historia...[2].

En el año 1941 Fuentes llega a Chile y comienza sus estudios en la elitista Grange School de la capital, donde coincide con el que más tarde será su amigo y colega José Donoso. Dos años más tarde se traslada con sus padres a Buenos Aires, ciudad de la que guardará durante toda su vida un grato recuerdo:

> Yo me enamoré de Buenos Aires, verdad, por muchos motivos, y algunos de ellos muy privados.. (...) Yo me dediqué a recorrer Buenos Aires, a recorrerlo a pié, para arriba y para abajo. (...) Ví todo el cine argentino en la calle Lavalle[3].

En 1944 el joven se va al fin a vivir a México, donde le espera un fuerte choque inicial con una cultura y un mundo que apenas conoce:

> Fue muy traumático para mí, porque fue la primera vez que regresaba a mi país a vivir en él y yo era muy raro, muy extraño a los ojos de los demás porque traía acento argentino, chileno, porque me vestía con bombachas, porque leía el *Billiken*, el *Patorzú*, en fin[4].

Entra a estudiar a los dieciseis años en el colegio de los Maristas de la capital mexicana, y en 1948 obtiene el título de Bachiller en leyes que le permite ingresar en la UNAM.

---

[2] Soler Serrano, Joaquín; "Carlos Fuentes". En *Mis personajes favoritos*. Separata de la Revista *Telerradio*, núm. 33. p. 259.

[3] Sosnosvski, Saúl; "An Interview with Carlos Fuentes". *Hispamérica*, 9,27, 1980, p. 71.

[4] *Ibid,*. p. 71.

Estos primeros años de la vida de Fuentes son muy importantes para perfilar lo que será el futuro del escritor. Su incesante viajar por diversas capitales del continente le obligan a una constante adaptación a países con cultura e incluso lenguas distintas, y le produce ese sentimiento de desarraigo que convierte en totalmente pasional su relación con México, país que ama tanto como rechaza[5].

Desde sus primeros años de vida, Fuentes comienza a dar muestras de una temprana vocación literaria. Según sus propias declaraciones, a los sies años escribe ya algunos relatos cortos, y a los doce y trece años publica cuentos en el *Boletín del Instituto Nacional de Chile* y en la revista de la Grange School. También en Chile el joven escribe su primera novela, que, según sus palabras era

> .. un melodrama espantoso pasado en Haití, un poco una premonición de 'El reino de este mundo'. Se la leí a Siqueiros —que estaba entonces haciendo los murales de Chillán—; era muy barroca, el pobre se dormía oyéndola naturalmente, esa inmensa novela de 400 páginas que escribí a los catorce años[6].

En la temporada que vive en México, de 1944 a 1950, Fuentes traba amistad con Alfonso Reyes, con quien pasa algunos períodos de vacaciones en Cuernavaca. Lee ávidamente todo lo que cae en sus manos, y especialmente la literatura mexicana del momento (Reyes, Novo, Yáñez y Paz, entre otros) y la novela extranjera de Dos Passos, Huxley, Joyce, Mann o Faulkner, a la que accede por su perfecto conocimiento del inglés.

En esta época Fuentes es también noticia habitual en las páginas de sociedad de los diarios mexicanos por su asidua asistencia a las fiestas de la clase acomodada de la capital donde destaca por sus dotes de animador. Como señala Daniel Dueñas:

> Todavía lo recordarmos en la casa de Ricardo del Villar haciéndose pasar por nihilista uruguayo o interpretando arias de ópera tonkinesa con los ojos en blanco y un timbre gangoso.

---

[5] El autor al referirse a estos años menciona esta actitud que mantendrá el resto de su vida: "México, para mí, era un hecho de violentos acercamientos y separaciones, frente al cual la afectividad no era menos fuerte que el rechazo". (Fuentes, Carlos; *Tiempo mexicano*. México, Joaquín Mortiz, 1978, p. 63).

[6] Osorio, Manuel; "Entrevista con Carlos Fuentes: No escribo para leer en el metro". *Cuadernos para el diálogo,* Madrid, 5 de Febrero, 1977, núm. 197, p. 50.

Todos celebrábamos sus actuaciones como ciego en las calles de Madero y San Juan de Letrán al lado de Enrique Creel de la Barra[7].

En estas celebraciones y reuniones —como la habitual tertulia en casa de Cristina Moya—, el autor se mantiene en contacto con la alta sociedad mexicana, de la que llega a ser uno de los más notables y conocidos representantes.

Un grupo formado en su mayoría por estos "niños bien" de la noche capitalina, funda en Julio de 1949 la famosa sociedad secreta conocida por el nombre de "basfumismo", a la que se unió el joven Carlos. Aunque en realidad se trataba de una sociedad cerrada y exclusiva, con unas orientaciones similares a la vanguardia europea de los años 20 y 30, pronto empezaron a correr rumores que crearon en torno al grupo una aureola de misterio relacionada con extrañas prácticas y ritos de presumible culto demoniaco. Tal creencia estuvo propiciada por la actitud extravagante de estos jóvenes, quienes gustaban de acudir con gran publicidad a cementerios y panteones abandonados donde decían rendir culto a un dios particular. La polvareda que levantó este grupo en la opinión pública mexicana impulsó a Carlos Fuentes a escribir un artículo aclaratorio que, bajo el título "¿Pero usted no sabe aún lo que es el Basfumismo?", apareció en la revista *Hoy* el 29 de Septiembre de 1949. Fuentes señala en él las bases teórico-filosóficas de la sociedad, con especial hincapié en el rechazo del optimismo, del tiempo lineal y con una propuesta de retorno a la exploración de la interioridad humana como matriz real del universo:

.. para *SER* el hombre debe asesinar al Tiempo (...) El hombre actual vive, no para él, sino para su proyección en el futuro. No existe el hombre. Existe *SU* participación en el Tiempo. (...) Y así nunca trascenderá el Hombre al Hombre, sino al vacío. El Tiempo debe detenerse, el Hombre debe salir del océano asfixiante de relojes suizos en el cual diluye su promesa. Al perder al Tiempo el Hombre encontrará al Hombre[8].

[7] Dueñas, Daniel; "Carlos Fuentes: de 'niño bien' a novelista de los habitantes del D.F.". *Hoy*, 110, (17 de Mayo de 1958), p. 76.

[8] Fuentes, Carlos; "¿Pero usted no sabe aún lo que es el Basfumismo?", *Hoy*, 29 de Sept. de 1949, p. 24. Obsérvese la proximidad de estas ideas expresadas en su juventud con las que el autor defenderá a lo largo de su vida y plasmará en sus obras. Para mayor información y detalles anecdóticos sobre el Basfumismo, ver los siguientes artículos de María Palomino: "Impertinentes" (*Hoy*, 18 de Junio de 1949, p. 60), "Impertinentes: Definición para el basfumismo" (*Hoy*, 2 de Julio de 1949) "Impertinentes: Restos basfumistas" (*Hoy*, 25 de Febrero de 1950) y "Sueño y mentira del Basfumismo" (*Mañana*, 26, núm. 325, 26 de Noviembre de 1949).

Al final de 1949 el grupo prácticamente se disuelve y Fuentes pone rumbo a Europa para iniciar en el Institut des Hautes Etudes Internationales de Ginebra sus estudios de graduación. Poco antes de su partida aparece publicado en la revista *Mañana* de la capital mexicana su cuento *Pastel Rancio*.

Esta etapa licenciosa no cayó en balde en la formación de la personalidad del escritor, sino que le permitió obtener un conocimiento de la ciudad y sus entresijos que más tarde reflejaría en sus novelas. El mismo, recordando estos años declara:

> Todo ese mundo social mexicano, los mariachis, las plazas, las putas de los peores burdeles de México, entre las aristocracias o las pseudo-aristocracias ... todo el mundo de *La región más transparente* se me cocinó en esos años en que fuí muy indisciplinado y no hacía más que andar de fiesta en fiesta y de borrachera en borrachera[9].

La estancia de dos años en Ginebra, dedicado al trabajo y al estudio, opera una cierta transformación en el carácter del joven. En este corto período es nombrado secretario de la delegación mexicana ante la OIT, y, mientras redacta su tesis doctoral, titulada *La cláusula Rebus Sic Stantibus*, se entrega con pasión a la lectura de la novela europea clásica y de la poesía francesa e inglesa. En París conoce a Octavio Paz con quien inicia una larga y fructífera amistad.

A su regreso a México en 1951, aquellos que le habían conocido perciben su evolución:

> Se había vuelto muy serio, reflexivo, poco amigo de compañía y se decía que estaba trabajando mucho. Abandonó las fiestas (...) y se refugió en la lectura, en el estudio[10].

Su formación europea le permite desempeñar varios cargos burocráticos en la universidad para pasar poco después a ocupar el puesto de jefe del Departamento de Relaciones Culturales del Ministerio de Asuntos Exteriores. Durante estos años comienzan a hacerse frecuentes sus colaboraciones en periódicos y revistas con artículos de tema principalmente económico y político, en los que da las primeras muestras de su posterior activismo marxista. Destacan también sus críticas cinematográficas en la

---

[9] Sosnowsky, Saúl; *ob. cit.*, p. 84.

[10] Dueñas, Daniel; *ob. cit.*, p. 77.

Revista de la Universidad de México con lo que comienza su dedicación a una de sus grandes pasiones: el cine.

En el año 1954 aparece en una revista mexicana de poca difusión su cuento *Pantera en jazz* y meses más tarde recibe el primer espaldarazo importante en su carrera literaria: Juan José Arreola funda la editorial para escritores jóvenes "Los Presentes", que permite a Fuentes publicar su primera colección de cuentos: *Los Días enmascarados*. En 1955, al terminar sus estudios de abogado, se encuentra ya entregado por completo a la literatura. Junto con su amigo Emmanuel Carballo funda la prestigiosa *Revista Mexicana de Literatura* y dirige una columna en la sección cultural del diario *Novedades*.

El ambiente cultural de estos años supone también un hito de importancia en la formación del escritor. En la primera mitad de la década de los cincuenta se asiste en México a las últimas manifestaciones de la llada "novela de la revolución". En el aire flotan muchas ideas de cambio. La influencia de los postulados filosóficos de la postguerra comienza a hacer mella en los jóvenes, y éstos, apoyados por la obra de ciertos pensadores, como Leopoldo Zea u Octavio Paz, vuelven los ojos hacia el hombre y los problemas de la nacionalidad. Esto se conjuga con la penetración paulatina pero firme de la novelística anglosajona y su experimentación narrativa. Estas ideas comienzan a estar presentes con cierta fuerza en el mundo literario en el que Fuentes empieza a escribir, y se reflejan en gran medida en su primera novela que constituye su consagración como escritor: *La región más transparente,* aparecida en 1958. Reconocido desde entonces como uno de los mejores escritores del momento, Carlos publica un año más tarde, el mismo de su matrimonio con la actriz Rita Macedo, su segunda novela *Las buenas conciencias.*

El viaje a La Habana que efectúa en los últimos años de la década lo convierte en uno de los más activos defensores de la revolución castrista. Para propagar sus ideales viaja mucho a Hispanoamérica, y establece contacto con otros escritores del continente, como García Márquez, Cortázar, Vargas Llosa o José Donoso, con los que inicia una estrecha amistad. Este último resume así la impresión que le causó el conocimiento del autor de *La región más transparente* en 1962:

> Hablaba inglés y francés a la perfección. Había leído todas las novelas —incluso a Henry James, cuyo nombre todavía no había sonado en las soledades de América del Sur—, y visto todos los cuadros, todas las películas en todas las capitales del mundo. No tenía la enojosa arrogancia de pretender ser *un sencillo hijo del pueblo,* como más o menos se usaba entre los intelectuales chile-

nos de esos años, sino que asumía con desenfado su papel de individuo y de intelectual, uniendo lo político con lo social y lo estético, y siendo, además, un elegante y refinado que no temía parecerlo[11].

A partir de la década de los 60 Fuentes se establece durante largas temporadas en Europa, principalmente en París, y desarrolla una intensa vida social relacionándose con la alta sociedad y la élite de la intelectualidad mundial. Su dominio de las lenguas francesa e inglesa le ofrecen la oportunidad de ser conocido fuera de México mediante su colaboración en publicaciones como *Mundo Nuevo* (París), *Mito* (Bogotá), *The Nation* (EE.UU.) o *The Sunday Times* (Londres). Intensifica de manera considerable su actividad política y escribe regularmente en dos revistas mexicanas de izquierda: *Siempre* y *Política*. Es también la época de su mayor producción literaria. En pocos años hacen su aparición las novelas *La muerte de Artemio Cruz* (1962), *Aura* (1962), *Zona Sagrada* (1967), *Cambio de Piel* (1967) —que ese mismo año recibe el premio "Biblioteca Breve"— y *Cumpleaños* (1969), su libro de cuentos *Cantar de ciegos* (1964) y sus ensayos *París: la revolución de Mayo* (1968) y *La nueva novela hispanoamericana* (1969). Esto le permite vivir enteramente del trabajo de su pluma, aunque una de sus principales fuentes de ingresos proceda de su actividad como guionista y adaptador cinematográfico[12]. En este campo lleva a cabo algunos ensayos de cine experimental, movimiento que nace en México como oposición a la tiranía del Sindicato de Productores.

En la obra de Fuentes se percibe de forma clara la influencia de las ideologías de vanguardia de los años 60. Se trata de una época importante para el pensamiento contemporáneo, en la que comienza a vislumbrarse con nitidez un sentimiento contestatario hacia el "stablishment", nacido en buena medida de la situación de pesimismo y desilusión ante lo que había dado de sí el optimismo oficial de la postguerra. Son los años iniciales de la guerra del Viet-Nam, que desenmascara definitivamente ante el mundo las aspiraciones y deseos del país que desempeñaba el papel de centro dominador del orbe occidental, y que provoca la airada protesta de los jóvenes, que alzan la bandera de la renovación y la liquidación

---

[11] Donoso, José; *ob. cit.*, p. 55.

[12] Entre otros guiones importantes en los que colabora en los años 60 y 70, destacan la adaptación de *Pedro Páramo*, el "western" *Tiempo de morir* en colaboración con García Márquez, *Los caifanes*, *El acoso*, *La revolución cubana*, y sus propios relatos *Aura*, *Las dos Elenas* y *Un alma pura*.

del mundo burgués. Comienzan a aflorar las comunidades hippies y beatniks, triunfa el existencialismo y la música de los Beatles —fondo musical de *Cambio de Piel*— se erige en el símbolo del cambio. Son los momentos inmediatos a la gran revolución de Mayo del 68, que el propio Fuentes interpretó no como una protesta puramente local, sino como una revuelta de auténtico sentido histórico y universal:

> ... esto es lo primero que hay que comprender sobre la revolución de Mayo en Francia: que es una insurrección, no contra un gobierno determinado, sino contra el futuro determinado por la práctica de la sociedad industrial contemporánea[13].

En el terreno cultural son momentos de auge del estructuralismo y de la "revolución antropológica" de Claude Lévi-Strauss. El escritor mexicano recibe la impronta de todo este ambiente, que hará su aparición en sus novelas *Cambio de Piel* y *Zona Sagrada* así como en los distintos artículos y ensayos de esta época.

En la década de los 70, la fama y el prestigio internacional de Fuentes le llevan a ostentar distintos cargos oficiales en el extranjero, entre los que destaca el puesto de embajador en París, al que accede en 1975 y que abandona en 1977 disconforme con el nombramiento del ex-presidente Díaz Ordaz —a quién él consideraba responsable de la matanza de Tlatelolco— como representante del gobierno mexicano en España. Realiza varios guiones y adaptaciones cinematográficas y forma parte de diversos jurados en certámenes de cine y literatura. Su labor se ve premiada con la concesión del Premio de los Embajadores en París, el Premio Internacional de novela "Rómulo Gallegos" de Venezuela (1977) y el Premio "Alfonso Reyes" de México (1979). En 1973 contrae nuevo matrimonio, en este caso con la periodista Silvia Lemus con la que tiene dos hijos, Carlos Rafael y Natascha, que se vienen a sumar a Cecilia, la niña habida en su anterior unión con Rita Macedo.

En cuanto a su producción literaria, Fuentes experimenta en esta década un género que hasta entonces no había cultivado: el teatro. Publica así sus dos obras teatrales *Todos los gatos son pardos* (1970) y *El tuerto es rey* (1971) que poco más tarde aparecerían reunidas con ciertas modificaciones en el volumen titulado *Los reinos originarios* (1971). Intensifica su labor de ensayista y ven la luz sus estudios *Casa con dos puertas* (1970), *Tiempo mexicano* (1971) y *Cervantes o la crítica de la*

---

[13] Fuentes, Carlos; "La Francia revolucionaria: imágenes e ideas". En; Fuentes, Sartre y Cohn Bendit: *La Revolución Estudiantil*. San José, Edit. Universitaria Centroamericana, 1971, p. 16.

lectura (1976). En el campo de la narración aparece su importante y más extensa obra, *Terra Nostra* (1975), y, tres años más tarde, *La cabeza de la hidra* (1978). Prosigue asimismo su labor política, y en 1971 firma el manifiesto de los intelectuales contra el encarcelamiento del poeta cubano Padilla, en lo que constituyó su primera crítica abierta a la revolución castrista, hecho que le acarreó fuertes críticas por parte de algunos colegas del continente[14].

En la década de los 80 Fuentes ha traspasado la frontera de los cincuenta años, pero ello no le ha restado ni un átomo de energía en su natural espíritu combativo. Su izquierdismo activo y su afán polémico le llevan a publicar numerosos artículos de tono político —especialmente en la revista mexicana *Vuelta*— y a sostener vivas discusiones que lo mantienen en el primer plano de la actualidad. Vive durante algunas temporadas en París y otros puntos de Europa, y acude con frecuencia como conferenciante o profesor visitante a las universidades norteamericanas, donde su obra es muy apreciada[15]. Sin embargo, se percibe un cierto descenso en la casi frenética actividad literaria desarrollada en décadas anteriores. De todas formas, tiene hasta el momento en su haber la publicación de dos novelas: *Una familia lejana* (1980) y *Gringo Viejo* (1985), un libro de cuentos: *Agua quemada* (1981) y una obra teatral: *Orquídeas a la luz de la luna* (1982); pero su mente sigue llena de proyectos. En la actualidad tiene en marcha una novela basada en sus experiencias en la diplomacia de su país y que tiene el título provisional de *El rey de México*[16], una colección de ensayos políticos sobre Latinoamérica, y lleva muy avanzada la redacción de su novela *Cristóbal Nonato,* de la que afirma que será su visión final de la ciudad de México[17]. El último galardón importante

---

[14] Ver p. ej. las alusiones que hace Mario Benedetti sobre los firmantes de tal crítica en la obra citada.

[15] Así, durante algún tiempo fijó su residencia en la Ciudad de Princeton, en cuya Universidad impartió clases de literatura española e hispanoamericana. En la actualidad desarrolla su actividad docente en la universidad norteamericana de Harvard.

[16] Sosnowsky, Saúl; *ob. cit.,* p. 84.

[17] Así se lo declara a Nicholas Shrady en *The New York Times Book Review* del 19 de Agosto de 1984. A juzgar por sus comentarios ésta es la novela a la que se refiere en el diálogo mantenido en 1978 en el Simposio dedicado a su obra, y a la que da al título de *Palinodia del polvo,* tomado de Alfonso Reyes, con lo que pretende "cerrar el círculo" iniciado con *La región más transparente.* (Ver Lévy, Isaac Jack y Juan Loveluck (eds.); *Simposio Carlos Fuentes: Actas.* Columbia, Carolina

concedido a su obra fue el Premio Nacional de Literatura de México que se le otorgó el 19 de Diciembre de 1984.

Escritor prolífico, intelectual polifacético, batallador incansable, Carlos Fuentes surge como una figura de personalidad arrolladora en los diversos campos a que ha dedicado su actividad. Su biografía aparece marcada por su vida viajera y su relativo desarraigo de México, que le interesa como un problema intelectual que ha de mantener físicamente alejado. El autor trata de justificar su autoexilio aludiendo a la paz y el anonimato que encuentra para trabajar en Europa y a su necesidad de acudir a actividades culturales inexistentes en su país[18]. Esto le ha acarreado numerosas críticas dirigidas principalmente a su vida europea, distante del cuerpo candente de los problemas que contempla con una cierta perspectiva[19]. Su actividad política, encaminada a una feroz crítica de la dinámica de bloques, pero especialmente encarnizada con la Administración norteamericana, le ha costado más de una prohibición de entrada en EE.UU. y una fama internacional de escritor comprometido con la denuncia de la pobreza y la opresión a que se ve sometido el Tercer Mundo.

Sus amplios conocimientos internacionales, unido a sus constantes viajes lo convierten en el principal creador y cabeza visible del llamado "boom" de la narrativa hispanoamericana. José Donoso comenta en este sentido:

---

del Sur, Abril, 27-29, 1978. (Hispanic Studies, 2). Columbia University of South Carolina, 1980). En una entrevista reciente, Fuentes resume así el argumento de esta nueva novela: "Es un libro contado por un feto, un niño que va a nacer en el año en que vamos a celebrar el V Centenario del Descubrimiento de América, que es un hecho considerable en nuestros destinos. Hay un concurso en México para niños que nazcan el 12 de Octubre de 1992. En una playa de Acapulco, mis dos protagonistas dicen: 'Vamos a hacer el niño para que gane el concurso. Si lo hacemos el 6 de Enero, que es el día de la Epifanía de los Santos Reyes, quizá nazca para el 12 de Octubre'. Y se dedican a follar para tener el niño. Entonces, el niño asume la narración de la novela y va contando lo que le ocurre a él y lo que ve en el mundo y lo que significa su carga genética y lo que él sabe y sabe que va a olvidar cuando nazca; todo lo que él sabe, el lenguaje que él conoce y que va a perder después de nueve meses. Es una visión del país, es una visión de México, del mundo de América Latina a partir de estas coordenadas que acabo de darle".
(Jihad, Kadim; "El lenguaje fetal y conmemorativo. Entrevista con Carlos Fuentes". *Diario 16*, 23 de Febrero de 1986, "Culturas", pp. IV-V.).

[18] Ver p. ej.; Ullán, J.M.; "Carlos Fuentes, salto mortal hacia mañana". En Giacoman, Helmy F.; *ob. cit.*, pp. 334-335.

[19] Ver nuevamente la crítica que Benedetti *(ob. cit.)* hace a los escritores "autoexiliados".

... fue el primero en manejar sus obras a través de agentes literarios, el primero en tener amistades con los escritores importantes de Europa y USA (...), el primero en ser considerado como un
novelista de primera fila por los críticos yanquis, el primero en
darse cuenta de la dimensión de lo que estaba sucediendo en la
novela hispanoamericana de su generación, y generosa y civiliza-
damente, el primero en darlo a conocer[20].

Una personalidad tan fuerte y controvertida resulta lógico que cuen-
te con un buen número de detractores, quienes le achacan, en el orden
personal, su alejamiento del país, su función de "cerebro" de la mafia
literaria hispanoamericana y su evidente contradicción entre su vida alto
—burguesa y su compromiso izquierdista. En cuanto a su producción narrativa, Fuentes es frecuentemente criticado por sus audaces experimentos y, principalmente, por su excesivo intelectualismo que convierte a sus
novelas en obras de muy difícil lectura, con numerosas claves ocultas tan
sólo perceptibles por el lector paciente y culto[21].

Sus novelas y cuentos suelen traslucir ese sentimiento de disconfor-
midad con el estado de la sociedad contemporánea, cuyo final ve cercano
y necesario para generar un mundo nuevo y distinto. La nueva utopía
que propone Fuentes se basa en el "desenmascaramiento" del hombre,
su liberación total de la alienación a que es sometido por los centros de
poder, y el descubrimiento del valor sagrado del amor como forma suprema de realización humana. Son temas recurrentes en sus novelas los problemas de la identidad, la libertad y la constante búsqueda del hombre.
Fuentes es un escritor preocupado por penetrar en la interioridad humana y, del mismo modo que gran parte de sus contemporáneos en Hispanoamerica, profundiza en el conocimiento de los símbolos y los mitos de la
Humanidad para llegar a las raíces auténticas de la personalidad. El mito,
a varios niveles, se convierte de esta forma en uno de los elementos nucleares y estructuradores de su labor narrativa y el propio autor le otorga
un papel preponderante tanto en el contexto de la novela actual como de
su obra particular:

---

[20] Donoso, José; *ob. cit.*, p. 64.

[21] El mismo, en la entrevista concedida a H.P. Doezema, se muestra consciente de su carácter de escritor elitista: "I would have a demagogue and an idiot if I
thought I were writing for the people! It would be a complete misunderstanding of
the culture I'm working within". ("Yo sería un demagogo y un idiota si pensara que
escribo para el pueblo! Significaría una incomprensión completa de la cultura en la
que estoy trabajando"). Doezema, Herman P.; "An Interview with Carlos Fuentes".
Modern Fiction Studies, 18, núm. 14, (Winter 1972/73, p. 501).

... one travels around with one's ghosts and obsessions forever.
(...) I was born with certain fantasms and obsessions with respect
to identitiy, to the simultaneity of time, the mythical organisms,
the absolute presence of myth. These tendencies are unavoidable
in anything I write[22].

A intentar dilucidar los mecanismos de funcionamiento y el sentido
del empleo del mito en la obra de Carlos Fuentes se encamina el análisis
de sus novelas y cuentos que constituye el núcleo central del presente
trabajo.

---

[22] ("Uno viaja por ahí con sus fantasmas y obsesiones para siempre (...) Yo
nací con ciertos fantasmas y obsesiones con respecto a la identidad, a la simultaneidad del tiempo al organismo mítico, la presencia absoluta del mito. Estas tendencias
son inevitables en cualquier cosa que escribo"). *Ibid.*, p. 494.

CAPITULO II

LA OBRA
INTRODUCCION A LA OBRA NARRATIVA
DE CARLOS FUENTES

RELATOS DE JUVENTUD (1949 - 1957)

Tras sus primeros relatos de infancia, recogidos en revistas escolares, Carlos Fuentes hace su aparición en el escenario de las letras mexicanas con la publicación en la revista *Mañana* del cuento titulado *Pastel Rancio*[1], hoy prácticamente olvidado por la crítica y apenas mencionado por el propio autor. Se trata de un cuento bastante mediocre, cuyo interés hoy día es puramente anecdótico. Lo mismo podría decirse de su segundo relato corto, titulado *Pantera en jazz*[2] que tardará cinco años en ver la luz, precediendo en muy poco tiempo a la aparición del primer libro de Fuentes: el volumen de cuentos que, bajo el título de *Los días enmascarados (LDE)*, recoge un total de seis narraciones breves de corte fantástico. La obra se publica en la editorial mexicana "Los Presentes", fundada poco antes por Juan José Arreola para dar a conocer la actividad creadora de la nueva generación de escritores. El joven Fuentes decide no desaprovechar la ocasión y, según sus propias declaraciones, en tan sólo un mes de trabajo da por finalizado el libro[3].

El tono general de los relatos, muy alejados del estilo realista y documental que, aunque ya empezaba a mostrar síntomas de agotamiento,

---

[1] Fuentes, Carlos; "Pastel Rancio". *Mañana* (México), XXVI, 326, (26 de Noviembre de 1949), p. 227.

[2] Fuentes, Carlos; "Pantera en jazz". *Ideas de México*, I, 3, (Enero-Febrero, 1954), pp. 119-124.

[3] Harss, Luis; *Los nuestros*. Buenos Aires, Ed. Sudamericana, 1977,

aún predominaba en el criterio estético de la mayoría de narradores y críticos mexicanos, determinó que la obra fuese censurada por su "escapismo" y alejamiento de los problemas y realidades sociales del país. Esta crítica, como se verá más adelante, fue del todo injustificada y estuvo motivada por el desconocimiento de la personalidad del escritor y la tendencia a identificar el tono fantástico con una evasión de la realidad. Por el contrario, en todos los relatos que componen *LDE* se percibe una honda preocupación por los problemas que aquejaban a México y al mundo en general en aquella época.

La importancia y el éxito que en el futuro obtendrán las novelas de Fuentes, empezando ya por *La región más transparente* relegó pronto al olvido a este primer volumen, hasta tal punto que, como indica Richard M. Reeve "una década después, críticos tan importantes como los sudamericanos Mario Benedetti y Emir Rodríguez Monegal sólo conocían de oídas el primer libro de Fuentes"[4].

La crítica se muestra unánime al considerar estos relatos como el "semillero" de la totalidad de las novelas de madurez del autor. Y efectivamente una lectura cuidadosa de los mismos descubre la existencia embrionaria de los temas que el escritor mexicano va a desarrollar más ampliamente en el futuro, así como un primer ensayo de las técnicas que caracterizarán su obra narrativa. De esta forma, la preocupación por el pasado prehispánico y la presencia del mito son evidentes en *Chac Mool* y *Por boca de los dioses*, mientras que la coexistencia de tiempos diferentes en el país, la falta de identidad propia del mexicano y el problema de la "extranjerización" aparecen en *Tlactocatzine, del jardín de Flandes*. En una vertiente menos localista, la crítica a la situación internacional y al lenguaje vacío del poder instituido surgen en *En defensa de la trigolibia*, en tanto que otros temas, como la censura a la sociedad de consumo o el repudio al imperialismo norteamericano aparecen en los cuentos *El que inventó la pólvora* y *Letanía de la orquídea*.

El aparente vacío que se produce en los años que transcurren entre la republicación de *LDE* y la primera edición de *La región más transparente*, lo llenan dos nuevos cuentos que aparecen en la *Revista de la Universidad de México* en Marzo y Septiembre de 1956: se trata de *El muñeco*[5] y *El trigo errante*[6], relatos que cierran lo que podríamos considerar como lo

---

[4] Reeve, Richard M.; "Carlos Fuentes". En VVAA *Narrativa y crítica de nuestra América*. Madrid. Castalia, 1978, pp. 291-292.

[5] Fuentes, Carlos; "El muñeco", en *Revista de la Universidad de México*, X, 7, (Marzo de 1956), pp. 7-8.

[6] Fuentes, Carlos: "El trigo errante", en *Revista de la Universidad de México*, XI, 1, (Septiembre de 1956), pp. 8-10.

primera etapa en la labor creativa del autor mexicano, caracterizada por su actividad en el terreno del relato corto. Muy poco tiempo después, Fuentes "dará el salto" al género novela, en cuyo cultivo acabará siendo reconocido internacionalmente.

PRIMERAS NOVELAS (1958 - 1963)

La región más transparente (RMT), la primera novela extensa de Carlos Fuentes, ve la luz en el año 1958. Su aparición era muy esperada por la crítica, que ya llevaba algunos años enzarzada en una polémica motivada por la publicación en distintas revistas de México de varios fragmentos de la obra[7]. Tras su edición aumentaron las controversias, centradas en la valoración dispar de los planteamientos que el autor hacía del México de la época, y en la catalogación positiva o negativa de sus novedosas técnicas narrativas[8]. Entre otras casas, a la novela se le acusó de ser una auténtica copia o imitación de los experimentos renovadores desarrollados por autores europeos y americanos[9], y se reprochó al autor la visión negativa que ofrecía del país. Frente a esta recepción un tanto hostil, una gran parte de la crítica, principalmente extranjera, valoró esta obra como uno de los mayores logros artísticos conseguidos en la historia de la narrativa mexicana. Los elogios recayeron principalmente en la novedad técnica que suponía, y en que se trataba realmente de la primera novela que se planteaba frontalmente el problema del México postrevolucionario una vez superados los momentos de la novela de la Revolución y sus epígonos.

RMT se inscribe en un momento cultural e ideológico de gran im-

---

[7] Sobre esta polémica, ver el artículo de Reeve, Richard M.; "The making of "La región más transparente", en Brody, Robert and Rossman, Ch. (Eds.); *Carlos Fuentes, a Critical View*. University of Texas Press, Austin, Texas, 1982, pp. 34-63.

[8] Richard M. Reeve ofrece los siguientes datos al respecto: "Of approximately two dozen reviews published in the first few months, five were openly hostile, another dozen extremely laudatory and the rest fairly neutral. ("De aproximadamente dos docenas de reseñas publicadas en los primeros meses, cinco fueron abiertamente hostiles, otra docena extremadamente laudatorias y el resto bastante neutrales"). *ibid.*, p. 52. Entre las opiniones negativas destaca sorpreedentemente la de Elena Garro, expresada en su artículo "El pro y el contra de una escandalosa novela". (En Novedades (México) 11 de Mayor de 1958, p. 1 del Suplemento "México en la Cultura"). Para más detalles sobre la recepción crítica de la obra, ver *Ibid.*

[9] Es la postura que, con gran virulencia, defenderá Manuel Pedro González en Schulman, González, Loveluck, Alegría; *Coloquio sobre la novela hispanoamericana*. México, FCE, 1967.

portancia para la literatura mexicana del siglo XX. En los años en que Fuentes comienza a escribir, la novela de la Revolución mexicana ha llegado a su agotamiento, y comienza a percibirse ya una corriente crítica, alejada de los momentos de euforia épica e idealismo, que pone en duda los logros de la misma en un tono pesimista de derrota. Son también los años de auge de la llamada "filosofía de lo mexicano", que impregna por completo las páginas de esta novela. Las opiniones vertidas por los distintos estudiosos de la materia se van a dejar sentir en varios pasajes del relato, que se convierten en el foro de discusión sobre las distintas soluciones al problema. Esto es así hasta el punto de que gran parte de la crítica ha señalado que la verdadera intención de Fuentes en *RMT* es la de presentar las diversas actitudes sobre el tema que se verían confrontadas en la obra sin que necesariamente el autor tomara partido por una u otra[10].

Desde el punto de vista técnico y estilístico, *RMT,* como ya ha quedado reseñado, suponía un fuerte choque con los moldes propios del relato tradicional que habían imperado hasta la fecha. La influencia reconocida de Joyce, Dos Passos y Faulkner se deja sentir en la elaboración de esta novela nada convencional y de difícil estructura. Las opiniones coinciden a la hora de señalar esta relativa complejidad formal, motivada por la frecuente ruptura del hilo narrativo, los contínuos flash-backs, yuxtaposiciones y cambios inadvertidos de escena que, en opinión de Claude Fell, convierten a la obra "en un rompecabezas gigantesco de mil pedazos dispersos, yuxtapuestos, sin orden lógico ni cronológico"[11].

Temáticamente *RMT* es un amplio *collage* en el que se van ofreciendo trazos diversos de la vida del México de comienzos de los cincuenta. El autor hace penetrar al lector en los distintos ambientes y estratos so-

---

[10] Fuentes, en entrevista con Emmanuel Carballo, afirma en este sentido: "Si en *La región* existen tesis, no son mis tesis, son las tesis que sobre el México de los años cincuenta circulaban en boca de los grupos intelectuales". Carballo, Emmanuel; "Carlos Fuentes", en *Diecinueve protagonistas de la literatura mexicana del siglo XX.* México, Empresas Editoriales. S.A., 1965, p. 435.

[11] Fell, Claude; "Mito y realidad en Carlos Fuentes". En Giacoman, Helmy F.; *ob. cit.;* p. 371.

[12] Una de las críticas más generalizadas efectuadas a *RMT* ha sido precisamente la escasa consistencia o credibilidad de varios personajes, reducidos a un mero papel de símbolo de una idea o forma de vida. El autor reconocería más tarde su error: "A veces no poseen vida propia ni destino personal: son piezas que manipulo para integrar el panorama de la sociedad mexicana... fracaso parcial, atribuido a la estructura de la novela que exigía personajes típicos. He tratado de superar este error en *La muerte de Artemio Cruz".* En Ramírez Mattei, Aida Elsa; *La narrativa de Carlos Fuentes,* p. 81.

ciales de la ciudad , y en este sentido gran parte de la amplia nómina de personajes que comparecen en las páginas de la novela cumplen la función de tipos representativos de un determinado "status" o forma de vida[12]. Sin embargo, bajo esta apariencia de "narrativa social" de corte realista, late una complicada red de referencias míticas y mitológicas, generadas en su mayoría en torno a la personalidad y las acciones del personaje central del relato, Ixca Cienfuegos, y su madre, Teódula Moctezuma. A este tipo de contenidos, que consituyen la verdadera clave interpretativa del relato, se aludirá extensamente en el siguiente capítulo.

Las expectativas abiertas tras la publicación de *RMT* quedaron hasta cierto punto defraudadas con la aparición un año más tarde de *Las buenas conciencias (LBC)*. En esta segunda novela, Fuentes parecía olvidar todo lo que había generado polémica en la anterior —especialmente la técnica audaz—, y daba a la luz un relato de estructura tradicional, acorde con las líneas maestras de la corriente realista y naturalista del siglo XIX. Ésta sería, a la postre, la única incursión que el autor mexicano realizaría en los moldes del relato galdosiano, lo cual convierte a *LBC* en una de las novelas menos representativas del conjunto de la obra del escritor. Con la eliminación de lo que parte de la crítica había tenido como "desaciertos" de *RMT*, Fuentes parecía "volver al buen camino" y abandonar esas veleidades extranjerizantes que habían causado el escándalo de los defensores del "arte puro". Pero en realidad, como señala Richard M. Reeve, la publicación de esta novela constituyó una especie de irónica venganza del autor contra aquellos que le habían achacado el empleo de una extravagante técnica en su obra anterior[13].

También en este caso, la recepción de la novela fue muy dispar, aunque las posturas de los distintos críticos variaron totalmente respecto a las mantenidas en *RMT;* mientras quienes habían saludado gozosamente el primer relato extenso de Fuentes no podían ocultar su decepción, aquéllos que la habían criticado acremente se congratulaban del giro experimentado por el joven autor[14]. Con el tiempo ha prevalecido la opi-

---

[13] Reeve, Richard, M.; cit. por Ramírez Mattei; *Ibid.,* p. 127.

[14] En el primero de los casos se encuentra entre otros muchos el poeta, crítico y ensayista Octavio Paz, quien define a *LBC* como un "intento poco afortunado de regreso al realismo tradicional". ("La máscara y la transparencia", en Giacoman, Helmy F.; *ob. cit.,* p. 18). En el lado opuesto puede ser representativa la opinión de Raúl Chávarri para quién ésta "es la mejor, hasta ahora, de las novelas de Fuentes, la más entera, la más pura y esencialmente revolucionaria, la menos confusa en su mecánica narrativa y la que tiene al mismo tiempo más acertadas páginas testimoniales y más cumplidos valores literarios". ("Notas para el descubrimiento de una novela" *Cuadernos Hispanoamericanos,* 180 (Diciembre de 1964), p. 527.

nión de los primeros, que contaron desde muy pronto con el apoyo del propio autor, quien ejerció una dura autocrítica e incluso llegó a lamentar haber publicado la novela[15]. Su descontento le llevó a destruir los tres relatos que debían acompañar a éste en la tetralogía que en principio tenía proyectada[16]. Como le comenta a E.R. Monegal:

> ... un día me agarré las tres restantes y en un acto de purificación total, parte de un rito también, de una ceremonia, las metí en el caldero y me tomé un baño con ellas. (...) Tenía escritas como seiscientas páginas, pero eran tan malas...[17].

A esto se ha de añadir que la publicación pocos años después de *La muerte de Artemio Cruz, Aura* o *Cumpleaños,* hizo que esta obra se olvidara rápidamente, lo cual se refleja en la ausencia prácticamente total de estudios serios sobre la misma y en la mínima atención que merece a los "fuentistas" actuales[18].

La trama de *LBC* reproduce el esquema del "bildungsroman" o camino de iniciación del adolescente en los problemas de la vida[19]. A lo largo de 10 capítulos de extensión variable se refieren los años cruciales en la formación de la personalidad de Jaime Ceballos[20] que sirven al autor para ejercer una dura crítica contra las formas de vida y la hipocresía de la burguesía mexicana tradicional.

LBC es , a mi juicio, la novela más deficiente de Fuentes. El autor

---

[15] Ver las declaraciones de Fuentes a Emir Rodríguez Monegal (en *Giacoman)* y a Luis Harss (*ob. cit.).*

[16] El nombre genérico de la misma sería *Los nuevos,* y los títulos próximos serían *La tierra de nadie, Guadalupe Villegas* y *Los grandes intereses.*

[17] Rodríguez Mengal, Emir; "Carlos Fuentes", en Giacoman, *ob. cit.,* p. 51.

[18] Prueba de ello es que en los tres vólumenes colectivos existentes en la actualidad sobre la obra de Fuentes no se recoge ni una sola colaboración dedicada a esta novela.

[19] Según declara Fuentes, la trama encierra un cierto trasfondo autobiográfico: "La escribí en un momento de ruptura mía, muy traumática, con mi familia, con mi pasado, con mi educación burguesa y demás, que traté de trasladar a la experiencia del personaje". Rodríguez Monegal, Emir: "Carlos Fuentes". En Giacoman, *ob. cit.,* p. 52.

[20] Este personaje ya había aparecido, en su edad adulta, en *RMT* y reaparece más tarde en una importante escena de *MAC.*

organiza el relato para tratar de demostrar unas posiciones ideológicas muy concretas, que repite hasta la saciedad en el transcurso de la narración. Asimismo, establece una división maniquea de los personajes en dos esferas netamente definidas, con lo que éstos pierden consistencia y credibilidad. Por último, el desenlace parece precipitado al no quedar suficientemente explicado el cambio abrupto en el pensamiento de Jaime, quien pasa, casi sin transición, de la rebeldía a la integración. Luis Harss coincide con estas apreciaciones y añade:

> En el fondo *Las Buenas conciencias* es una especie de novela ejemplar, una lección, con mensaje y moraleja. Culmina justamente en su momento más flojo: el desenlace, que parece gratuito[21].

De todas formas, el autor demuestra su soltura en el manejo de los resortes técnicos del relato tradicional, e incluso añade un elemento clásico de la novela decimonónica como es el *determinismo ambiental;* el peso de la historia familiar, de la educación represiva y de la sociedad tradicional de Guanajuato, influyen de manera determinante en el fracaso final de Jaime[22].

En resumen, *LBC* es probablemente la novela de menor interés de Carlos Fuentes y su propio carácter de narración "realista" determina que prácticamente no merezca atención alguna para el proyecto central del presente trabajo.

1962 es el año de la primera edición de la tercera novela de Carlos

---

[21] Harss, Luis; *ob. cit.,* p. 366.

[22] Algunos autores, como A.E. Ramírez Mattei han querido ver en esta circunstancia una posible dimensión marxista de la novela, definida por esa imposibilidad de encontrar la propia personalidad dentro de un mundo de valores degradados. (*ob. cit.,* p. 145). Otros, como Manuel Durán, han señalado la presencia de la técnica del "acondicionamiento behaviorista" en esa presentación de un individuo que lucha contra las fuerzas que lo rodean sin poder desasirse de ellas. (En Durán, Manuel; *Tríptico mexicano: Juan Rulfo, Carlos Fuentes, Salvador Elizondo.* México, Secretaría de Educación Pública, 1973, p. 77). Yo personalmente me inclino a creer que el modelo que sigue Fuentes de una forma más directa en la construcción de la novela es el propio de la narrativa del XIX. Son de notar incluso las similitudes, nunca estudiadas, entre el presente relato y *La Regenta,* de Clarín: la vida de una ciudad provinciana conservadora y los conflictos, fundamentalmente de índole moral y religiosa, que aquejan al personaje central, constituyen el núcleo básico de ambos relatos. Al igual que Jaime, Ana Ozores es separada de sus padres y se educa con sus tías, y también en ambos casos, cuando su modo de actuar no se ajusta a las normas de la sociedad, las "malas lenguas" recuerdan el bajo origen de sus progenitoras. El fracaso final de Ana y Jaime demuestra la imposibilidad de superar la presión del contorno social.

Fuentes, *La muerte de Artemio Cruz (MAC)*. La obra fue recibida con gran expectación por parte de los grupos intelectuales de México puesto que, tras el éxito de *RMT* y la decepción de *LBC*, había interés en conocer los derroteros por los que se encaminaría la narrativa de un autor que ya comenzaba a figurar en la nómina de los consagrados, a pesar de su juventud. La novela no defraudó en esta ocasión a quienes habían defendido con ahínco la primera obra de Fuentes. En ella el autor retornaba a la temática de denuncia y crítica a los resultados de la revolución, y solventaba ciertos excesos de verbalismo que habían hecho a *RMT* demasiado "intelectualista" en varios de sus pasajes. La obra, por otra parte, presentaba una técnica realmente innovadora, al referir la vida de un personaje desde distintas perspectivas de su propia personalidad representadas por los pronombres "yo", "tú" y "él". Esto, unido a la amenidad de la historia, deparó el gran éxito de esta narración que, hoy día, en palabras de José Donoso "es universalmente considerada como su obra más completa, más perfecta, más personal, más lograda"[23].

Al igual que *RMT*, MAC es una novela cuyo proceso de elaboración se enmarca también dentro del ambiente intelectual suscitado por la "filosofía de lo mexicano" y en especial por *El laberinto de la soledad* de Octavio Paz. Las ideas del poeta-ensayista se conjugan en el relato con aportes tomados de la corriente existencialista y con un inequívoco tono de censura a la falsedad de la revolución mexicana motivado probablemente por los resultados cercanos de la revuelta castrista. Fuentes parte de estos componentes ideológicos para ofrecer una nueva visión de la historia de México, en la que aflora constantemente el problema obsesivo de la identidad. El protagonista es Artemio Cruz quien, desde su perspectiva de agonizante, recuerda los momentos decisivos de su vida. Se trata de un hombre como tantos otros que pueblan el país; participó en la revolución y se enriqueció gracias a las prebendas conseguidas por su pertenencia al bando vencedor y a sus pocos escrúpulos para aprovechar la

---

[23] Donoso, José; "Prólogo a 'La muerte de Artemio Cruz' ", en *Obras Completas* de Carlos Fuentes. México, Aguilar, 1974, p. 1060. Esto no impidió, sin embargo, que la obra fuese objeto de ataques, en ocasiones violentos, como el que le dirige Manuel Pedro González, quien la considera un mal remedo de *Under the Volcano* y del *Ulysses*. Este autor concluye que la obra es "un cruce o un injerto, en el que las pautas de Joyce, Lowry y Faulkner se conjugan y le restan originalidad". *(ob. cit.,* p. 96). Otras censuras más atemperadas se han centrado en aspectos más localizados de la novela como en el excesivo mecanicismo que le achaca Luis Harss *(ob. cit.)* o el elevado moralismo que advierte María Stoopen que se une a "imitaciones literarias demasiado al pie de la letra, que hace de Malcolm Lowry y de Joyce". (Stoopen, María: *'La muerte de Artemio Cruz': una novela de denuncia y traición.* México, UNAM, 1982, pp. 141-142.)

ruina de los demás. El momento histórico en que transcurre la vida de este personaje aparece marcado de forma explícita entre dos fechas: 1889 y 1959, años de su nacimiento y de su muerte, en cuyo transcurso se asiste a los momentos previos al proceso revolucionario, a su desarrollo y, posteriormente, a sus consecuencias.

La historia personal de Cruz se narra en los fragmentos encabezados por el pronombre "él", donde se hace un repaso a los momentos más importantes de su trayectoria personal y de sus elecciones decisivas. Estos párrafos se alternan en el relato con aquellos presidios respectivamente por los pronombres de primera y segunda persona, "yo" y "tú". Los primeros sirven para reflejar el estado presente de un Artemio Cruz que, moribundo en el lecho, percibe, de forma a veces inconexa, todo lo que sucede a su alrededor y es consciente de todos sus transtornos físicos, en tanto que los párrafos encabezados por el "tú" tienen como función básica —como ha revelado el mismo Fuentes— expresar los contenidos del subconsciente de Artemio[24]. El ritmo del relato va fluyendo entre la expresión "consciente" del "yo", hasta la memoria-inconsciente del "él", extremos entre los cuales el "tú" aparece como mediador, identificado como un estado intermedio entre la plena consciencia y la inconsciencia en la que aflora el sueño-memoria. De esta forma, la materia narrativa se organiza en torno a una cadencia continua en la que se alternan los tres niveles de conciencia de la mente de Cruz: el "yo-ahora-consciente", el "tú-atemporal-subconsciente", y el "él-sueño-memoria". Este hecho permite al lector recibir una información bastante completa sobre el personaje al tiempo que se siente aludido directamente por la apelación del "tú"[25]. Nuevamente, como tendré oportunidad de demostrar en el siguiente capítulo, estamos ante una obra cuyo sentido último depende de una serie de claves de raigambre mítico-simbólica que recorren el relato de forma a veces imperceptible, y que nos dejan al descubierto las preocupaciones más acuciantes del autor en torno a los problemas de la Historia y la identidad.

De forma casi simultánea a la publicación de *MAC* sale a la luz la primera edición de la novela corta *Aura*, obra que, en sus primeros momentos, quedó totalmente eclipsada por el éxito obtenido por la ante-

---

[24] Benedetti, Mario; "Carlos Fuentes: del signo barroco al espejismo". En Giacoman, Helmy F.: *ob. cit.,* p. 99.

[25] El lector sería, en palabras de Oscar Tacca, el *destinatario externo* del mensaje, en tanto que el personaje desempeñaría el papel de *destinatario interno* del mismo. Ambos, por lo tanto, quedarían englobados dentro de la apelación de la segunda persona (Tacca, Oscar; *Las voces de la novela.* Madrid, Ed. Gredos, 1973).

rior. La crítica apenas le prestó atención, y los pocos que en un principio lo hicieron tendieron por lo general a considerarla como una "obra
menor" de Carlos Fuentes que no se hallaba a la altura de sus otros relatos[26]. Esto, sin embargo, no evitó la recepción entusiasta que le tributó
un número reducido de críticos, a cuya cabeza se encuentra Luis Agüero
guien destaca "la segura mano" del escritor y añade que la obra "empa-
renta con lo mejor que se ha escrito en el género, y que recuerda un cuento que Edgar Allan Poe olvidó escribir" [27].

Han tenido que transcurrir dos décadas para que *Aura* fuera coloca-
da al fin en el puesto de importancia que le corresponde dentro de la
obra narrativa de Carlos Fuentes. Los últimos años han visto multiplicar-
se los estudios y análisis de esta novelista y la crítica ha descubiero que
en las 51 páginas de que consta[28] se encuentran los temas y las preocupaciones centrales que Fuentes desarrolla en la práctica totalidad de su
obra. Aparte de ello, se ha valorado su perfección formal, principalmente
en lo referente al empleo de la segunda persona narrativa, que se mantiene invariable a lo largo del relato, así como la maestría del escritor en el
manejo del "suspense"[29]. A esta atención reciente se añade la preferencia
que el propio autor ha demostrado repetidamente hacia esta novela, a la
que afirma tener un cariño especial.

En medio de una ambientación inspirada en la novela gótica —caserón oscuro, puertas que chirrían, candelabros, fantasmas—, el relato refiere el proceso de "iniciación" de Felipe Montero, personaje que, tras salir
de su mundo habitual ingresa en el viejo edificio de la calle Donceles y,
luego de una serie de extrañas experiencias, entre las que se incluye la celebración de una Misa Negra, llega a obtener el total conocimiento de su
personalidad, que se funde con el de la esencia del tiempo y de los misterios de la reencarnación. Toda la acción se encuentra acompañada de un

---

[26] Ver, p. ej., la reseña anónima que aparece en la *Revista Hispanoamericana,*
XLI, 1054, 16 de Julio de 1962, p. 57, o la de Alexander Coleman; "A Life Retold".
The New York Times Book Review, 28 de Nov. de 1965, pp. 5,42.

[27] Agüero, Luis; "Aura", en *Casa de las Américas,* II, 15-16, Nov. 1962-Feb.
1963, pp. 41-42.

[28] En la Edición de México, ERA, 1975.

[29] Manuel Durán señala que el "tempo" narrativo de *Aura* se encuentra medi-
do al milímetro; el relato no podía haber sido más breve, puesto que no habría dispuesto del tiempo suficiente para establecer el "suspense" y crear el ambiente, ni
tampoco más largo, ya que la tensión no se habría mantenido por mucho tiempo.
(En *Tríptico mexicano,* pp. 78-101).

simbolismo alusivo a la idea central de "iniciación" y "muerte-renacimiento".

PERIODO DE MADUREZ (1964 - 1980)

En 1964, diez años después de la aparición de *LDE,* se publica el segundo volumen de cuentos de Carlos Fuentes: *Cantar de Ciegos (CC).* La obra consta de un total de siete relatos de corte realista que, en definición de Donoso "presentan una faz cotidiana, lineal, de apariencia totalmente posible"[30]. El título se halla inspirado en unos versos del *Libro de buen amor,* transcritos al comienzo del texto y en su conjunto las narraciones incluidas marcan un cambio de estilo y en parte de las preocupaciones que habían aflorado en las obras inmediatamente anteriores de este escritor. Como hace notar Richard M. Reeve, en *CC* se produce un notable descenso en la influencia de la "filosofía de lo mexicano"y se patentiza una tendencia por reflejar al mexicano en su dimensión universal, como un hombre sujeto a las fuerzas determinantes del mundo comtemporáneo[31]. Fuentes, en conversación matenida con Luis Harss, explica que el cambio de orientación se ha debido a las transformaciones socio-culturales habidas en México en los últimos años. El país ha evolucionado hacia la industrialización, el capitalismo y la modernidad occidentales, y culturalmente se ha superado la etapa de introspección y chauvinismo; hoy día, los mexicanos "ya no se plantan delante de un espejo y se preguntan que significa ser mexicano"[32]. Ahora "el problema es ser hombre"[33].

CC es por tanto el gozne o límite que separa la primera etapa de la obra narrativa de Fuentes de su período de mayor madurez y fecundidad. De acuerdo con ese alejamiento de la temática localista, el autor lleva a cabo en el presente volumen un muestreo de diversos tipos del país, enfrentados con los problemas de la sociedad de hoy. Por las páginas de *CC* desfilan distintos personajes representativos de "status" sociales diversos: alta burguesía, comerciantes, clase media, intelectuales, clase

---

[30] Donoso, José; "Prólogo" a Fuentes, Carlos; *Chac Mool y otros cuentos.* Barcelona, Salvat, 1973, p. 13.

[31] Reeve, Richard M.; "El mundo mosaico del mexicano moderno; *Cantar de Ciegos* de Carlos Fuentes". En *Nueva Narrativa Hispanoamericana,* EE.UU., I, 2, (Sept. 1971), pp. 79-86.

[32] Harss, Luis; *ob. cit.,* p. 374

[33] *Ibid.,* p. 314

humilde... La nota común a todos ellos es la de vivir en un mundo aparte, "ciegos" a todo aquello que no sean sus problemas más inmediatos, y manteniendo una posición de indiferencia, cuando no de rechazo, ante las graves circunstancias sociales de la nación.

CC es también otro de los libros casi desconocidos de Fuentes. Los motivos pueden ser variados, pero, a mi entender, podría ser determinante su carácter extraño dentro de la trayectoria narrativa del autor mexicano. Por un lado, se trata de un libro de cuentos de un escritor que triunfó y fue conocido por sus novelas, y por otro, su estilo y tono realista chocan con el resto de su obra, a excepción de ciertos relatos que podrían considerarse "menores" como *LBC* o *CH*. En 1971 Richard M. Reeve ofrece el dato significativo de qe se trata de la obra de Fuentes menos traducida en el extranjero; pone de relieve la ausencia de estudios críticos sobre el libro y añade que, tras su aparición éste "era recipiente de algunas reseñas favorables, pero pronto desapareció de las librerías y los críticos dejaron de mencionarlo"[34].

Entre los relatos más destacados del volumen sobresalen *Un alma pura* y *La muñeca reina*, en los que se halla presente el tema de la nostalgia del pasado como forma de huida de un presente insatisfactorio, y *Tlactocatzine, del jardín de Flandes*, de temática y ambientación muy similar a *Aura*. Por el contrario, en cuentos como *Vieja moralidad* o *A la víbora del mar* —éste último el más extenso del libro— Fuentes cae en errores similares a los señalados en *LBC*: los personajes se comportan como meros "clichés" y, sobre todo en el primer caso, se establece entre ellos una división maniquea demasiado obvia.

Zona sagrada (ZS, 1967) es una novela que viene a demostrar como ninguna otra el interés de Fuentes por el mito como materia narrativa. El propio título de la obra es sumamente significativo y recuerda la terminología empleada por Mircea Eliade en sus investigaciones sobre las formas de explicitación del espacio en la mentalidad religiosa[35]. El autor, por otra parte, confirma en unas declaraciones esta sospecha:

> Me importaba mucho la zona mítica y cuando hablo de zona sagrada estoy estableciendo un territorio, un recinto (...) es el lugar que es todos los lugares y en el que tiene su sede el mito[36].

---

[34] Reeve, Richard M.: "El mundo mosaico...", p. 79.

[35] Especialmente en su obra *Lo sagrado y lo profano*. Barcelona, Guadarrama, 1967.

[36] Rodríguez Menegal, Emir; "Carlos Fuentes", en Giacoman, *ob. cit.*, p. 48.

El intento declarado del escritor por crear "un mito a partir de elementos de la realidad"[37] marca profundamente la estructura y el sentido de la novela.

ZS apenas fue comprendida por la crítica. Tuvo un recibimiento mayoritariamente negativo, y en la actualidad es una de las obras peor estudiadas de Fuentes. A ello han contribuído varios factores; por una parte, su difícil lectura, debida a las continuas distorsiones espacio-temporales, a su estructura alineal y a la complejidad de sus referencias mitológicas, y por otra el hecho fortuito de haberse publicado pocos meses antes que *Cambio de Piel*, novela que absorbió por completo la atención de la crítica. Con ZS Fuentes comienza a hacer gala de un estrecho elitismo literario, de un arte para iniciados, sólo asequible a lectores de gran cultura, que se hará más evidente en los relatos siguientes. El alto grado de intelectualismo que la presente obra encierra, ha provocado, entre otros, el comentario, entre irónico y desenfadado de Aida Elsa Ramírez Mattei, quien señala que para comprender la novela

> Se necesita tener al lado varios libros de consulta, si es que el lector no posee unos conocimientos sobre el cine, los mitos universales, ciertos libros y autores famosos, algunos aspectos de la escultura, de la pintura surrealista, del 'art nouveau' y del idioma italiano; por lo menos. (...) También ayudaría haber viajado a México, a Roma y a las islas cercanas a Nápoles[38].

Demasiados requisitos, como vemos, para que un lector medio pueda siquiera entender la historia.

ZS, como *LBC*, refiere la vida de un joven, Guillermo (Mito), y los procesos de su evolución. Sin embargo, en este caso la acción se halla mucho más "interiorizada" que en la novela precedente, debido a los desequilibrios mentales del protagonista-narrador, quien relata sus experiencias —centradas particularmente en su obsesiva relación con su madre, Claudia Nervo— desde su propia subjetividad y desde la perspectiva de su mente enloquecida. La figura del narrador se convierte de esta forma en el punto clave de la estructuración de la materia narrativa y de la comprensión cabal de los sucesos. Mito, desde su demencia, cuenta los hechos rompiendo su lógica lineal y confundiendo continuamente distintos planos o niveles de realidad. Así, en su enfermedad, el joven "engrandece" su propia historia y su deseo incestuoso estableciendo constantes parale-

---

[37] *Ibid.*, p. 49.

[38] Ramírez Mattei, Aida Elsa; *ob. cit.*, p. 301.

lismos con la aventura odiseica, que funciona constantemente como punto de referencia mitológico en el desarrollo de la acción. ZS es, por lo tanto, una narración en la que cabe observar una serie de niveles de lectura y de significado que será necesario deslindar convenientemente para llegar a su sentido último, que, como se tratará de demostrar más adelante, debe mucho a las investigaciones antropológicas de los últimos años y especialmente a las teorías de Lévi-Strauss, que en esa época se convierte en una de las más fuertes influencias dentro del ambiente cultural.

Pocos meses después de la publicación de ZS, aparece la siguiente novela extensa de Carlos Fuentes: *Cambio de Piel (CP)*.

Al igual que sucedió con la práctica totalidad de las obras de este autor, su recepción crítica fue dispar —mucho más positiva en el extranjero que en su propio país[39]— aunque en las distintas opiniones vertidas sobre ella se encuentra un punto en común que la conecta con la anterior: la dificultad de su lectura y su excesivo intelectualismo. George Mac Murray afirma p. ej. que esta novela "deja al lector psicológicamente exhausto"[40], mientras que Aida Elsa Ramírez Mattei expresa así su sentimiento de rechazo inicial a la obra:

> Mientras leíamos *Cambio de Piel* por primera vez sentíamos crecer un sentimiento de furor y tuvimos que dejar la lectura para no tirar el libro contra el piso[41].

El motivo de estas opiniones radica en buena medida en la propia estructuración del relato. En *CP* la historia o anécdota es prácticamente irrelevante y funciona tan solo como un mero soporte para la exposición de una serie de problemas que obsesionan al autor. Las categorías básicas del relato tradicional son casi inexistentes y la narración se mueve en torno a un confuso mosaico de sucesos ambiguos, de interacciones entre sueño y vigilia y de personalidades cambiantes. Fuentes no otorga la más mínima concesión al lector, el cual, más que nunca, se

---

[39] Eugenia Caso, en su artículo "Una encuesta a propósito de *Cambio de Piel".*
Siempre, México, núm. 774, (24 de Abril de 1968), pp. 2-8, pone de relieve la diferente acogida que se le tributó a esta obra: frente a las casi unánimes alabanzas cosechadas fuera de sus fronteras, destaca el mayoritario silencio, e incluso las críticas negativas, que provocó en México.

[40] McMurray, George R.; " 'Cambio de Piel': una novela existencialista de protesta". En Giacoman: *ob. cit.,* p. 329.

[41] Ramírez Mattei, Aida Elsa; *ob. cit.,* p. 362.

convierte en co-creador de la obra, cuya solución, como indica el mismo escritor "depends completely on the mind of the reader"[42].

La mínima trama de CP recoge el viaje que dos parejas intentan hacer desde México D.F. a Veracruz por carretera. La llegada a su destino se ve impedida por un misterioso personaje que les ha seguido, y que hace las veces de narrador, quien inutiliza su coche en Cholula. La mayor parte del relato se centra en las conversaciones que mantienen los protagonistas en el hotel de la ciudad mexicana, en las que van a poner de manifiesto aspectos de su personalidad y de su historia individual. En la parte final aparecen unos jóvenes "beatniks", que acuden en busca de uno de los viajeros, Franz, ex-nazi refugiado en México. Entre los jóvenes se halla Jakob Werner, hijo de un antiguo amor del exiliado, Hanne, a quien éste, sin embargo, no salvó de morir en el campo de concentración de Auswitchz. Los "beatniks" están aliados con el narrador y con otro de los protagonistas, Isabel, y, a partir de aquí, el autor propone distintos finales: 1) Elizabeth y Franz mueren en un derrumbe de la pirámide de Cholula tras una pelea entre Javier y este último; 2)Franz muere aplastado contra el friso de la pirámide; 3) Jakob mata a Franz y cumple así la venganza de su madre.

Estos sucesos se van a narrar de una forma totalmente caótica; como señala Aida Elsa Ramírez Mattei:

> El carácter principal de la narración es la confusión (...) la falta de cohesión en la narración, su trama zigzagueante, la hacen fatigosa. Los sueños y 'recuerdos entremezclados', la asociación imprecisa de ideas, los incisos extensos, los 'retornos imaginativos' a otras épocas y lugares, convierten la narración en un boscaje laberíntico[43].

Gran parte de estas distorsiones argumentales se explican, como sucedía en ZS, por la particular personalidad de Freddy Lambert, el narrador, que aparece a lo largo de la novela como una figura extraña, que conoce a los protagonistas y observa todos sus movimientos. Su grado de información sobre los hechos que refiere es de todas formas bastante confuso. Averigua parte de lo sucedido a través de referencias directas de Elizabeth e Isabel, mientras que el resto procede de sus propias observaciones en su labor de vigilancia de los personajes. Pero su fiabilidad está con-

---

[42] Doezema, H. P.; "An Interview with Carlos Fuentes". *Modern Fiction Studies*, 18, núm. 4. (Winter 1972/73), p. 495.

[43] Ramírez Mattei, Aida Elsa; *ob. cit.*, p. 362.

tinuamente poniéndose en cuestión, de modo que al lector le asalta la duda acerca de la autenticidad de su relato. Así, en varias ocasiones parece no estar seguro ni él mismo de lo que cuenta[44], e incluso se llega a insinuar que los personajes podrían ser tan solo un producto de su imaginación[45]. Al final de la novela, permanece la ambigüedad acerca de la veracidad de la historia referida por ese Fredy Lambert que aparece recluido en un manicomio[46]. Los hechos aparecen nuevamente narrados desde una situación de demencia cercana al delirio que, en palabras de John M. Lipski "abre paso a casi cualquier interpretación de la sustancia concreta del texto"[47].

Por medio de esta particular forma narrativa se está poniendo constantemente en duda la realidad. El narrador asume el papel de revolucionario, de dinamitador de esa tranquilidad burguesa que, en idea de Barthes, confunde las categorías de "lo real" con sus propias visiones del mundo, rechazando "lo otro", lo ajeno. Freddy Lambert parece resumir así su propósito en *CP*:

> En el fondo, la gente están tan contenta con lo que parece ser, con lo que sucede día con día, con la realidad (...). ¿A qué viene esa puñalada trapera de escribir un libro para decir que la única realidad que importa es falsa y se nos va a morir si no la protegemos con más mentiras, más apariencias y locas aspiraciones ... esa es la verdad. (*CP*, pp. 463-464).

Pero *CP* no se limita a cuestionar teóricamente este fenómeno, sino que la novela misma, en su concepción tradicional, desaparece como tal: *CP* es una novela que no es una novela, de la misma manera que sus personajes pueden ser tan sólo sueños y sus historias apócrifas; de ahí a con-

---

[44] "Javier *dirá* que corre con Isabel" (Subrayado mío) en Fuentes, Carlos; *Cambio de Piel.* Barcelona, Seix-Barral, 1974, p. 422.

[45] "Soy Javier, Elizabeth y Franz". *Ibid.,* p. 472.

[46] La idea de la falsedad de la historia podría encontrar un punto de apoyo en el título que originariamente Fuentes pretendía dar a la novela; *El sueño.* Por otra parte, el autor, en su evidente intención de confundir al lector ofreciendo posibles interpretaciones, le confiesa a E.R. Monegal que todo pudo haber sido invención de otro de los personajes: "¿Es realmente el narrador un señor que manejaba un taxi, o es una historia más que inventó Javier, como las historias repetidas de sus encuentros con una mujer que podría ser Elizabeth?". (Rodríguez Monegal, Emir; "Carlos Fuentes", en Giacoman; *ob. cit.,* p. 39).

[47] Lipski, John M.; "La estructura holográfica de 'Cambio de Piel' ". En Lévy, Isaac Jack y Loveluck (eds.). *ob. cit.,* p. 133.

siderar que nuestra realidad no es *la* realidad, y nuestra personalidad es sólo una máscara, va un mero ejercicio de asociación. Puesta en duda y relativismo en la visión del mundo son dos factores que, salvando las distancias, emparentan a *CP* con la gran novela en lengua española que es El Quijote —repetidamente elogiada por Carlos Fuentes— que abre el ojo crítico del autor a la contemplación de una realidad subyacente o superior al mundo objetivo. Como afirma Andrés O. Avellaneda:

> *Cambio de Piel* no sólo *dice* que 'la única realidad que importa es falsa'; toda su estructura, sus huesos y su carne, forman la desmesura que protege tal sentencia[48].

Esta puesta en cuestión del mundo objetivo que se debate en la novela, hunde sus raíces en un tema candente en su momento de aparición[49]. Fuentes se convierte en el exponente de esa ideología del descontento con la sociedad occidental propia de los años sesenta, y en sus artículos y libros de ensayo se repiten estas ideas:

> La conciencia *desgraciada* de la sociedad de consumidores se adquiere cuando se comprende que nuestras vidas de "cheerful robots", para emplear la expresión de C. Wrigth Mills, son el sustituto mediatizado, reprimido, del mundo concentracionario y de la destrucción nuclear. Vivimos la forma más sublimada del genocidio: un Dachau del espíritu rodeado por los brillantes objetos perecederos de una Disneylandia del consumo[50].

Los personajes de *CP* se van a hacer eco de estos contenidos:

> ¿Qué no nos será arrebatado, destruido, prostituido por la sociedad? (...) No viví en otro tiempo. Sólo en este, el que asesina con la prisión o el éxito, el que destruye con el grito o el halago, el que al negar o aceptar lo que escribimos, de todas maneras nos reduce y aniquila (*CP*, p. 225).

También la historia reciente va a pesar de forma determinante sobre los protagonistas, quienes en buena medida van a aparecer como producto de las circunstancias, aunque no por ello van a quedar exculpados de

---

[48] Avellanea, Andrés O.; "Función de la complejidad en 'Cambio de Piel' de Carlos Fuentes". En Giacoman; *ob cit.*, p. 454.

[49] Ver apartado sobre la biografía de Fuentes.

[50] Fuentes, Carlos; "La Francia revolucionaria: imágenes e ideas". En: Fuentes, Sartre y Bendit; *ob. cit.*

su propia responsabilidad. En esta dimensión, el relato, como declara Fuentes, trata el enfrentamiento entre "lo que el hombre le debe al mundo, a la historia que hace y padece el hombre (...) y lo que el hombre se debe a sí mismo, al yo que el mundo a su vez hace y padece[51].

En el tratamiento de estos temas, Fuentes conjuga las perspectivas existencialistas y marxistas con la filosofía nietzcheana a la que *CP* pretende rendir tributo[52].

Dos años transcurrirán antes de la publicación de *Cumpleaños,* la séptima novela de Carlos Fuentes. Se trata de un relato corto, de extensión aproximada a *Aura,* y que presenta una temática similar a aquélla, aunque en este caso las claves interpretativas sean mucho más ambiguas y no estén al alcance del lector medio. Quizá haya sido ésta la razón por la cual la crítica se mostró bastante indiferente hacia la obra. Manuel Durán explica así esta ausencia de interés suscitada tras su aparición:

> Cumpleaños, libro tan pequeño, a medio camino entre la novela gótica, y las fantasías de Borges, que los reseñadores parecen haberse retraído, confusos y miedosos, temiendo escribir tonterías, aplaudir o censurar un texto que no acaban de ver claro[53].

Este mismo crítico resume, más adelante y no sin cierta ironía, la dificultad que entraña la interpretación de esta novela:

> En último término, para entender *Cumpleaños* en forma cabal y completa tenemos que suponer que el lector es un experto en filosofía de la historia, en crítica literaria, que ha leído a fondo a Borges y Cortázar, que conoce la filosofía y la teología medievales, que ha vivido en Inglaterra: el lector ideal de *Cumpleaños* es el propio Carlos Fuentes[54].

Por vez primera, y única hasta el momento, en su trayectoria narrativa, Fuentes no plantea en esta obra problemas relacionados directamente

---

[51] Rodríguez Padrón, Jorge; *"Cambio de Piel,* una delicada intervención de cirugía ética". *Cuadernos Hispanoamericanos,* Madrid, XCIX, núm. 296, (Feb. 1975), p. 392.

[52] Fuentes, en carta a Gloria Durán, ha declarado que el nombre del narrador, Freddy, así como su final en un manicomio, fueron inspirados por la figura de Federico Nietzsche. (En: Durán Gloria; *La magia y las brujas en la obra de Carlos Fuentes.* México, UNAM, 1976, pp. 211-212).

[53] Durán, Manuel; *Tríptico mexicano,* p. 87.

[54] *Ibid.,* p. 127.

con su país, sino que los temas poseen una índole universal, abarcadora del ser humano en su conjunto. El relato supone una extensa reflexión metafísica sobre la existencia del hombre, que encuentra su arranque teórico en ciertas doctrinas heréticas medievales que se entremezclan con ideas procedentes de culturas como el hinduismo o el brahmanismo. La finalidad de todo este ropaje doctrinal es plantear la confluencia de diversas teorías religiosas sobre la reencarnación como parte de·un ciclo infinito y repetido eternamente. La novela, por tanto, se convierte, como indica Aida Elsa Ramírez Mattei, en "una metáfora del proceso creación-destrucción, nacimiento y muerte"[55], donde predomina la visión del tiempo como una realidad cíclica que deja poco margen para el libre albedrío del hombre, siempre condenado a una eterna repetición de sus actos. La estructura del relato y su particular atmósfera se encuentran muy cercanos a los de *Aura* y la mayoría de la crítica ha puesto en relación estas dos novelitas. Fuentes, en entrevista con Gladys Feijóo, admite la conexión entre ambas y añade que forman parte de una trilogía que tiene en proyecto, y que habría de continuarse con una tercera obra que, hasta el momento presente, no se ha publicado:

> Ya hay una novela que acompaña a *Aura* un poco (...) que es *Cumpleaños*, que se convierte en un tríptico con una novela breve que estoy haciendo que se llama *La villa*[56].

Cumpleaños es otro retazo en ese rosario de novelas en las que Fuentes ofrece la imagen desesperanzada de un ser humano encerrado en un tiempo que le condena a repetir los mismos errores, arrojado a la dispersión y engañado con el espejismo del libre albedrío: mera variación más sobre un tema repetido.

Terra Nostra (TN), la octava novela de Carlos Fuentes, ve la luz en su

---

[55] Ramírez Mattei, Aida Elsa; *ob. cit.*, p. 242.

[56] Feijóo, Gladys; "Entrevista a Carlos Fuentes". *Románica*, XIV, 1977, p. 85. Otros autores, como Margaret Sayers Peden o Frank Dauster han ligado *Aura* y *Cumpleaños* con *ZS*. Concretamente este último crítico ve a estas tres obras como etapas distintas de un mismo proceso; "Montero's entrance into desilusion, Mito's psychotic destruction, and George's return to life, scarred but healed. For George, experience is no longer separated into the worlds of inside and outside, as it was for Mito and Montero". ("La entrada de Montero en la desilusión, la destrucción psicótica de Mito, y la vuelta a la vida de George, con cicatrices pero curado. Para George, la experiencia ya no se halla separada por más tiempo entre los mundos de adentro y afuera, como lo estaba para Mito y Montero"). (Dauster, Frank; "The Wounded Vision: *Aura, Zona Sagrada*, and *Cumpleaños*". En: Brody, Robert and Rossman, ch. (eds.); *Carlos Fuentes, a Critical View*. Austin, University of Texas Press, 1982, p. 119.)

primera edición en Diciembre de 1975. Atrás quedan seis años de trabajo dedicados a una ardua recopilación y ordenación de materiales y lecturas diversas, y a un planteamiento detallado de esta obra que habría de convertirse, en frase de J.M. Oviedo, en una auténtica "enciclopedia de su propio saber novelístico"[57]. Labor tan ingente dio como resultado un relato de 783 pp. en las que se repiten hasta la extenuación las ideas obsesivas del autor, que en este caso adoptan un tono de desmesura. A la estructuración alineal de la acción, excesivo intelectualismo y dificultad de comprensión de obras anteriores, se viene a sumar en este caso la gran extensión de la novela, lo cual complica extraordinariamente la labor de interpretación.

Debido a esto no es de extrañar que, a diez años de su publicación, la crítica no le haya dedicado el número de análisis y comentarios que tan extensa obra requeriría, y que los que hayan salido a la luz se decanten, de una u otra forma, hacia una posición de censura[58]. Las opiniones van desde la crítica anónima aparecida en el diario *El Sol*, en la que el autor, con un cierto tono despectivo afirma que *"Terra Nostra* is a large as a Sears Roebuck catalogue but no nearly so interesting"[59], hasta la más matizada de autores como Pedro Trigo, R. González Echeverría o J.M. Oviedo[60]. La propia complejidad del proyecto le hace decir a este último que Fuentes "ha puesto allí tantas cosas que uno teme se haya quedado vacío[61]. Frente a estas censuras surgieron también algunas opiniones favorables de críticos prestigiosos, entre los que destaca el autor

---

[57] Oviedo, José Miguel; "Fuentes: sinfonía del nuevo mundo". *Hispamérica,* año VII, núm. 16, 1977, p. 19.

[58] El único reconocimiento público de cierta relevancia que se le ha tributado a esta novela ha sido la concesión del Premio Internacional de novela "Rómulo Gallegos" correspondiente al quinquenio 1972-1976. En el acto de entrega se pone de relieve que el motivo de habérsele otorgado ha sido "la altura moral de una propuesta de rescate de los valores fundamentales de la cultura hispanoamericana y española, la búsqueda de la identidad a través del ámbito común del lenguaje y la amplitud visionaria que la imaginación y la razón presentan bajo el aspecto del delirio". *Premio Internacional de Novela "Rómulo Gallegos".* Eds. de la Presidencia de la República y del Consejo Nacional de Cultura, Caracas, 1978, p. 9.

[59] (*Terra Nostra* es tan larga como el catálogo de Sears Roebuck pero no se acerca a ser tan interesante"). Cit. por Durán, Gloria; *The Archetypes of Carlos Fuentes. From With to Androgyne.* Archon Books, 1980, p. 49.

[60] González Echeverría, Roberto; ' "Terra Nostra': Teoría y Práctica". *Revista Iberoamericana,* núms. 116-117, (Julio-Dic. 1981), pp. 289-298. Trigo, Pedro; " 'Terra Nostra' de Carlos Fuentes". *Reseña,* núm. 101, (Enero, 1977), pp. 8-9. Oviedo, José Miguel; "Fuentes: Sinfonía..."

[61] Oviedo, J. M.; *Ibid,* p. 19.

español Juan Goytisolo, quien defiende con ardor la novela en contra de aquéllos que en nombre del "buen sentido" la habían tachado de "inaccesible" y tipifica así la obra y sus críticos:

> La ambición, dificultad y desmesura inherente a Terra Nostra la convierten así en el candidato ideal a esta imagen-espantajo de la obra que se cita (para cargársela) pero que no se la lee[62].

Las razones de la polémica entablada respecto a *TN* descansan en última instancia en la distinta valoración del papel de la novela en la sociedad actual y de las relaciones entre el autor y lector. Es conocida la expresión de Fuentes que afirma que su obra no sirve para ser leída entre dos estaciones de metro[63]; su modo de concebir el género narrativo comporta una continua exigencia al lector, que ha de "re-escribir" el texto en el proceso de la lectura. Esto, que podría ser un principio teórico válido en su planteamiento, se desborda por completo en las manos de Fuentes. El escritor mexicano dirige sus obras a un tipo de receptor culto, que ha de poseer unos conocimientos casi enciclopédicos, y esto se hace evidente como nunca en *TN* cuya comprensión requiere amplios conocimientos en campos tan diferentes como la Filosofía, la Historia, la Religión, la Literatura y la Mitología mexicana y del mundo mediterráneo. Consciente del hermetismo que este caudal erudito podría comportar, el propio autor en su ensayo *Cervantes o la crítica de la lectura,* aparecido poco después que la novela, ofrece, en un hecho casi insólito en la historia de la narrativa contemporánea, una amplísima bibliografía que se convierte en la guía básica para penetrar en las claves del relato. Pero con esta medida Fuentes tan sólo atenúa el problema anterior, debido a que buena parte de las obras que incluye en el mencionado compendio son de muy difícil acceso bien por su lugar o por su fecha de publicación.

Todo este ingente material, a su vez asimilado y reinterpretado por el autor, se elabora dentro de una estructura totalmente laberíntica, donde los personajes cambian constantemente de identidad y donde se acaba perdiendo el hilo narrativo en una complicada maraña de relatos que remiten a otros o que los incluyen en una sucesión casi inacabable en la que se pierde la pista al propio narrador[64]. Si a esto le añadimos los constan-

---

[62] Goytisolo, Juan; "Terra Nostra", en *Disidencias,* Barcelona, Seix-Barral, 1977, p. 223.

[63] Osorio, Manuel; "Entrevista con Carlos Fuentes", p. 50-53.

[64] De esta ambigüedad es consciente el propio autor, quien en su entrevista con Gladys Feijóo comenta: "No sabía al escribir *Terra Nostra* que en realidad el narrador iba a ser el fraile Julián, que es quien le cuenta en un momento dado el ochenta por ciento de la novela al cronista, a Cervantes, que la toma de ahí en adelante. Pero al mismo tiempo, el narrador bien podría ser Celestina, que le está contando esto a Polo en el Pont des Arts de París". (Feijóo, Gladys; *ob. cit.,* p. 77).

tes "saltos" espaciales y temporales, se puede advertir que *TN* es realmente una obra "cerrada" para el lector medio o para aquel que no tenga la paciencia de desbrozar y analizar las diversas alusiones y materiales empleados. J. M. Oviedo, tras poner de relieve el tedio que la lectura de la obra produce en diversos momentos, ve con claridad este problema cuando afirma que "el punto de acceso a la novela está tan congestionado que se ve amenazado por la oclusión"[65]. A mi juicio, la utilización de un único —y tan elevado— nivel de lectura empobrece paradójicamente la novela, la cual acaba ahogándose en su propia estructura dejando al lector sin más recursos que el abandono o el aburrimiento.

Desde una perspectiva general, se puede afirmar que *TN* es una interpretación de la historia de España —con sus prolongaciones a Hispanoamerica y al mundo latino— que el autor plantea en una doble vertiente. En la primera, Fuentes escarba hasta lo más hondo en las raíces del hombre americano, formado por un mestizaje de siglos y culturas. Así acude a la antigua Roma, se detiene en la España de la Contrarreforma y analiza la religión y la filosofía de los antiguos pobladores de América con el fin de hallar una respuesta a uno de sus problemas cruciales: la identidad; una identidad "de aluvión" en la que se entremezclan lo indígena con el pensamiento judío o el cristianismo con la Cábala. Fuentes procede por acumulación, mostrando de forma conjunta los diversos focos que para él constituyen los fragmentos dispersos de la identidad hispano-americana. La otra vertiente de interpretación histórica que se plasma en las páginas de *TN* adquiere un cariz diferente, y se centra en los hechos que a lo largo de los tiempos han tenido lugar a ambos lados del Atlántico. El relato concluye el último día del año 1999 con la llegada del Apocalipsis, que comporta la creación de una nueva Humanidad que nace bajo el signo de la esperanza.

Tras el esfuerzo y los años invertidos en la elaboración de *TN* Fuentes, en conversación con Gladys Feijóo, declara hallarse "totalmente liberado para escribir una novela de espionaje"[66]. Esta se publica en el año 1978 y lleva por título *La cabeza de la hidra* (*CH*). La crítica ofreció un tibio recibimiento a este relato, que se consideró como una obra menor del autor mexicano, concebida como un divertimento o "relax" del gran trabajo que había supuesto *TN*. La opinión general puede quedar resumida en las palabras de Rolando Camozzi, quien la define como "*un paréntesis lúcido* que con frecuencia se permiten los creadores, y en consecuen-

---

[65] Oviedo, J. M.; "Fuentes; sinfonía...", p. 31.

[66] Feijóo, Gladys; *ob. cit.*, p. 84.

cia ofrecen una obra menor, de vacaciones"[67]. Sin embargo, algunos autores, como Gladys Feijóo o Gloria Durán le han otorgado una mayor importancia a esta novela, en la que han querido ver el inicio de un posible cambio en el estilo narrativo de Fuentes hacia el realismo de sus primeras obras, teoría que posteriormente se vendría abajo con la aparición de *Una familia lejana* dos años más tarde[68].

CH responde en su argumento y estructura a las características más destacadas del "thriller" o novela de espionaje. Fuentes se revela como un profundo conocedor de los moldes y técnicas de este tipo de relatos y se inspira en varios clásicos del género[69]. A lo largo de una intrincada historia en la que se entremezclan los espías dobles, los servicios de las grandes potencias, los asesinatos y las persecuciones, Fuentes crea un relato en el que prima ante todo el misterio y el "suspense" que arrastra al lector y lo apasiona con las inesperadas sorpresas que el narrador hábilmente va deparando.

Sin embargo, la aventura y la intriga no agotan, ni mucho menos, todo el significado que encierra *CH*. Sin tratarse de una de las novelas "densas" de su autor, cabe hallar en ella buena parte de las preocupaciones que, con diferente formulación, se dejaban traslucir en las anteriores obras de Fuentes. *CH* continúa en la línea de interpretación y análisis de la Historia, pero ahora con proyección a un futuro inmediato que el autor no contempla demasiado halagüeño. Como tendremos oportunidad de comprobar, en el entramado argumental de la novela está latiendo el problema del "malinchismo" mexicano y la dominación total a que está sometido el hombre contemporáneo por parte de las dos potencias que se reparten el mundo.

Una familia lejana (UFL), la penúltima narración extensa publicada por Carlos Fuentes hasta el momento presente, hace su aparición en 1980. La cercanía de tal fecha ha hecho casi imposible que la crítica haya teni-

---

[67] Camozzi, Rolando; "La cabeza de la hidra". *Reseña,* núm. 118, (Enero-Feb., 1979), p. 118.

[68] Gloria Durán, concretamente, se hace la siguiente pregunta: "Does *The Hydra Head* then portend that Fuentes is shifting into reverse gear, getting ready to return to something like this earlier period in his literary development?". ("¿Anuncia entonces *CH* que Fuentes está metiendo marcha atrás, preparándose para regresar a algo parecido al período más temprano de su desarrollo literario?"). (En; *The Archetipes...,* p. 189).

[69] Mary E. Davis destaca la presencia, entre otros, de textos de Edgar Allan Poe y de películas como *El Halcón Maltés* o *Casablanca.* (Davis, Mary E.; "On Becoming Velázquez: Carlos Fuentes 'The Hydra Head' ". En Brody and Rossman (eds.); *ob. cit.,* pp. 146-155).

do tiempo de reaccionar ante ella y de llevar a cabo análisis en profundidad. Las pocas reseñas y estudios que se le han dedicado hasta hoy inciden en señalar su carácter fantástico, que entronca con la línea de *Aura* y *Cumpleaños,* al tiempo que se pone de relieve de nuevo la densidad de contenidos y la gran dificultad en la interpretación de sus abundantes referencias[70]. Otra nota destacada de forma unánime es la aparición por vez primera del propio Fuentes como personaje de una de sus novelas; esto, unido a los abundantes comentarios que sobre la vida del autor se encuentran en el relato, ha contribuído a calificar a *UFL* como "novela autobiográfica"[71]. Margo Glantz indica en este sentido que la novela viene a ser una introspección del autor en sí mismo, sus raíces culturales, su identidad y su quehacer literario:

> Es, en síntesis, una mirada crítica sobre la propia trayectoria, el deseo de advertir desde lo alto de una pirámide narrada los abismos y las fallas de una productividad producida a lo largo de varios lustros[72].

Es innegable que Fuentes salpica la narración con varios datos referidos a su vida personal, principalmente a su infancia, transcurrida lejos de México. Pero, a mi juicio, la enorme complejidad de la obra encierra temas más amplios que tienen como punto último de convergencia el obsesivo problema de la identidad. El autor continúa en esta obra la labor de síntesis cultural iniciada en *TN,* tomando ahora como punto de relación la cultura francesa, con el fin de indagar en la personalidad del americano y tratar de encontrar un proyecto común de futuro. Como hispanoamericano, Fuentes se involucra a sí mismo en la tarea y así lo que en realidad es una introspección a nivel general, se convierte en ocasiones en una reflexión personal del autor sobre su propia vida; Fuentes comparece ante el lector como un hombre de educación cosmopolita, desarraigado de su país —aunque siempre preocupado por sus problemas—, y que encuentra en Europa, y más concretamente en París, su equilibrio espiritual, como les ocurrió a un buen número de escritores del continente. El novelista

---

[70] Ver, entre otros: Camozzi, Rolando; "Una familia lejana". *Reseña,* núm. 127 (Julio-agosto, 1980), pp. 12-13. Campos, Jorge; "Una familia lejana, de Carlos Fuentes". *Insula,* Madrid, núm. 407 (Octubre 1980), p. 11. Glantz Margo; "Fantasmas y jardines: 'Una familia lejana.' ". *Revista Iberoamericana,* núm. 118-119 (Enero-Junio, 1982), pp. 397-402.

[71] Ramírez Mattei, Aida Elsa; *ob. cit.,* p. 396.

[72] Glantz, Margo; "Fantasmas y jardines....", pp. 400-401.

siente en su propia carne el dolor de las heridas aún no cicatrizadas del hombre americano. A su lado habitan los fantasmas de un pasado no asumido y de una identidad fragmentada entre dos mundos y dos proyectos. El autor, hasta entonces crítico de la sociedad y su entorno, dirige en este caso sus observaciones hacia sí mismo y su "fantasma personal" que lo acompaña desde la adolescencia:

> No te hagas ilusiones: no lo has podido asesinar, por más que lo has intentado; no lo dejaste atrás, en México, en Buenos Aires, como creíste de niño[73].

La historia de *UFL* se centra en la narración de las extrañas experiencias que vive el anciano Conde de Branly en el caserón del Clos des Renards, del que es propietario el excéntrico Víctor Heredia. Los hechos que contempla el protagonista bordean los límites de lo para-normal —como es el caso del acto de "fusión" entre los jóvenes Víctor y André— y son totalmente inexplicables para el Conde, quien se entrevista con el propio Fuentes para que éste, finalmente, trate de hallar un sentido a todo lo que su interlocutor le ha narrado. Sin embargo, la intervención de Fuentes no hace sino ahondar aún más en los interrogantes planteados, cuya solución el novelista parece dejar al arbitrio del lector, último depositario de esta especie de historia maldita.

Como se puede comprobar, el marco argumental de la obra destaca una vez más por su ambigüedad y dificultad. *UFL*, al igual que *Cumpleaños, CP* o *TN*, es una novela casi hermética que, tras manejar al lector con el señuelo de un cierto "suspense" perfectamente dosificado, lo deja estupefacto y malhumorado por la ausencia de soluciones claras y con esta frase final por toda respuesta: "Nadie recuerda toda la historia" (UFL, p. 223). Tal hermetismo parece que es algo buscado conscientemente por el autor. Lo demuestran las informaciones contradictorias que se suceden en el relato, y que hacen que el lector —como sucedía en *CP*— dude de la fiabilidad del narrador, y la propia desorientación de los protagonistas que no son capaces de comprender en su totalidad lo que sucede a su alrededor; a esto se ha de añadir las diferentes interpretaciones que se dan sobre los sucesos, que ponen en entredicho la veracidad de lo narrado, así como la inexistencia de fronteras entre el sueño y la realidad, que abre la posibilidad de interpretar todo el relato como un simple sueño alucinado del anciano protagonista.

---

[73] Fuentes, Carlos; *Una familia lejana*. Barcelona, Edit. Bruguera, 1980. p. 210.

OBRAS RECIENTES (1981 - 1985)

Con *Agua Quemada (AQ)*, publicada en 1981, Fuentes nos ofrece su tercera colección de cuentos. Se trata de un volumen compuesto por cuatro relatos breves en el que se percibe una clara evolución del autor hacia la temática y el estilo que habían caracterizado sus primeras novelas. Las cuatro narraciones tienen como centro de atención la Ciudad de México, en un intento de retomar la palabra que había quedado un tanto cortada e inconclusa en *RMT*, novela de la que este volumen puede considerarse una auténtica continuación. Avalan esta idea su publicación en el Fondo de Cultura Económica, editorial en la que habían aparecido *RMT* y *MAC* y la dedicatoria inicial a Octavio Paz —de quien toma el título del libro— y a Alfonso Reyes, los dos autores que con más fuerza habían influido en el contenido ideológico de sus primeras narraciones.

Veintitrés años después el autor regresa a ofrecer un nuevo testimonio de la ciudad y del modo de vida de sus habitantes. El panorama y la conclusión no pueden ser más negativos: los años transcurridos no sólo no han aliviado los problemas que había planteado en sus obras de juventud, sino que, muy por el contrario, éstos se han agravado hasta su punto límite. En el México de los 80 se percibe la continuación de aspectos denunciados en los 50, como es el crecimiento opresivo y anárquico de la ciudad, o la pervivencia de la violencia gratuita que ofrece al país periódicamente su necesario tributo de sangre. Otros temas se han acentuado considerablemente, como la penetración de la sociedad de consumo norteamericana y su neo-colonialismo económico, la represión política, o la separación de los distintos grupos sociales de la ciudad, que viven ya en mundos diferentes y totalmente incomunicados[74]. Pero, principalmente, destacan los problemas que han hecho su aparición en los últimos años y que no habían surgido en la denuncia de *RMT*. En este sentido, el autor va a hacer especial hincapié en la ausencia total de ideales y proyectos que caracteriza al país hoy día. En las páginas de *AQ* ya no intervienen personajes como Manuel Zamacona o Ixca, quienes, por caminos distintos, trataban afanosamente de buscar una vía de desarrollo para el México post-revolucionario. La esperanza integradora del primero se ha convertido en una utopía irrealizable, mientras que el nostálgico retorno al

---

[74] Como ha puesto de relieve Angel Rama, la propia fragmentación en cuatro relatos de lo que podría haber sido una obra compacta, es un hecho significativo de la intención del autor por dar idea de la incomunicación y separación tajantes entre las distintas clases sociales que pueblan México D.F. (Rama, Angel; " 'Agua Quemada' de Fuentes: el retorno a casa". *Casa de las Américas,* XXII, 130, (Enero-Feb., 1982), pp. 158-162.)

pasado del indígena ya no cuenta en una sociedad donde sólo se vive para lo inmediato. Asimismo, la "fuerza" de un Federico Robles o de un Artemio Cruz, condenables por su actuación pública, pero "salvados" hasta cierto punto por su dimensión humana, se va a transformar en la mediocridad de un Vicente Vergara, quien sólo vive de recuerdos de la épica revolucionaria, o de su hijo, enriquecido con uno de los grandes negocios del mundo actual: el tráfico de drogas. Los personajes de *AQ* malviven en un presente sin esperanzas, del que se ha desterrado todo proyecto y toda visión de futuro; son ancianos, delincuentes, o tarados que luchan por la tarea diaria de sobrevivir. La juventud, porvenir de la nación, aparece alienada por el atractivo del consumismo y aprisionada por un determinismo ambiental que la aboca a la violencia y al crimen. Ante esta situación caótica, los personajes de *AQ* tratan de refugiarse en un pasado que imaginan con un aura melancólica: Vicente Vergara sueña con la acción revolucionaria, en la que sintió a México vivo, el niño Luisito con el antiguo esplendor de los palacios coloniales, ahora convertidos en sucias casas de vecindad, mientras que Federico Silva añora el México de mediados de siglo, cuando aún la ciudad no se había convertido en la maraña de edificios y automóviles que la asfixian en la actualidad; por su parte, Bernabé Aparicio ya no es capaz de llevar a cabo un acto de honradez en la lucha contra la corrupción, como había hecho su padre. Todo esto implica que la obra, en su conjunto, destile un sabor amargo, teñido de un sentimiento de nostalgia por lo que se sabe que ya no va a volver.

En resumen, Fuentes presenta en *AQ* el panorama de una ciudad —y por extensión un país— sumido en la ruina económica y moral. La feroz crítica y las sucesivas "advertencias" que había lanzado en muchas de sus obras anteriores, revierten ahora en una rendición triste ante la evidencia: nada se ha podido lograr y el presente y el futuro no dejan resquicio alguno al optimismo.

En su más reciente novela, *Gringo Viejo (GV, 1985)*, Fuentes confirma las expectativas de cambio que ya se habían advertido en los relatos de *AQ*. El autor parece haber abandonado toda la carga experimental e intelectualista de su período de mayor producción y regresar a los cauces tradicionales de la novela, a narrar una historia con unos personajes profundamente humanos que a lo largo del relato van a exponer su vida, sus amores, frustraciones, deseos y esperanzas. El retorno de Fuentes hacia los temas de sus primeras novelas es también evidente; la revolución mexicana vuelve, después de casi veinte años, a colocarse en primer plano de su atención, pero ahora no como evaluación desengañada y pesimista de sus resultados, sino como el evento trascendental que pudo transformar la historia del país si sus ideales no hubieran sido traicionados. El autor no puede evitar por ello un tono de melancolía, similar al de *AQ*, al rememorar una época que, en su opinión, despertó a México de su letargo ancestral y le dió la posibilidad de sentirse vivo por vez primera. En las páginas de GV los personajes mantienen aún la frescura, la inocencia y el idealismo de los primeros momentos de la campaña, que el novelista enfoca como un proceso teñido de connotaciones mesiánicas y milenaristas, que pretendía acabar con la historia de violencia y opresión del pueblo mexicano y crear un mundo nuevo y justo.

La anécdota que da cuerpo a la trama de GV se fundamenta en un suceso real que Fuentes explica en una nota final: se trata del viaje que emprende el periodista y escritor norteamericano Ambroise Bierce al México de 1913 para buscar una muerte aventurera ante la evidencia de un deterioro físico que le aterra. El autor trata de rehacer imaginativamente el periplo del viejo gringo en el país azteca. De esta forma, refiere su anexión a la columna del ejército de Villa que dirige en el norte el general Arroyo, sus acciones heróicas, casi suicidas, en las campañas bélicas en que interviene, y su muerte a manos del propio general. Pero más allá de esta anécdota, el lugar central del relato lo ocupa la narración de las distintas relaciones que se establecen entre los personajes del mismo. Olvidando aparentemente aquel mundo de identidades confusas, indeterminadas y cambiantes que poblaban las páginas de novelas como *Cumpleaños, CP* o *TN,* el autor mexicano vuelve en *GV* a crear personajes de una gran humanidad, que van a contar sus problemas y, en este caso, a manifestar sus concepciones acerca del hecho revolucionario.

En la obra se entremezclan varios temas importantes en la trayectoria del escritor mexicano, como son las reflexiones acerca del proceso revolucionario, la relación de desconocimiento y dominación existentes entre México y EE.UU., y los problemas personales relativos al amor y la identidad. Fuentes, en un tono melancólico, cuenta la historia de una oportunidad perdida para haber cambiado el destino de la nación. Pero en México los idealistas, como Arroyo, están fatalmente condenados al exterminio para asegurar la supervivencia de aquellos que, como Federico Robles o Artemio Cruz, no tienen escrúpulo alguno para lograr su enriquecimiento personal a expensas, nuevamente, de la misera del pueblo. La "vuelta a casa" de Fuentes se transforma por tanto en un panorama desengañado y pesimista, donde ya no caben soluciones y donde sólo resta el recuerdo, la memoria de tiempos pasados y mejores.

CONCLUSION PARCIAL: EVOLUCION DE LA TRAYECTORIA NARRATIVA DE CARLOS FUENTES

A modo de conclusión del presente capítulo, y recogiendo las observaciones que sobre la obra de Fuentes se han ido reseñando, creo posible establecer una cierta sistematización de la evolución del autor, concretada en tres etapas perfectamente definidas:

1) La etapa inicial, correspondiente a sus obras de juventud y sus primeras novelas importantes, abarcaría cronológicamente desde 1949 hasta 1964. Fuentes comienza a dar cuenta ya desde este primer momento de lo que serán los temas obsesivos de su trayectoria, aunque otorga una especial atención a las especulaciones que acerca de la identidad y la personalidad profunda del país y de sus gentes flotaban en el ambiente cultural del momento. En sus primeros relatos (*LDE, RMT* y *MAC* especialmente) el autor trata de encontrar una definición para el México contemporáneo a través de la Historia y de la mitología prehispánica, factores que para él explican en gran medida la esencia profunda de la nación. Como fondo latente de sus inquietudes se trasluce una clara intención de denuncia del estado de un país que cuenta con unos desequilibrios sociales brutales que, paradójicamente, han sido consagrados por los vencedores de la revolución. También es evidente en estos años el influjo que recibe de autores extranjeros, que se traduce en el comienzo de una experimentación formal que caracterizará su etapa de madurez creativa.

2) Los años que van de 1964 a 1980 comprenden el período más fecundo y representativo del escritor mexicano. El abandono de las abundantes disquisiciones teóricas generadas por la "filosofía de lo mexicano" se manifiesta ya en *CC*, y el autor, sin perder nunca de vista su país, tenderá en el futuro hacia temas más universales como los tratados en obras como *ZS, Cumpleaños, CP* o *TN*. El mito se convierte en el polo central alrededor del cual van a gravitar los distintos componentes del relato: funcionará como estructura subyacente, como categoría de pensamiento creadora de un determinado "ambiente", como forma de denuncia social y, en general, como perspectiva de análisis de la Historia, contemplada en un sentido cíclico y apocalíptico. Este período marca también el punto álgido en la experimentación narrativa del autor. Todo ello da como resultado una serie de novelas de difícil acceso, plagadas de "claves" ocultas y de una gran dosis de intelectualismo.

3) Finalmente, cabe advertir un tercer período, que comprendería de 1981 a 1985, representado por sus dos últimas obras narrativas: *AQ* y *GV*. Fuentes abandona la experimentación formal y los temas míticos manifiestos y regresa al relato tradicional y a las preocupaciones sociales

y "localistas" del principio, en medio de un tono de añoranza del pasado y de una visión desesperanzada del presente y del futuro.

Cabe esperar ahora, a la altura de 1987, la dirección que tomarán las siguientes obras del escritor mexicano. No obstante, y teniendo en cuenta que Fuentes fue siempre un artista que supo adaptarse a la perfección a las corrientes estéticas e ideológicas de vanguardia, creo que no sería aventurado predecir que sus próximos relatos —comenzando por el anunciado *Cristóbal Nonato*— seguirán la línea iniciada por *AQ* y *GV*. En el momento actual, a mediados de los 80, se percibe en todos los órdenes del arte una clara reacción contra el barroquismo imperante en los años 60 y 70, que acabó, como viene siendo habitual, en un manierismo a veces hueco y degenerado. Los pintores parecen regresar a la figura, los músicos a la melodía... y los narradores al relato, a la historia, sin tener esto que significar necesariamente una vuelta a los moldes tradicionales o "galdosianos", sino únicamente una atemperación en los excesos experimentales, que habían generado un tipo de narrativa para élites intelectuales alejada de la gran masa de potenciales lectores. Tal es el camino que parece adoptar Fuentes en sus últimos trabajos, y, previsiblemente, habrá de ser su línea a seguir en el inmediato futuro.

A través de las páginas que componen este capítulo se ha podido constatar la gran extensión y complejidad que atesora la obra narrativa de Carlos Fuentes. Un corpus novelístico tan ingente y denso se halla abierto a innumerables posibilidades de análisis incapaces de ofrecer de forma aislada una panorámica completa de los contenidos que ésta encierra. La perspectiva que emplearé en el estudio que se iniciará a continuación tiene como hilo conductor al mito. Por lo tanto, se trata de un estudio ya de principio limitado, concreto y voluntariamente parcial, que no afectará a toda la narrativa de este autor aunque sí a la gran mayoría y, de manera especial, a todas las obras que comprenden el período central en la historia de su producción artística. El descubrimiento y explicación de los temas y motivos míticos presentes en varios relatos del autor nos conducirá a través de los contenidos, preocupaciones y obsesiones más importantes de la obra narrativa de Carlos Fuentes[75].

---

[75] Esta perspectiva no es nueva en un estudio sobre Fuentes, aunque hasta el momento tal análisis no se ha encarado de una manera global. Destaca en esta dirección la obra de L. Befumo Boschi y E. Calabrese *Nostalgia del futuro en la obra de Carlos Fuentes* (Buenos Aires, F.G. Cambeiro, 1974), donde las autoras estudian tan sólo tres obras de este escritor, *(MAC, ZS y CP)* de las que extraen sus principales símbolos y temas míticos y mitológicos. Sin embargo, observo en ocasiones afirmaciones poco fundadas y en otras cierta tendencia a una palabrería vacía que no parece llevar a ninguna conclusión clara.

La teoría psicoanalítica guía, por su parte, a Gloria Durán en sus dos estudios *La magia y las brujas en la obra de Carlos Fuentes* (México, UNAM, 1976) y *The Archetypes of Carlos Fuentes: From Witch to Androgyne* (Archon Books, 1980). La autora estudia toda la obra narrativa del escritor mexicano, pero se halla quizás excesivamente limitada por la perspectiva empleada. De todas formas, llega a resultados muy apreciables, como es el descubrimiento de la figura obsesiva de la bruja en sus novelas, que considera proyección de la idea jungiana del "ánima".

Aparte de estas dos obras publicadas existen dos tesis doctorales inéditas que vienen a incidir parcialmente sobre el tema. La primera, cronológicamente hablando, es la de Myrna Kasey Hellerman, titulada *Myth and Mexican Identity in the Works of Carlos Fuentes* (Stanford University, 1972). La propia fecha de realización da idea de lo incompleto que puede resultar el estudio en la actualidad, a lo cual se une su brevedad, ya que sólo alcanza las 199 pp. Sin embargo, es de destacar el análisis que hace del paralelismo existente en los primeros relatos de Fuentes entre sus personajes y determinados dioses prehispánicos, especialmente Quetzalcóatl, Huitzilopochtli y Coatlicue. La segunda tesis corre a cargo de June Claire Dickinson Carter y lleva por título *Archetypal Symbols and Structures in the Work of Carlos Fuentes* (University of Washington, 1976). Se trata de un trabajo también muy breve — 157 pp.— donde la autora, a pesar del título, estudia tan sólo dos obras de este escritor: *MAC* y *Aura,* que analiza desde una perspectiva jungiana.

Estos son los únicos trabajos que enfocan de una manera directa y exclusiva el tema del mito en Fuentes. Otros estudios, como el de Wendy B. Faris (*Carlos Fuentes,* Nueva York, Frederick Ungar (Publishing Co., 1983), Georgina García Gutiérrez (*Los disfraces: la obra mestiza de Carlos Fuentes.* El Colegio de México, 1981) o Aida Elsa Ramírez Mattei (*La narrativa de Carlos Fuentes.* Universidad de Puerto Rico, 1983) tratan el asunto de una forma tangencial, incompleta y en el contexto de un análisis más amplio.

CAPITULO III

PRESENCIA Y FUNCION DEL MITO EN LA OBRA NARRATIVA DE CARLOS FUENTES

Como ya he señalado en a Introducción, una realidad tan amplia y plurisignificativa como el mito dispone de caminos muy heterogéneos para su conversión en materia literaria. El mito puede hallarse presente de diversas formas y operar a muy distintos niveles dentro del relato; puede funcionar como correlato estructural de los sucesos que se narran, como punto de referencia cultural que establece determinadas correspondencias con hechos o personajes de la novela, o incluso puede operar como una particular forma de pensamiento o de contemplación de la realidad que distorsiona la visión habitual del mundo.

Para tratar de analizar de la forma más completa posible estas variantes en la obra de Carlos Fuentes, he dividido este capítulo en tres apartados, cada uno de ellos con un objeto y un enfoque diferentes. En el primero, titulado *Estructuras míticas*, trataré de poner de relieve la forma en que Fuentes utiliza esquemas míticos y mitológicos determinados para la creación de sus obras, así como la finalidad de tal empleo. El siguiente, que lleva por título *Atmósfera mítica*, se dedicará al estudio de los temas, formas y técnicas que Fuentes emplea para crear ese ambiente especial que envuelve la mayoría de sus relatos. Hallará particular atención en este punto el tratamiento de las categorías tempo-espaciales en la narrativa del escritor mexicano. Por último, el apartado dedicado a las *Referencias simbólicas* tendrá como función descubrir y analizar los temas míticos y mitológicos que operan en la novelística de Fuentes, tanto en lo concerniente a los temas "clásicos" o tradicionales como en lo tocante al destacado papel que juegan en estas obras las referencias a los mitos modernos.

71

´A) ESTRUCTURAS MITICAS

El objeto de este apartado consiste en desentrañar los contenidos propios de la "conciencia mítica" (sean mitos o narraciones mitológicas) que subyacen como correlato estructural de la acción en la gran mayoría de las novelas de Carlos Fuentes. Estos esquemas se convierten en auténticas "claves" ocultas, de cuya comprensión depende la correcta interpretación del sentido de las obras, en las que los sucesos se engarzan en este hilo estructural imperceptible en una lectura superficial. En algunos casos Fuentes acude a temas procedentes del caudal mitológico propio de la cultura prehispánica (RMT o MAC), en otros adapta narraciones mitológicas griegas (ZS) mientras que en el resto sigue los pasos de los rituales iniciáticos, reflejados en el proceso que el crítico Juan Villegas ha denominado "La estructura mítica del héroe"[1], que fundamenta una parte importante de las narraciones del autor mexicano.

1) RMT: La búsqueda del sacrificio

RMT es una novela de estructura compleja cuyo personaje central, Ixca Cienfuegos, se erige en el núcleo del relato. Gran parte de la crítica ha coincidido en señalar el carácter "poco convincente" del indígena, que aparece y desaparece de forma aparentemente arbitraria y acude de un lado a otro de la ciudad para que distintas personas le cuenten su vida y sus problemas más íntimos. Para algunos comentaristas se trata de un ser "inconstante", que funciona como mero e inhábil vehículo para dejar al descubierto la situación social del país[2], ya que de otra forma no se explicaría el motivo que le empuja a interesarse tan obsesivamente por la historia personal y el carácter de sus interlocutores. Es significativa en este sentido la opinión de Joseph Sommers cuando afirma que "la novela sufre, en general, de falta de forma (...). Los tres papeles principales no se sitúan en una relación suficientemente clara entre ellos mismos (...) Además, al personaje clave, Ixca Cienfuegos, del cual depende la estructura, le falta precisión"[3]. En mi opinión, estos críticos caen en el error de limi-

---

[1] Villegas, Juan; ob. cit.

[2] Ver, p. ej. Langford, Walter M.; The Mexican Novel Comes of Age, Univ. of Notre Dame Press (Indiana) 1971, o Lewald, Ernest H.; "El pensamiento cultural mexicano en 'La región más transparente', Revista Hispánica moderna, núm. 33, 1967, pp. 216-223.

[3] Sommers, Joseph; "La búsqueda de la identidad: 'La región más transparente'". En Giacoman; ob. cit., pp. 288-289.

tar el contenido de *RMT* a un mero alegato contra la situación del país y los resultados de la Revolución, sin advertir que tal denuncia supone únicamente uno de los aspectos temáticos de una narración cuya estructura, como pretendo demostrar, se halla determinada por ciertos temas pertenecientes a la mitología prehispánica que contribuyen a modificar sustancialmente tal interpretación.

Para acceder al esqueleto narrativo de la novela es preciso centrar la atención en la figura de Ixca Cienfuegos —auténtico generador del relato— y de forma particular en las motivaciones que le impulsan a emprender este "viaje" a través de los distintos círculos y ambientes de la sociedad mexicana. El indígena aparece desde el primer momento empeñado en una misión que intentará llevar a la práctica: la celebración de un sacrificio ritual que sirva como ofrenda de sangre a los dioses antiguos. Le induce a ello su madre, Teódula Moctezuma, quien, viendo cercana su muerte, insta a su hijo a que celebre la ceremonia cuanto antes:

> Me lo prometiste, hijo. Allá en mi tierra, antes de que me viniera a la capital, yo les hice un sacrificio a mi viejo don Celedonio y a todos los niños. Ninguno se fue solo; a todos les engalané los huesos les dejé sus regalos, les ofrecí lo que pude. Ahora que yo me voy, solo de tí me puedo fiar para que no me dejen sin mis regalos.[4].

A partir de entonces, la actuación de Cienfuegos se centrará en un intento de consecución de ese fin, en cuyo proceso se le plantea un problema básico: la búsqueda y elección de la víctima. Ixca emprende así un peregrinaje a través del México de los años 50 para encontrar a la persona ideal que acepte sacrificarse según las pautas del orden antiguo, de forma que la estructura básica del relato y la actuación de los distintos personajes se algutinarán en torno a este motivo central.

Como se verá en otra parte del presente trabajo, Cienfuegos asume en su persona el papel de "sacerdote" guardián del culto prehispánico. Su ideología —expresada en sus abundantes monólogos y conversaciones a lo largo de la novela— deja traslucir el influjo de uno de los temas religiosomitológicos más importantes de la antigua civilización; se trata del mito de Huitzilopochtli, dios guerrero, que ocupaba el sitio de honor en el Olimpo de las deidades aztecas en el momento de la llegada de los españoles, y alrededor del cual se organizaban no sólo la mayoría de actos religiosos, sino también buena parte de la vida social del pueblo náhuatl. Es

---

[4] Fuentes, Carlos; *La región más transparente.* Madrid, Cátedra, 1982, p. 334. Todas las citas remitirán a la presente edición.

la personificación del Sol en el cénit, que exige un alimento muy especial para seguir dando vida a la Humanidad y derrotar a las fuerzas malignas de la noche: la sangre humana, que debía entregársele periódicamente mediante el sacrificio de una víctima. Esta práctica se hallaba plenamente institucionalizada y, en virtud de esa moral "huitzilopochtlica" que impregnaba todas las formas de vida y culto, se extendió a los actos rituales de otros dioses. Christian Duverger, en el estudio que dedica a este tipo de ceremonias, pone de relieve que la persona que iba a ser entregada en sacrificio debía acudir al mismo de forma voluntaria, ya que "le sacrifice était valorisé comme un honneur quasi divin et (...) les victimes ne manifestaient donc aucune répugnance à assumer cette mission"[5]. De este punto, precisamente, se deriva la gran dificultad que entraña la búsqueda de Ixca, puesto que ha de hallar a una persona que se encuentre en una situación límite de tal calibre que pueda aceptar la muerte por propia iniciativa. Esta condición la deja muy clara Teódula al encargar la misión a su hijo:

> Nomás faltaba que me fueras a dar un sacrificio forzado. Esas cosas salen así, como Dios manda, o más vale ni menearlas (*RMT*, p. 334).

Tal como expresa la anciana, la finalidad de este acto es doble: por una parte, hacerle a ella un "regalo" en su vejez, y por otra, mantener vivo el espíritu indígena que ve próximo a resucitar en un nuevo e inminente ciclo:

> Nos acercamos a la división de las aguas. Ellos morirán y nosotros resucitaremos al alimentar. Hemos pagado nuestro tributo de sueños (*RMT*, p. 449).

El motivo estructurador que organiza el relato queda de esta forma definido como "la búsqueda del sacrificio" que emprende este ambiguo y misterioso indígena. Con la intención de seguir lo más de cerca posible su recorrido, se puede establecer un esquema inicial, con fines puramente metodológicos, donde se agrupen los distintos personajes de la novela y el sentido de la misión de Ixca en torno a los seis "roles" fundamentales que el investigador francés A.J. Greimas considera como instancias bási-

---

[5] ("El sacrificio estaba considerado como un honor casi divino y (...) de esta forma las víctimas no manifestaban ninguna repugnancia por asumir esta misión"). Duverger, Christian; *La fleur létale. Economie du sacrifice aztèque*. París, Seuil, 1977, p. 148.

cas de la narración[6]. Ixca sería así el prototipo del *actante-sujeto* que persigue un *objeto* —la víctima del sacrificio—, concretada, a nivel superficial, en los personajes de Rodrigo Pola, Federico Robles y Norma Larragoiti. Teódula Moctezuma cumpliría el papel de *destinador*, o actante-inductor que encarga una misión al sujeto, mientras que el *destinatario* o beneficiario en este caso, aparte de la propia Teódula, sería un ente abastracto y múltiple a la vez: el propio país que, según la perspectiva de los personajes protagonistas, se beneficiaría directamente de la acción del sacrificio. El actante *ayudante* o *auxiliar* estaría por su parte concretizado en las distintas personas que, de forma consciente o inconsciente, proporcionan información o ayuda para la ejecución de los planes de Ixca. Menos claro estaría el papel de *oponente*, ya que en realidad nadie obstaculiza directamente los secretos planes de Cienfuegos; no obstante, quizá quepa atribuir este "rol" a Manuel Zumacona, quien discute y rebate al indígena los fundamentos de su ideología.

Así pues, el esquema inicial que pretendo seguir en mi exposición sobre la estructura mítica de *RMT* podría plantearse del siguiente modo:

DESTINADOR ----- OBJETO ----→ DESTINATARIO
(T. Moctezuma)   (Víctima: (T. Moctezuma
                   Pola, Robles,   México)
                   Norma)

↑

AUXILIAR ------→ SUJETO ←--------- OPONENTE
                 (Ixca)   (M. Zamacoma)

L. Ibarra
P. de Ovando
Informantes: H. Chacón
M. Zamacona
R. Pola

_____

[6] A. J. Greimas, uno de los más señalados teóricos de la moderna narratología, perfecciona los esquemas de análisis del relato propuesto por V. Propp y C. Bremond y desarrolla su *modelo actancial*, basado en la observación de la existencia de seis "roles" principales que se reparten la acción y que se pueden concretizar a nivel artificial en uno o varios personajes. La relación entre ellos quedaría resumida en el siguiente esquema:

DESTINADOR --- OBJETO - - - →DESTINATARIO

AUXILIAR - - - →SUJETO ←- - - - OPONENTE

El primer objetivo que se marca Cienfuegos en su búsqueda de la víctima propiciatoria es *Rodrigo Pola.* Ixca fija su atención en este personaje en el transcurso de la fiesta que se describe al comienzo de la novela:

> Allí está Pola, saboreando su quinto daiquiri. Pensando 'Valgo más que ellos. Puedo darme el lujo de que me aburran'. No perderlo de vista (*RMT,* p. 170).

Al concluir la reunión, Ixca acude a visitar a Rodrigo y al percibir un fuerte olor extraño —que interpreta como un escape de gas— cree que el joven se ha intentado suicidar impulsado quizás por el ridículo sufrido la noche anterior tras el rechazo de Norma a sus pretensiones amorosas. Ello le convierte potencialmente en una posible víctima, y el indígena comienza el acoso. En sus largas conversaciones con Pola, Cienfuegos hará que éste recuerde su vida, marcada por traumas y frustraciones de todo tipo, e intentará convencerle para que su muerte no sea gratuita sino que se consagre a un fin superior:

> ... hoy debes escoger, ¿lo entiendes, verdad? (...) Son tantos, Rodrigo, los que nunca sabrán de tu decisión. Pero una te traerá con nosotros, te abrirá los ojos al contacto de llantos más graves y desnudos que el tuyo, te clavará un pedernal en el centro del pecho. Y la otra te pondrá frente a nosotros, nítido y brillante, único y solo en medio de la compañía y la igualdad y la pertenencia. Acá serás anónimo, hermano de todos en la soledad. Allá tendrás tu nombre, y en la muchedumbre nadie te tocará, no tocarás a nadie. Escoge (*RMT,* p. 204).

Cuando el protagonista considera que cuenta ya con una información y una influencia suficientes sobre Rodrigo, le propone directamente que se preste al sacrificio:

> Ven conmigo; yo te enseñaré... olvida todo lo demás, lo que has sido, Rodrigo (...). ¡Escupe sobre lo sagrado si lo sagrado es esa misericordia ramplona que sólo acentuará tu mediocridad!

La acción aparece caracterizada como un proceso de búsqueda en el que el *sujeto* trata de conseguir algo (el *objeto)* inducido por determinadas circunstancias o por una persona o personas *(destinador)* con el fin de beneficiar a alguien *(destinatario).* En su camino se va a encontrar con personas o factores *(auxiliar)* y con otras desfavorables *(oponentes).*

¡Escupe sobre esa otro mejilla del dios cobarde! Tiembla y sien-te el terror en el sacrificio, sí, en el sacrificio, y llegarás a los nuestros, ahogarás al sol con tus besos, y el sol te apretará la.gar-ganta y te comerá la sangre para que sea   uno con él(*RMT,*p. 382)

Sin embargo, la mutua incomprensión que ha caracterizado los en-cuentros entre Ixca y Pola —y que el lector conoce por medio de los abundantes monólogos interiores de ambos—, será el determinante del fracaso del indígena. Cienfuegos cree desde el primer momento que Ro-drigo interpreta fielmente sus intenciones y se halla dispuesto a redimir su vida a través de su entrega a los dioses. Pero tras su petición averigua la verdad y sale de su error: Pola no está dispuesto a morir —en realidad no ha intentado suicidarse— y lo único que persigue es el éxito social si-guiendo los pasos del banquero Federico Robles:

> ... ¿no es ésto lo que querías, lo que me dijiste que querías aquella tarde?¿Ser la prolongación de tu padre asesinado y de tu madre exprimida en vida de todos los jugos del amor y de la per-tenencia? (...)
> ... No quiero caer hecho polvo como ellos. ¡Eso no, Ixca ¡De eso me tienes que salvar! De la humillación, de la derrota... éso te dije entonces. ¿No me entendiste? La boca de Cienfuegos len-tamente perdía su rigidez (...) Hubiera querido reírse de su equi-vocación; (...) Federico Robles era la imagen viva y prolongada de Gervasio Pola a los ojos de Rodrigo (*RMT,* pp. 382-383).

Tras esta conversación y el reconocimiento de lo inútil de su inten-to, el protagonista ya no volverá a encontrarse con Rodrigo hasta la es-cena final de la novela en la que, años después, ambos hacen un repaso a lo sucedido[7].

Federico Robles es un personaje con unas características muy dis-tintas a Rodrigo Pola y responde a un tipo de personalidad que Fuentes explotará en su novela más conocida: *MAC.* Se trata del ex-soldado re-volucionario que se ha enriquecido tras el triunfo del bando del que for-maba parte. Es el representante de la nueva oligarquía nacida de la con-tienda, que se ha instalado cómodamente en el poder desplazando a la

---

[7] La historia de Rodrigo Pola, tras su encuentro con Ixca, sigue su curso ya in-dependiente del núcleo estructural central: en ella se refiere el triunfo social y eco-nómico del personaje, conseguido en su oficio de guionista de films de baja calidad, y su entrada en los ambientes "snobs" de México merced a su boda con Pimpinela de Ovando, todo lo cual implica una claudicación personal de su vocación de es-critor e intelectual.

vieja aristocracia porfirista[8]. Hacia él dirigirá Ixca su nuevo objetivo[9].

Las relaciones Cienfuegos-Robles a lo largo de la narración no son tan claras como las que el primero mantenía con Rodrigo Pola. Nunca le va a solicitar al banquero que se entregue en sacrificio, pero sin embargo va a procurar, y lo conseguirá finalmente, hundirlo en su vida personal y profesional, probablemente con la intención de arrebatarle lo que considera su incentivo vital.

El primer contacto entre ambos tiene lugar inmediatamente después de la fiesta. En este encuentro inicial Ixca emplea la misma táctica seguida con Pola: le hace recordar, sumergirse en su memoria para reconocerse y hallar la clave de su identidad. De esta forma, Robles cuenta su historia, que se convierte en un paradigma de la vida y la ideología de los triunfadores de la Revolución (pp. 227-248). Del mismo modo, Ixca acude a visitar a otros personajes, que le ofrecen nuevas perspectivas sobre la personalidad del banquero. Destaca principalmente Librado Ibarra, que forma parte del gurpo de ex-combatientes que no han logrado salir de la pobreza tras la contienda, y que critica duramente a quienes, como Robles, han traicionado sus ideales por el dinero. Cienfuegos llega a poseer una información a su juicio exhaustiva sobre Federico, y a partir de entonces comienza su labor encaminada a destruirle. Para ello urde un ingenioso plan en el que, tras aconsejar al personaje que invierta en un negocio (pp. 286 y 469), propaga a través de Pimpinela de Ovando el rumor de que Robles ha perdido casi todo su dinero en una empresa ruinosa, lo cual provoca la retirada masiva de fondos de su banco (pp. 402-403).

Robles se ha arruinado: Ixca ha conseguido hundirlo en lo único que parecía importarle: su dinero y su posición social. Una persona así podría aceptar con gusto la muerte. Pero, una vez más, el indígena posee una deficiente información: no ha contado con Hortensia Chacón, la mujer en cuya compañía Federico deja de ser el banquero desalmado y se convierte en un ser humano que se entrega intensamente:

---

[8] A través de la figura de Robles, Fuentes da rienda suelta a su vena crítica sobre la Revolución mexicana y sus frutos. El banquero ofrecerá su propia versión del hecho, que se verá completada en otros pasajes de la novela por otros personajes que —como Librado Ibarra— no han tenido su misma suerte y aportan diferentes perspectivas. El autor ofrece de esta forma un amplio panorama de la contienda y de sus desesperanzadores resultados.

[9] La relación entre Ixca y los tres personajes centrales, Pola, Robles y Norma, se desarrolla en la novela de forma simultánea, por lo tanto la presentación sucesiva que hago en el presente estudio responde tan sólo a criterios metodológicos.

A ciegas, en la oscuridad del cuarto, ambos se buscaron con un tacto y una respiración directos y sin palabras. No era como si estuviesen solos, ni como si ya fuesen uno; tampoco como si aún fuesen dos. Eran dos, sí, pero cada uno era otro porque había sido reconocido así, como el otro nuestro, como el otro que me pertenece. Era esta sabiduría sin palabras la que le comunicaba a Hortensia un deseo, y a Federico una voluntad; la de otro ser dictado por ese momento exacto de la carne, la de otro ser vivo ya en el centro caluroso de ambos, el ser que los reconocía ya y clamaba por su propia vida en el contacto entre este hombre y esta mujer (*RMT*, p. 529).

El hombre encuentra la salida en el amor, el refugio en Hortensia, y emprende con ella una vida lejos de México[10].

De forma paralela a sus intentonas con Pola y Robles, Cienfuegos fijará su atención en la mujer de este último, *Norma Larragoiti*, prototipo de la señora burguesa aburrida de su existencia y de su matrimonio.

Norma no se plantea en principio como un objetivo para Ixca, pero su encuentro y su relación casual la pondrán en el centro de su "punto de mira". En su primera conversación, y según su consabido procedimiento, Cienfuegos interroga a Norma sobre su vida (pp. 415-417); las preguntas de Ixca y los conocimientos que demuestra tener sobre ella inquietan profundamente a la mujer que, para acallarlo, decide entregarse a él: "... yo no puedo callarlo con mis palabras, sino con mi cuerpo..." (*RMT*, p. 420). El personaje cede a las pretensiones amorosas de Norma tras la promesa de ésta de que cumplirá lo que él le pida:

—¿Lo hará, Norma, lo harás?
—(...) Haré lo que quieras, pero me harás tuya una y otra vez, ¿verdad?(*RMT*, p. 422).

El episodio de la relación Ixca-- Norma es muy breve en comparación con los dos anteriores, y los sucesos se precipitan casi sin interrupción. La escena definitiva tiene lugar en la playa privada de Robles en Acapulco. Norma siente una mezcla de amor y miedo hacia su amante, y repetidamente sospecha de sus verdaderas intenciones: "Este hombre me quiere

───────

[10] En las obras de Carlos Fuentes el amor siempre surge como la parte más pura del ser humano, que lo salva y redime de sus errores. Tal es el caso p. ej. de Federico Robles y lo será también de Artemio Cruz, aunque en este segundo caso la experiencia amorosa con Regina se sitúa al comienzo y no al final de su vida. Por otra parte, el amor en su dimensión de ceremonia sagrada se percibe en novelas como *TN* o *Aura*.

destruir" (*RMT*, p. 424). En este lugar, Cienfugos va a tratar de consumar el ritual que busca, el cual, en su ejecución, responde a las características propias de las ceremonias del pasado prehispánico, tal y como las refiere de nuevo Christian Duverger.

Según este autor, era condición previa a todo acto de este tipo el agotamiento de la víctima, práctica encaminada a disminuir su capacidad de resistencia, y que podía revestir formas diversas, tales como el baile, el consumo de alucinógenos o el acto sexual[11].

En *RMT* Norma se halla extenuada ante la continua solicitación sexual de Ixca: "... ella permanecía, sin fuerza, sobre la faja de arena, aplanada por el gasto sexual" (*RMT*, p. 415). Tras esta preparación tiene lugar el intento de consumación del rito: el indígena pretende que Norma perezca ahogada, pero ella lucha desesperadamente y acaba por salvarse:

> Norma se asió con desesperación al salvavidas: sintió que otra mano se lo arrebataba, no con desesperación, como ella quería tomarlo, sino fría y lúcidamente (...) Norma dio tres brazadas, su sangre inflamada, hasta el círculo blanco y duro: — ¡Dame, dame! jadeaba arañando el rosto de Cienfuegos, clavando los dedos en el cuello del hombre, sólido como una faja de tierra, machacando y enturbiando el agua hasta abrazar la cabeza de Ixca, hundirla y apretar sus brazos sobre el salvavidas. (*RMT*, p. 438).

La pasividad de Cienfuegos en esta acción sorprendería si no se tuviera en cuenta la premisa de la necesaria voluntariedad del sacrificio. El protagonista actúa de nuevo movido por una falsa interpretación (el sentido de las promesas de la mujer) y, desengañado por sus fracasos, acude a ver a Teódula para plantearle sus dudas:

> Nuestro mundo ha muerto, Teódula, para siempre. Lo mismo daría que las cenizas de tus hijos y de Celedonio fueran regadas por la tierra sin un sólo llanto, sin una sola esperanza de habernos alimentado (*RMT*, pp. 446-447).

> ¿Es suficiente que tú y yo lo pensemos, Teódula, y tratemos de vivirlo, para que nuestro mundo exista de verdad? (*RMT*, p. 448).

Probablemente este juego de equívocos que caracteriza la novela tenga su punto culminante en el momento en que Norma muere quemada en su casa tras su discusión con Robles. Teódula cree que el sacrificio real-

---

[11] Duverger, Christian; *ob. cit.*, p. 147.

mente se ha cumplido, y, ante la casa en llamas, hace la ofrenda de sus joyas:

> Teódula levantó los brazos: en sus manos relumbraban las joyas antiquísimas, más potentes que el estruendo de las llamas. — ¡Gracias, hijo!— gimió, más con el cuerpo entero que con la voz, y arrojó las joyas hacia el centro del salón sofocado de humo (*RMT*, p. 506).

Con la muerte de Norma finaliza la actuación de Cienfuegos[12]. Su misión, aparentemente, está cumplica; para su madre el sacrificio se ha realizado y ya es el momento de retirarse:

> —Ya se cumplió el sacrificio (...). Ya podemos volver a ser lo que somos, hijo. Ya no hay por qué disimular. Volverás a los tuyos, aquí, conmigo. Me diste mi regalito antes de que me vaya. La mujer ésa, Norma ya se la chupó el mero viejo (*RMT*, p. 508).

Pero Ixca conoce la verdad de su fracaso. Ha aprendido mucho en su "viaje" por México y así, al final de la obra, le confiesa a Pola la inviabilidad de su proyecto: el pasado ha muerto y hoy día ya no es posible la consumación de un sacrificio redentor:

> ... todo fue un juego espantoso, nada más, un juego de ritos olvidados y signos y palabras muertas; estará satisfecha; ella sí que estará satisfecha, ella sí cree que Norma fue el sacrificio necesario, y que una vez que el sacrificio nos fue dado podíamos volver a hundirnos en la vida pobre, a rumiar palabras histéricas sobre nuestros deudos, a jugar a la humildad! (*RMT*, p. 544).

Como se ha podido comprobar, Pola, Robles y Norma, constituyen los tres objetivos primordiales de Cienfuegos, en su búsqueda trascendente. Sus visitas e interrogatorios a estos personajes y a otros, que podríamos llamar "informantes" puesto que le proporcionan al protagonista más datos para su actuación[13], se erigen en el núcleo del relato.

---

[12] Con posterioridad tan sólo acudirá a visitar a Mercedes Zamacona para comunicarle la muerte de su hijo; ésta añade algunos datos más sobre la vida de Robles y por ella descubrimos que ambos fueron amantes de jóvenes y que Manuel Zamacona era en realidad hijo del banquero.

[13] Estos son, principalmente, Librado Ibarra, Pimpinela de Ovando, Hortensia Chacón, Manuel Zamacona y Rodrigo Pola. En el transcurso de sus conversaciones

Sin embargo, las visitas de Ixca y los ambientes en que penetra no se limitan a los hasta ahora indicados. De forma paralela a su intento de seducción de los personajes principales, Cienfuegos no escatimará la posibilidad de hallar otras víctimas potenciales en las gentes de la calle, aunque sus intentos en este sentido no pasarán del primer contacto. Estos *objetivos frustrados* son el bracero Grabriel y el pequeño Jorgito Morales. El primero no desea "abrirse" ante las preguntas íntimas del indígena, mientras que el niño huye atemorizado tras las primeras alusiones del protagonista[14].

"Destinador" y "Oponente"

Teódula Moctezuma, como se ha indicado repetidamente, es la inductora de la búsqueda de Ixca. Es ella quien le pide a su hijo el sacrificio, quien le anima constantemente a que siga adelante en las situaciones de desfallecimiento, y en todo momento parece estar al tanto de las actividades del protagonista. Su figura, como se verá más adelante, aparece rodeada de un simbolismo relacionado con el pasado indígena; ella, junto con Ixca, es la encargada de dar entrada en la novela a una de las corrientes que conforman la personalidad del mexicano: se trata del mundo prehis-

---

muchos de ellos van a dar cuenta de su historia particular, lo cual da cabida en el relato a una variedad temática que en conjunto supone un auténtico mosaico de la vida méxicana de la época. Estas "historias paralelas" son como cabos sueltos, desgajados a menudo no de forma completa del nudo principal de la narración, de forma que se podría afirmar que estamos ante una estructura de conjunto de "historias dentro de la historia", en la cual diversas narraciones surgen como ramas emanadas del tronco central del relato, que constituye el objeto del presente estudio.

[14] A través del personaje de Gabriel, y de sus amigos Beto y Tuno, Fuentes introduce al lector en el mundo de los bajos fondos de México, el mundo del hambre y de la miseria, habitado por jóvenes desempleados que se ven obligados a emigrar clandestinamente a EE.UU. porque en su país prácticamente no pueden sobrevivir. En este ambiente, la violencia se halla a flor de piel, y prueba de ello es la muerte de Gabriel, muy semejante al asesinato inútil y gratuito de Manuel Zamacona. En este personaje Fuentes también proyecta muchas de las ideas que circulaban en la época sobre la caractereología del mexicano de la ciudad, especialmente a través de las obras de Samuel Ramos y Octavio Paz. Por su parte, Jorgito Morales pertenece a otra de las muchas historias entrelazadas en la obra. Su padre, Juan Morales, muere en un accidente y su madre, Rosa, se ve obligada a trabajar en casa de Robles. Para Aida Elsa Ramírez Mattei "en esta familia se ejemplifica la lucha desigual del pobre, en un ambiente hostil. La vida miserable de Juan y Rosa se contrasta marcadamente con la de sus patrones Norma y Robles"*(ob. cit.,* p. 79).

pánico, raíz original del país a la que estos personajes pretenden utópicamente retornar. Pero, como afirma el intelectual Zamacoma, la vuelta al pasado es algo ya impensable. México ya es otra cosa, una nación mestiza que, como tal, no encontrará sus respuestas ni en la cultura occidental ni en los moldes antiguos, sino en la búsqueda de un modelo propio y personal de futuro. El mundo azteca es algo ya irrecuperable, y de ello se da cuenta Ixca al final de la novela; el conocimiento de la civilización contemporánea adquirido a lo largo de su peregrinaje por la ciudad, unido a la conciencia de su fracaso, le llevan a concluir que la vieja cultura está ya muerta y, como tal, ha de ser comprendida y asimilada como un factor más de la personalidad del mexicano.

En *Manuel Zamacona* es en quien mejor se encarna todo el entramado filosófico que recorre la base ideológica de la novela. Es el prototipo del intelectual del momento preocupado de forma obsesiva por la identidad del país, y sustenta un proyecto totalmente distinto al de Ixca con quien se halla en constante y apasionado debate. Frente al culto al pasado que propone Cienfuegos, Zamacona defenderá la necesidad de cancelarlo y comprenderlo:

> No, no se trata de añorar nuestro pasado y regodearnos en él, sino de penetrar en el pasado, entenderlo, reducirlo a razón cancelar lo muerto (...). rescatar lo vivo y saber, por fín, qué es México y qué se puede hacer con él (*RMT*, p. 393).

Es el único que se enfrenta en profundidad a la ideología de Ixca, ridiculizando en ocasiones la visión ideal y estereotipada que tiene el indígena del mundo antiguo:

> —... el México atado a su propio ombligo, el México que realmente encarnaba en el rito, que realmente se creaba en una fe, que...
> —... Que realmente se sometía a un poder despótico, sanguinario y disfrazado por una teología satánica... —interrumpió Manuel la cantinela de Cienfuegos (*RMT*, p. 472).

La muerte irracional y absurda de este personaje parece plantear el problema de la auténtica validez y operatividad práctica de unos planteamientos puramente teóricos cuando se ven realmente confrontados con la realidad de un país signado por la violencia[15].

---

[15] Aunque Fuentes ha señalado que ninguna de las opiniones e ideologías manifestadas en *RMT* responden a sus tesis personales, creo que las reflexiones de Za-

macona introducen en el relato las posiciones del autor sobre las distintas vertientes teóricas de la "filosofía de lo mexicano" así como sus propias convicciones al respecto. A lo largo de la obra, las amplias disquisiciones de Zamacona se van a centrar en dos aspectos que se hallaban en el candelero de los debates intelectuales del momento: el carácter del mexicano y el problema de la historia y la identidad de México.

En el primer caso, las opiniones del personaje acerca de la orfandad del mexicano derivada de su complejo de "hijo de la chingada" tienen su claro origen en *El Laberinto de la soledad* de Octavio Paz:

> Yo mismo no sé cual es el origen de mi sangre; no conozco a mi padre, sólo a mi madre. Los mexicanos nunca saben quién es su padre; quieren conocer a su madre, defenderla, rescatarla. El padre permanece en un estado de brumas, objeto de escarnio, violador de nuestra propia madre. (*RMT*, p. 197).

Zamacona también se hace eco en esta línea de la teoría lanzada inicialmente por Samuel Ramos, y recogida posteriormente por intelectuales como Garaizurieta, Leopoldo Zea u Octavio Paz, que reconoce el complejo de inferioridad como una de las notas más señaladas del carácter mexicano:

> Pensó, ¿sentimiento de inferioridad? escribió sonriendo: Qué cosa es el sentimiento de inferioridad sino el de superioridad disimulado? En la superioridad plena, sencillamente, no existe el afán de justificación (*RMT*, p. 200).

Estas reflexiones se complementan con las abundantes consideraciones acerca de la historia del país, que reciben de nuevo la fuerte impronta del pensamiento de Octavio Paz. Haciéndose eco de éste, Zamacona concibe a México como un lugar complejo y contradictorio formado por distintos aportes étnicos y culturales, y cuya esencia radica precisamente en el mestizaje. Sin embargo, siempre se ha caído en el error de imitar modelos importados que han enmascarado la verdadera identidad del país (ej. p. 196). Para el personaje, la Revolución mexicana supuso una revuelta contra la extranjerización de la nación propiciada por la dictadura porfirista; en ese momento, México, por vez primera, se enfrentó con su verdadero rostro y con su pasado (comparar estas afirmaciones con las que hace Fuentes al respecto en su obra *Tiempo mexicano*). Manuel también expresa la repetida opinión del autor de que el proceso revolucionario tan sólo sirvió para cambiar la casta privilegiada gobernante:

> No puede pensar que el único resultado concreto de la Revolución haya sido la formación de una nueva casta privilegiada, la hegemonía económica de los Estados Unidos y la paralización de toda vida política interna (*RMT*, p. 397).

Aparte de las señaladas, otras muchas preocupaciones de Fuentes, recogidas en sus libros de ensayo, se traslucen en las palabras de Manuel Zamacona. Tal es el caso, p. ej. de sus opiniones acerca de la política actual:

> El candidato del PRI llegará, como siempre, a ser el Presidente. No es ése el problema. Lo que el pueblo quiere, y lo querrá cada día más, es que el candidato definitivo no sea escogido, a su vez, por un cónclave de ex-Presidentes. Querrá discutir a los hombres y, con ellos, los problemas. Nuestra prensa mercenaria, claro, no ayuda mucho (*RMT*, p. 471).

A través de los datos expuestos en las páginas anteriores, creo factible establecer una conclusión parcial esclarecedora de la estructura narrativa de *RMT*. Ixca Cienfuegos, en su incansable peregrinar en busca de la consecución de un rito, a la postre frustrado, se erige en el elemento medular que articula la acción y la aparición de personajes e historias que, en su conjunto, presentan un panorama del proceso revolucionario y sus efectos en la organización social del país. La estructura profunda del relato se halla por tanto determinada por el motivo que guía la búsqueda del indígena, y que halla su fundamento en uno de los mitos centrales del pensamiento azteca: la necesidad de ofrecer alimento al Sol, personificado en el dios Huitzilopochtli, para que la vida siga existiendo. Por ello, y siguiendo la terminología de René Jara, no creo que sea arriesgado calificar a *RMT* como relato de estructura *intramitológica,* ya que las referencias últimas de la misma se hallan enraizadas en la cosmología autóctonas del lugar de producción[16].

El esquema actancial de Greimas, en el que se articulaban los personajes más importantes del relato, nos ha servido pues para seguir el camino de Ixca y comprobar el sentido de sus movimientos. Ese esquema operativo inicial puede completarse ahora conjugando el papel de los actantes-personajes con las instancias que caracterizan el proceso del protagonista y que responden a la forma que el estudioso francés Claude Brémond denominó *secuencia simple*[17].

Con ello se accede al esqueleto básico que subyace en la composición de *RMT,* representando el gráfico que adjunto en la página siguiente.

Se podría entresacar otros muchos ejemplos de la novela para demostrar que la voz de Zamacona en *RMT* esconde en realidad la del propio autor de la novela, quien, a través del personaje, expresa sus puntos de vista sobre la realidad de México, y los problemas que le aquejan en su conyuntura histórica.

[16] René Jara, en el preámbulo crítico a su estudio de *MAC,* establece una triple clasificación en la que pretende recoger las distintas formas de plasmación del mito en la novela hispanoamericana de hoy. Los relatos, de esta forma, se repartirán entre aquellos de estructura *intramitológica,* que seguirían en su construcción un mito procedente de su área cultural de elaboración, los de estructura *paramitológica,* que tendrían como correlato un mito perteneciente a otra cultura, y, por último, los de estructura *mitopoyética,* que, sin seguir un mito o esquema mítico determinado, recogerían en su interior las notas internas constitutivas del relato mitológico. (En "El mito y la nueva novela hispanoamericana. A propósito de 'La muerte de Artemio Cruz'". En Giacoman, *ob. cit.* pp. 147-208).

[17] Claude Brémond, partiendo de los descubrimientos efectuados por V. Propp, lleva a cabo una estructuración del relato basada en una agrupación de *secuencias*

ESTRUCTURA DE RMT

1) **ACCION A EMPRENDER:** Reactualización del pasado azteca.

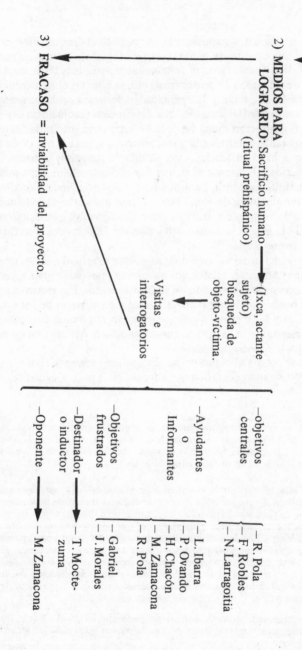

2) **MEDIOS PARA LOGRARLO:** Sacrificio humano (ritual prehispánico) ⟶ (Ixca, actante sujeto) búsqueda de objeto-víctima.

Visitas e interrogatorios

3) **FRACASO** = inviabilidad del proyecto.

—objetivos centrales { — R. Pola — F. Robles — N. Larragoitia

—Ayudantes o Informantes { — L. Ibarra — P. Ovando — H. Chacón — M. Zamacona — R. Pola

—Objetivos frustrados { — Gabriel — J. Morales

—Destinador o inductor ⟶ — T. Moctezuma

—Oponente ⟶ — M. Zamacona

86

2) MAC: Los "ciclos" de México

Como ya ha quedado indicado en las páginas introductorias a la novelística de Fuentes, la disposición argumental de *MAC* se basa en la intercalación alternada de segmentos narrativos encabezados, de forma sucesiva, por los pronombres "yo", "tú" y "él". Se parte de un momento *presente* (el *yo* agonizante) y, tras una transición marcada por ese "tú" subconsciente y ambiguo, se van relatando los doce fragmentos que narran la historia del personaje y que constituyen el grueso de la novela. Se trata de proyecciones constantes hacia el *pasado*, donde se van a referir los momentos decisivos de la vida de Cruz. Estos "flash-backs" no aparecen ordenados de manera cronológica, sino con una arbitrariedad total; surgen siempre de la mano de sensaciones o pensamientos que afloran en el nivel del "yo" o del "tú" y que conducen a un recuerdo hondamente grabado en la memoria.

Un lineamiento lógico de los sucesos narrados en el "él" permite seguir la evolución de la historia personal de Artemio a través de las jornadas cruciales de su existencia. Los límites de la acción aparecen claramente marcados entre dos fechas: 1889 (nacimiento de Cruz) y 1959 (muerte del personaje). Sobre los distintos avatares de la vida de Artemio se impone la realidad de unos acontecimientos históricos trascendentales para la vida del país; son los años anteriores a la Revolución mexicana, los de su ejecución y los que ofrecen el resultado obtenido. La Revolución planea constantemente en el ambiente del relato y en la personalidad del protagonista, lo cual ha impulsado a interpretar la novela, una vez más, como el producto de una crítica y de una denuncia del proceso revolucionario —encarnado en Artemio Cruz— sazonada con extensos comentarios en la línea de la "filosofía de lo mexicano". Pero *MAC*, como se verá seguidamente , es mucho más que eso; bajo la apariencia externa de la historia referida se halla una cuidadosa labor de estructuración temporal que la convierte en el paradigma de la Historia total del país y en una exploración del alma mexicana a través de sus mitos tradicionales y culturales.

Para hallar la clave que determina el "viaje interior" de Artemio se

---

que abren distintas posibilidades de desarrollo y conclusión de la acción. Lo que el autor francés denomina *secuencia elemental o simple,* que constituiría el esqueleto básico de una narración, estaría compuesta por tres funciones: una que abre la posibilidad de un proceso, otra que realiza la virtualidad y una final que cierra el proceso y da cuenta del resultado alcanzado. (Ver: Brémond, Claude; "La lógica de los posibles narrativos". En VVAA: *Análisis estructural del relato*. Barcelona, Eds. Buenos Aires, 1982, pp. 87-109).

ha de prestar atención a las indicaciones cronológicas que el autor remarca en el relato. Si se dejan aparte las dos fechas que indican el nacimiento y la muerte del personaje, los sucesos de la "vida pública" de Artemio que se refieren en la obra abarcan desde 1903 a 1955. Se trata de un período de 52 años que, como bien advirtió en su momento René Jara[18] es la cifra constitutiva del *xiuhmolpilli* o ciclo azteca. Este descubrimiento nos pone directamente sobre la pista de interpretación de la estructura de la novela.

En la cosmología de los antiguos mexicanos, el tiempo, como sucede en todas las comunidades tradicionales, no era concebido como algo lineal e irreversible, a la manera del hombre occidental actual, sino que toda la organización temporal era subsidiaria de la idea del ciclo y del retorno. Todos los días el Sol debía pelear contra la Luna y las fuerzas malignas de la noche para seguir dando vida a la Humanidad. Jornada tras jornada, el astro rey salía triunfante gracias al alimento divino (la sangre) que el pueblo elegido le ofrecía con el fín de darle fuerzas en su lucha. Del mismo modo, la idea de periodicidad y retorno dominaba los meses y los años de su calendario, hasta completar lo que ellos consideraban como un ciclo o "atadura de años", que se componía de un total de 52. Cuando este período concluía se tenía el temor de que el mundo se acabase, ya que, según las profecías, el Sol desaparecería tras el cumplimiento de un *xiuhmolpilli;* debido a ello se celebraban distintas ceremonias rituales con las que se pretendía propiciar una nueva cosmogonía. De esta forma, cuando se hacía evidente que el mundo no iba a perecer, se consideraba que la Humanidad había renacido y que se abría una nueva era.

Esta concepción cíclica de la Historia, propia del pueblo azteca, determina el sentido de la estructura temporal de *MAC.* La entrada o iniciación del ciclo, que supone el comienzo de la vida pública de Artemio, se narra en el fragmento correspondiente al año 1903. En ese momento, el niño Cruz, aunque pobre, vive una infancia feliz en la hacienda de los Menchaca al lado de su tío, el esclavo mulato Lunero. Estos momentos son evocados por la memoria del agonizante como si se tratara de una vida en un paraíso de inocencia, en un diario contacto con la Naturaleza y con el amor protector de Lunero. Pero, ante el temor de verse separado de su amigo, Artemio mata por equivocación al dueño de la Hacienda y se ve obligado a huir. Estamos ante el reflejo de la "transgresión" o mitema de la "caída" original que produce la expulsión del Paraíso y la inmersión en el mundo de la Historia:

---

[18] Jara, René; *ob. cit.*

Te detendrás en la primera plataforma de la roca, perdido en la incomprensión agitada de lo que ha sucedido, del fin de una vida que en secreto creíste eterna... La vida de la choza enredada en flores de campana, del baño y la pesca en el río, del trabajo con la cera de arrayán, de la compañía del mulato Lunero (...) Liberado de la fatalidad de un sitio y un nacimiento... esclavizado a otro destino, el nuevo, el desconocido, el que se cierne detrás de la sierra iluminada por las estrellas[19].

A partir de entonces se refieren los hechos de la vida del personaje: su participación en la Revolución, su amor por Regina y su enriquecimiento progresivo merced a sus pocos escrúpulos y a su pertenencia al bando triunfante. Así se llega al año 1955, en donde se presenta a un Artemio en la cúspide de su poder político y económico, pero en el punto más bajo de sus relaciones humanas. Cruz es un ser sin amor, que vive en su lujuoso palacio de Coyoacán con la prostituta Lilia. Ha perdido también su vigor y su juventud, y la gente comienza a conocerle con el despectivo mote de "la momia de Coyoacán". A la fiesta de fin de año —fecha muy significativa—, acuden, como si de un acto ritual se tratara, personajes de otras novelas de Fuentes: los Régules, de *RMT*, y los Ceballos, de *LBC*. Se reúnen "para festejar esta fiesta del tiempo, este funeral, esta pira de la memoria, esta resurrección fermentada de todos los hechos (...) palabras y cosas muertas del ciclo" (*MAC* p. 259). El ritual aparece degenerado y sórdido con el baile de una joven semidesnuda, y, en medio de su decadencia física y moral, Artemio, obsesionado por los recuerdos de su vida que afloran de contínuo a su mente, asiste al cambio del ciclo, a la llegada de una nueva generación que ha de sustituirle, y cuyo representante es el joven Jaime Ceballos, ansioso de subirse al carro del poder del viejo magnate[20].

La vida de Cruz será, por tanto, el símbolo de uno de los muchos ciclos repetidos en la Historia del país. Los recuerdos de la anciana Ludivina Menchaca y las referencias a distintas etapas históricas, contribuyen a perfilar aún más esta idea y a enmarcar el período vital de Artemio den-

---

[19] Fuentes, Carlos; *La muerte de Artemio Cruz*. México, FEC; 1962 pp. 308-309. Todas las citas de esta novela remitirán a la presente edición.

[20] Lanin A. Gyurko interpreta esta entrevista entre ambos personajes como "a repetition of the boldness of the young Cruz in confronting Don Gamaliel" ("Una repetición de la osadía del joven Cruz al enfrentarse con D. Gamaliel"). ("*La muerte de Artemio Cruz* and *Citizen Kane:* A comparative Analysis". En Brody, Rb. and Rossman, ch. (eds.), *ob. cit.*, p. 84).

tro de un contexto más amplio. Ella, nacida en el año 1810 —fecha del llamado "Grito de Dolores"—, rememora su vida junto a su marido e hijos. Los Menchaca fueron los representantes de la burguesía criolla que despojó de sus tierras a los indios gracias a su amistad con el dictador Santa Anna(p.292). Tras la guerra de Reforma, iniciada en 1858, y sobre todo tras la llegada al poder de Porfirio Díaz, se acelera la decadencia de la familia. El dictador protege al nuevo cacique, que se apodera de terrenos y trabajadores de los antiguos hacendados (p. 301). La oligarquía porfirista surge como la prolongación de la oligarquía criolla de los primeros años de la Independencia, y los representantes de esta nueva clase en la novela serán los Bernal. La insurrección popular contra Díaz, en el año 1910, generó la Revolución Mexicana, momento en que aparece en escena Artemio Cruz, que será la imagen de la nueva clase nacida del proceso, que arrebatará sus posesiones a la antigua oligarquía (los Bernal) y acabará sustituyéndola en poder y riquezas. Como señala D. Gamaliel:

> Artemio Cruz. Así se llamaba, entonces el nuevo mundo surgido de la guerra civil; así se llamaban quienes llegaban a sustituírlo (...) desventurado país que a cada generación tiene que destruir a los antiguos poseedores y sustituirlos por nuevos amos tan rapaces y ambiciosos como los anteriores (*MAC,* p. 50).

Así pues, la historia de México es presentada en la novela como la sucesión ininterrumpida de ciclos que se renuevan fatalmente. Es un proceso determinado por el crimen y la rapiña, en el que sólo varía lo contingente, la máscara del opresor, pero no el fondo, la repetición de sus acciones. Los sucesivos levantamientos contra el poder no han sido consecuentes con el idealismo de su chispa inicial y han acabado por convertirse en revoluciones "institucionalizadas" que derivaron en gobiernos tanto o más corrompidos que los precedentes[21]. Como pone de relieve K. Meyer-Minnemann[22] parece incluso existir un cierto fatalismo o predestinación en estos ciclos históricos que, desde la Independencia del país, surgen de forma más o menos regular cada 52 años: en 1910 se inicia la Revolución mexicana, que fue precedida en 1858 —exactamente 52 años an-

---

[21] En este contexto se enmarca la pregunta que formula Ludivina Menchaca a su hijo Pedro cuando ya es patente su ruina: "¿Vienes a decirme que ya no hay tierras ni grandeza para nosotros, que otros se han aprovechado de nosotros como nosotros nos aprovechamos de los primeros, de los originales dueños de todo?" (*MAC,* p. 296).

[22] Meyer-Minnemann, Klaus; "Tiempo cíclico e historia en *La muerte de Artemio Cruz* de Carlos Fuentes". *Iberoromania* (Tubinga), 7, 1978, pp. 88-105.

tes— por la guerra de Reforma y en 1810 —cerca también del cómputo total del ciclo— por la guerra de independencia.

Los Menchaca, los Bernal, Artemio Cruz o Jaime Ceballos son pues caras distintas de una misma moneda; forman parte de un solo ser, anónimo y colectivo, que ha perpetuado en distintas generaciones la historia de opresión de México. Esta interpretación cíclica de la Historia del país que Fuentes desarrolla en *MAC* tiene una evidente relación con el sentido de los mitos cosmogónicos: el período temporal se agota (símbolo del Apocalipsis) y desemboca en un caos similar al estado original, representado por las revoluciones y guerras; éstas dan lugar a una nueva fundación (Génesis) que comporta un renacimiento y por tanto un intento de restauración del paraíso primordial. Esta última idea se refleja en las utopías políticas que habitualmente acompañan estas revueltas a modo de soporte ideológico: su idea directriz es la de derrocar al poder opresor y maligno (El Anticristo) y liberar al pueblo para crear un mundo de justicia y paz, de ahí el cariz mesiánico que generalmente adoptan sus líderes. Pero el ciclo se cumple —se ha cumplido— de manera inexorable, y esa utopía se traiciona una y otra vez por aquéllos que la habían propagado y que lo único que hacen es reemplazar a los antiguos gobernantes. Del comienzo sólo queda la retórica, palabras ya vacías pero que funcionan como auténticos "mitos sociales" enmascaradores de la verdadera realidad. Desde esta perspectiva, *MAC* es la historia de la utopía, su reaparición y su muerte periódicas, que comporta otras tantas fundaciones y destrucciones del país y, por extensión, del Continente[23]. Se trata de un "eterno retorno" —en el sentido nietzscheano del término— que, en opinión de Eliade[24] supone la repetición constante del mito primordial, que Fuentes, como se verá en otra parte del presente estudio, localiza en lo que considera los orígenes de la cultura mexicana: el momento de la Conquista, en que comienza la dinámica de explotación y sangre, y que supone la negación de la utopía originaria.

MAC presenta por tanto una disposición temporal que responde a las instancias básicas del llamado "mito del eterno retorno", particularizado en este caso en la manifestación mitológica del tema en la cultura azteca.

---

[23] Fuentes ha declarado en consonancia con esta idea que México "es un país donde cada orden construído ha sido un orden falso, un orden de enmascaramiento para esconder el desorden... Y cada vez que este orden ha sido roto, México ha partido de cero nuevamente, negando todo su pasado... para crear un nuevo orden falso como el anterior". (Cit. por Cármen Sánchez Reyes; *Carlos Fuentes y 'La región más transparente'*. Col. Uprex. Ed. Univ. de Puerto Rico, 1975, p. 19).

[24] Ver su obra *El mito del eterno retorno*. Madrid. Alianza Editorial, 1979.

Esta teoría del "tiempo cíclico" como determinante de la Historia de México, supone la idea del inmovilismo, del eterno presente y de la falta de progreso y evolución que ha registrado el país desde su origen[25]. La visión de Fuentes es básicamente pesimista y parece guiada por la evidencia de la predestinación y el fatalismo[26]. El autor no resuelve nada en su ambiguo final; la coincidencia de la muerte y el nacimiento de Artemio parece que no permite albergar muchas esperanzas de que se rompa el ritmo

---

[25] En este sentido, Fuentes ha señalado como una de las claves importantes del relato el juego que se establece entre una temporalidad mítica detenida y el desarrollo de la historia a nivel externo: "En *Artemio Cruz* hay una permanencia del tiempo inconsciente que se opone al desarrollo cronológico de los eventos por definición; hay una oposición entre el desarrollo cronológico de la historia y la permanencia original del mito, del presente eterno del mito". (Feijóo, Gladys; "Entrevista a Carlos Fuentes", p. 75).

[26] Esta idea la ampliaré más adelante al analizar el sentido del empleo del tiempo futuro en la narración. Por otra parte, cabe señalar que es en este contexto donde se han de enmarcar las reflexiones de corte existencialista que afloran en la novela. Si todo está ya escrito —parece preguntarse el autor—, ¿dónde queda el libre albedrío del ser humano para decidir su futuro? En los distintos episodios de la historia de Artemio se hace mención a otras tantas ocasiones en que tuvo que escoger un camino; se trata de una serie de decisiones que le han convertido en lo que es. Pero en su subconsciente, el personaje se plantea hasta qué punto él ha sido libre para hacer estas elecciones. En un principio admite que el individuo es el único responsable de sus actos: "... no te faltará, ni te sobrará, una sola oportunidad para hacer de tu vida lo que quieras que sea. Y si serás una cosa y no la otra, será porque, a pesar de todo, tendrás que elegir". (*MAC*, p. 34). No obstante, más adelante, se ponen cortapisas a esta libertad, siempre coartada por las circunstancias históricas o vitales: "... no pudiste ser responsable de las opciones que tú no creaste (...) el mundo no te dará la oportunidad, porque el mundo sólo te ofrecerá sus tablas establecidas (...) tú no serás culpable de la moral que no creaste, que te encontraste hecha" (*MAC*, pp. 122-125).

Así pues, existe virtualmente la posibilidad de elegir pero el hombre no es totalmente responsable de las alternativas tomadas o desechadas ya que se encuentra coaccionado de forma permanente por las estructuras del contexto en que vive. Como señala Catherine Allen: "La historia es el campo de fuerza que impide el movimiento individual y la libertad de escoger (...). La circunstancia domina al hombre (...). El hombre es el ser imperfecto en un mundo tan imperfecto que le exige que haga selecciones en circunstancias que no podrá comprender ni evaluar hasta años después" (Allen, Catherine M.: "La correlación entre la filosofía de Jean Paul Sartre y 'La muerte de Artemio Cruz', de Carlos Fuentes". En Giacoman: *ob. cit.*, p. 439). La puesta en duda de este libre albedrío se funde con el tema del determinismo y del ciclo. Una de las salidas que ve el autor, como se verá más adelante, es la —quizás también utópica— ruptura de la fatalidad a través de una autorreflexión que permita conocerse a uno mismo y no repetir los mismos errores. Tal es el sentido de ese rechazo del verbo "chingar" y sus derivados, palabra símbolo castradora

inexorable. Pero *MAC*, más que un panorama totalmente desesperanzado de la historia humana parece ser más bien una *advertencia*. Así lo vieron algunos críticos, que expresaron la posibilidad de que la novela encerrase un cierto mensaje de esperanza, en la confianza de que el mexicano podrá algún día romper el ciclo fatal. Quizás esta transformación se produzca en el nuevo *xiuhmolpilli*, que, según el cómputo temporal interno de la novela, se habría de iniciar en 1962. Como indica de nuevo K. Meyer Minnemann, el hecho de que éste haya sido precisamente el año de publicación de *MAC* —novela escrita, como ha declarado el propio autor, bajo el fuerte impacto de la Revolución cubana— puede servir como pista para deducir el tipo de cambio que Fuentes desea para México y su necesaria inmediatez.

3) ZS: El mito universal

ZS es una novela de difícil comprensión, cuya acción se halla construida a partir de la intersección de distintos planos narrativos que funcionan de manera simultánea en el relato y que generan un mundo autónomo de referencias. Se impone por lo tanto como tarea primordial para acceder a los mecanismos estructurales de la obra el deslindar cuidadosamente estos niveles entrelazados, que puedan desglosarse principalmente te en tres: nivel literal o superficial, nivel subyacente o mitológico y nivel profundo o mítico. Un examen de cada una de estas tres instancias permitira clarificar no sólo la base de sustentación de la narración, sino también alcanzar sus más recónditos contenidos.

Nivel literal o superficial.

La estructura de *ZS* está determinada por el proceso de "persecución" obsesiva que emprende el joven Guillermo (Mito) sobre la figura de su madre, Claudia Nervo. En la personalidad del protagonista no es difícil percibir los rasgos más señalados del llamado "complejo de Edipo", definido en esta circunstancia por el deseo de posesión del joven que se confunde a menudo con un auténtico sentimiento amoroso hacia su madre:

---

de la evolución del mexicano, y de la rotunda negación de las opciones elegidas por Artemio, que no deberán repetirse en el futuro: "... tú escogerás otra vida (...) tú escogerás abrazar a ese soldado herido (...) tú le dirás a Laura: sí (...) tú no visitarás al viejo Gamaliel en Puebla (...) tú te quedarás con Lunero en la hacienda (...) tú no serás Artemio Cruz" (*MAC*, pp. 246-247).

Tengo que acariciar el suéter una vez más y recordar cómo lo sustraje del closet de mi madre y cómo me dormí con su suave pelusa cerca de mi mejilla. Cómo lo tuve, un mes entero, debajo de mi almohada, siempre al alcance de mis dedos. Ahora renuncio para siempre a él. No sin besarlo antes, por última vez, y cerrar los ojos y darme cuenta de que ya no queda nada del perfume original. No, nunca más[27].

Claudia abandonó a su hijo cuando éste contaba pocos años, y Mito creció así sin la seguridad y el afecto que serían necesarios para alcanzar una completa madurez. Cuando al fin conoce a su madre, el joven ya se ha convertido en un ser paranoico, de carácter débil y enfermizo, e incapaz de enfrentarse por sí mismo a un mundo que considera extraño y enemigo. De aquí nace la necesidad de crearse entorno a sí "refugios" o "zonas sagradas" que lo aislen del exterior y que funcionen como sustitutos de lo que real e inconscientemente persigue: el retorno al seno materno:

Me abriré paso, minúsculo y terrible como soy, entre las arenas de tus desiertos, las lianas de tus selvas, los pétalos de tu carne: seré tu parásito, escondido en el fondo de tu vientre, anidaré en ti otra vez para embriagarte con mi dulce sudor. Serás mi sudario. Serás la alcoba de mi muerte (ZS, p. 167).

En una dimensión más amplia, no es difícil percibir en la personalidad de Mito los síntomas de una enfermedad esquizofrénica, que Gilbert Durand resume en tres puntos principales perfectamente aplicables al personaje: a) "Pérdida de contacto con la realidad" que acarrea una interpretación subjetiva del mundo[28]. Es quizás el rasgo más característico del protagonista; todo lo que le rodea no tiene para él una realidad tangible y objetiva; "lo real" es tan solo aquéllo que se halla dentro de su mente, en la que caben todo tipo de relaciones y explicaciones que crean un mundo totalmente personal que lo mantiene alejado de la autenticidad de su sórdida existencia. El mismo, resumiendo su forma de pensamiento, le dice a su madre: "¿Te das cuenta de que lo imaginado es siempre mejor que lo vivido?" (ZS, p. 61). Esto explica que en su "aventura" él se vea a sí mismo como un nuevo hijo de Ulises (Telémaco-Telégono) que, según las

[27] Fuentes, Carlos; *Zona Sagrada*. México, Siglo XXI, 1967, p. 56. Todas las citas harán referencia a la presente edición.

[28] Durand, Gilbert; *Las estructuras antropológicas de lo imaginario*. Madrid, Taurus, 1981, p. 174.

versiones post-homéricas, acaba uniéndose con la mujer del héroe (Circe-Penélope).

b) En segundo lugar se sencuentra lo que Durand denomina "geometrización mórbida"[29], que supone una concepción enfermiza y distorsionada de las formas y los lugares. En Guillermo ésta es palpable en su percepción espacial, particularmente en el caso de su apartamento, que concibe como una auténtica "zona sagrada" alejada del "mundo profano" exterior. Esta visión se proyectará a otros espacios, como el terreno de juego en el que se celebra el "ritual" del partido al comienzo de la novela:

> Los jóvenes de Positano, gamberros y estudiantes, cargadores y camareros (¿gigólos estivales?), juegan con esa fuerza nerviosa, esa rapidez muscular. Esa elegancia. Al amanecer, plantaron en la arena las estacas para marcar el espacio del juego: la zona sagrada (ZS, p. 3).

c) Finalmente, habla Durand de la "desaparición de la noción del tiempo y de las expresiones lingüísticas que significan el tiempo en beneficio de un presente espacializado"[30]. En ZS esta característica encuentra su reflejo en la ruptura de la lógica temporal de los hechos que, unida a ese "presente histórico" dominante de la narración, da esa sensación de "eterno presente" o tiempo detenido a que se refiere el estudioso francés[31].

En este plano, por tanto, el relato trataría la problemática de un individuo con graves transtornos mentales nacidos de traumas infantiles, que, en medio de una sociedad hostil, intenta encontrar una salida en el origen, representado en este caso por la figura de la madre. El fracaso de Mito y su definitiva locura final vendrían a dejar una nota desesperanzadora sobre las posibilidades del hombre de escapar realmente de un entorno que lo ahoga y determina.

Nivel subyacente o mitológico.

Este proceso de búsqueda que protagoniza Guillermo se recubre en

---

[29] *Ibid.,* p. 176.

[30] *Ibid,.* p. 177.

[31] También acudiendo al psicoanálisis podemos encontrar más datos que avalen este carácter enfermizo de Guillermo. Así p. ej. su evidente complejo de Edipo puede ser interpretado, según Freud, como el núcleo central de toda neurosis. (Ver *Tótem y Tabú,* Madrid, Alianza Editorial, 1967, p. 27).

la novela de múltiples referencias mitológicas en las que la mente enfermiza del narrador proyecta los hechos y los personajes del relato. Tal circunstancia abre el camino al segundo esquema estructural subyacente en *ZS:* Mito interpreta su propia historia según los moldes de la leyenda odiseica, la cual se convierte en el correlato mitológico-estructural primario en el desarrollo de la acción[32]. Sin embargo, el joven no se atiene a la versión más conocida u "oficial" recogida en la Odisea, sino que sigue la interpretación más tardía de Apolodoro *(Epítome VII)* de la que en época actual se hizo eco el historiador británico Robert Graves[33]. Fuentes resume así la propuesta de esta nueva variante:

> ¿Qué pasó en realidad? En realidad Ulises regresa de la guerra hecho un viejo, se sienta y empieza a contarles historias a la esposa y al hijo, a fatigarlos con las historias, a hacerlos puré con tantas historias fantásticas hasta ponerlos nerviosos y volverlos locos. ¿Qué puede hacer Telémaco, sino retomar el destino del padre, reiniciar los viajes de Ulises, esos viajes que llevarán a Telémaco a la isla de la hechicera Circe en el Adriático? Allí encuentra que tiene un doble, que es su hermano, el hijo de Ulises y Circe, Telégono. (...) Y para completar los destinos y las sustituciones, Telémaco se acuesta con Circe, se convierte en el marido de Circe. Y ahora es Telégono el que prosigue las peregrinaciones, los viajes, que lo tienen que llevar a ese desolado y rústico reino de Itaca, donde se encuentra esa vieja pareja, Ulises y Penélope. Penélope ve entrar por la puerta al joven Ulises, el que vió partir a la guerra. *Ergo,* Penélope y Telégono se escabechan a Ulises, lo matan, y Telégono ocupa el lecho de su padre. Bueno, ésto es un poco el marco mítico de esta historia[34].

---

[32] Si nos atenemos a las definiciones más estrictas del término "mito", la historia de Ulises no entraría dentro de ese ámbito, sino más bien en el grupo de las *leyendas,* cuya acción se halla protagonizada por héroes y no por dioses o seres semi-divinos. Sin embargo, la diferencia entre mito, leyenda y cuento popular no es tan evidente como podría pensarse, y en muchos casos sus límites se confunden y entremezclan. Según indica Carlos García Gual, ésto es particularmente palpable en la cultura griega, en la que resulta extremadamente complejo el realizar deslindes entre estas tres instancias, por lo que el autor prefiere definir el mito como "relato tradicional que cuenta la actuación memorable de unos personajes extraordinarios en un tiempo prestigioso y lejano". *(Mitos, viajes, héroes,* Madrid, Taurus, 1981, p. 9). A este hecho responde la utilización indistinta que hago en el presente análisis de los términos "mito" y "leyenda" al referirme a la aventura odiseica.

[33] Graves, Robert; "Odysseu's vanderings" y "Odysseu's homecoming", en *The Greek Myths II.* Penguin Books, pp. 354-377.

[34] Rodríguez Monegal, Emir; "Carlos Fuentes", en Giacoman *ob. cit.,* pp. 48-50.

El paralelismo entre la historia odiseica y los hechos de la novela no es sin embargo tan evidente como parecería deducirse de las declaraciones del autor. Los personajes de *ZS*, no presentan una correspondencia manifiesta con los de la leyenda, sino que sus identidades se confunden y entremezclan a través de una serie de síntesis y desdoblamientos, ejemplificados en el siguiente esquema:

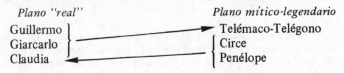

Plano "real"   Plano mítico-legendario
Guillermo   Telémaco-Telégono
Giarcarlo   Circe
Claudia   Penélope

A partir de estas identificaciones —de las que hablaré más ampliamente en el capítulo dedicado a las referencias míticas y mitológicas— se pueden establecer unas correspondencias más amplias entre los sucesos de ambos planos, reflejadas en estos gráficos:

A) *Versión de Apolodoro*

   1) Regreso de Ulises
        2) Partida de Telémaco
             3) Telémaco-Circe
      4) Partida-regreso de
      Telégono
   5) Telégono mata a   6) Telégono-Penélope
   Ulises

B) *Proyección en ZS*

   1) Punto inicial ausente   3) Giancarlo-Claudia
                    (acto sexual)
      2) Mito y Giancarlo
      y   "buscan"
      4) a Claudia
   5) Mito y Giancarlo   6) Mito-Claudia
   desprecian a su   (travestismo)
   padre

Desde un punto inicial no explícito se desarrolla el resto de la narración. En el relato mitológico-legendario tanto Telémaco como Telégono, hijos ambos del héroe, emprenden un viaje para encontrar a la mujer de su padre con la que finalmente se acaban uniendo. De la misma forma, en *ZS* Guillermo persigue de forma obsesiva a su madre tratando de unirse, de "incorporarse" a ella, lo cual lleva a efecto por medio de su alter-ego Giancarlo y a través del rito del travestismo. Giancarlo-Guillermo realizan por tanto una unión incestuosa[35] que va unida a la muerte simbólica del padre, expresada en la novela mediante el rechazo de ambos jóvenes de la figura paterna:

> (Giancarlo): Imbécil. ¿Quién te dijo que está muerto? Nunca encontraron su cuerpo. Cualquier día regresa. ¡Ojalá! Ya no me darían la lata con todas esas historias de su heroicidad. ¡Héroe! Todos saben que los italianos corrían como conejos! El viejo ha de haber aprovechado la guerra para quedarse con una puta en Trípoli y salvarse para siempre de la tradición, la familia, mi devotísima madre, un palacio destartalado... (*ZS*, p. 105).

> (Mito): Te quiero, mamá (...). Te agradezco que me hayas separado de mi padre (*ZS*, p. 82).

Parece claro por tanto que, a un cierto nivel, el narrador protagonista está reinterpretando en su imaginación las vivencias que experimenta con su madre y su amigo Giancarlo, relacionándolas con los temas y caracteres propios de la versión odiseica post-homérica. Sin embargo, otros pasajes y contenidos de la novela quedarían sin explicar si no se advirtiera la presencia en la misma de un tercer nivel.

Nivel profundo o mítico

Como tendré oportunidad de demostrar más adelante, el universo mitológico presente en las referencias internas de *ZS* no se limita, como podría suponerse, al mundo helenístico; por el contrario, se aprecia un claro intento del autor por conferir a algunos personajes —especialmente a Claudia Nervo— un carácter "universal" propio de las "figuras arquetípicas". La personalidad de la protagonista no se desdoblará tan sólo en los papeles de Circe y Penélope, sino que a su vez será, entre otras, Tlazoltéotl y la Llorona, hermanando de esta forma atributos que la definen como la figura ambivalente de la Mujer o de la Madre Tierra. Esta "universalidad" conseguida en la caracterización profunda de los personajes centra-

---

[35] Apoyan esta idea las múltiples alusiones que se hacen en la novela a la posibilidad de que Giancarlo y Guillermo sean hermanos, con lo cual el incesto se habría efectuado realmente. (Ver pp. 107, 167, 168, 178 y 190).

les, encuentra su paralelo en la acción básica de la novela, cuyas etapas responden a las premisas de un esquema mítico de raigambre universal: la transgresión del tabú del incesto y el castigo recibido por ello.

Como puso de relieve Suzanne Jill Levine, la variante odiseica utilizada en la elaboración del relato tiene una evidente relación con otro mito también perteneciente al mundo antiguo: se trata del mito de Edipo:

> El mito de Ulises, tal como lo cuenta Apolodoro, es probablemente una reinterpretación de la leyenda de Edipo (...) Telégono mata y reemplaza a Ulises como Edipo mata y reemplaza a Layo[36].

Ambas narraciones tienen un sentido último común relativo a la idea de la prohibición del incesto, motivo de mitos similares presentes en la práctica totalidad de las culturas humanas[37] y que responden en su acción esquemáticamente a un triple proceso compuesto por las siguientes instancias: muerte del padre ----→ unión con la madre (o sustitución)----→ castigo. Este contenido implícito en el nivel mítico profundo de la versión odiseica utilizada como correlato mitológico de la novela, impregna el sentido de varios pasajes de la misma como el extraño y ambiguo final a mi juicio inexplicable si no se atiende a este último nivel de lectura.

Como se ha apuntado anteriormente, Guillermo, que ha olvidado a su padre, consigue finalmente alcanzar una unión simbólica con Claudia, la cual, obviamente, supone la violación del tabú que Lévi-Strauss considera como el básico de todas las culturas humanas. Tal acción acarrea el castigo del culpable, que en este caso ve degradada su condición humana y se ve convertido en un perro maltratado. En este sentido parece que Fuentes tiene presentes a la hora de escribir la novela las investigaciones de Lévi-Strauss, que en aquella época habían causado un gran impacto en el ambiente cultural. El propio autor, en carta enviada a Gloria Durán, avala esta tesis al manifestar su deuda con el pensamiento del antropólogo francés:

---

[36] Jill Levine, Suzanne; " 'Zona Sagrada': una lectura mítica". *Revista Iberoamericana* (Penn.) XL, núm. 89, Octubre-Diciembre 1974, pp. 623-624.

[37] Así p. ej. en la mitología azteca se halla el paralelo del dios Xipe-Tótec quien, como señala Manuel Durán, "enamorado de su madre, la gran Diosa, el Eterno Femenino, la ama hasta el incesto; en una ceremonia ritual es desollado y decapitado'". (En *Tríptico mexicano*, p. 113). Narraciones mitológicas de este tipo se multiplican en todos los dominios de la cultura humana.

My intuition of the mythical must be a priori; a posteriori any ideas I now have about the subjet are very much due to Lévi-Strauss[38].

En la conversación mantenida con Gladys Feijóo abunda aún más en este tema:

> Yo creo que hay un substrato mítico que es común a todos los pueblos del mundo. Lévi-Strauss dijo alguna vez que los mitos viajan y, en efecto, podemos encontrar mitos que se repiten a lo largo de la historia de la humanidad en todas las geografías imaginables[39].

La búsqueda de este substrato común, de este punto de confluencia intercultural en la creación literaria es para Fuentes uno de los objetivos que ha de perseguir la novela moderna:

> El escritor europeo descubre que debe conquistar una nueva universalidad, esta vez verdaderamente *común* al quehacer literario: la universalidad de la imaginación mítica, inseparable de la universalidad de las estructuras del lenguaje[40].

Por todo ésto, no es extraño que para el crítico Brehil Luna lo único que pretenda Fuentes en esta obra sea llevar a cabo "la metáfora de una ley estructural del mito"[41].

Por lo tanto, a este nivel mítico o profundo, la acción se limita a una dinámica de búsqueda-transgresión-castigo donde el personaje acaba penando su culpa.

Los tres planos anteriormente reseñados se hallan profundamente imbricados en la novela y contribuyen a forjar una única estructura real, extremadamente compleja y multiforme. En el fondo de todo ello subyace de nuevo la visión pesimista del autor, quien contempla al hombre de hoy como un ser sumido en el anonimato de la masa, perdido en sus frus-

---

[38] ("Mi intuición sobre lo mítico ha de ser a priori; a posteriori todas las ideas que tengo sobre el tema le deben mucho a Levi-Strauss").
Durán, Gloria; *La magia y las brujas,* p. 211.

[39] Feijóo, Gladys; *ob. cit.* p. 72.

[40] Fuentes, Carlos; *La nueva novela...,* p. 22.

[41] Brehil Luna, A.; "Despliegue de mundos en 'Zona Sagrada' ". Giacoman: *ob. cit.,* p. 247.

traciones e incapaz de lograr una respuesta final que dé salida a su angustia. El resultado de la búsqueda es la locura total, la conciencia de culpa de un ser que acaba castigado tras una transgresión simbólica.

4) La estructura mítica del héroe.

El mundo actual no parece ser el lugar adecuado para la existencia de narraciones mitológicas similares a las de la antigüedad. Estas —se cree— pertenecen a un tipo de civilización ya muerta, o al menos superada por los avances tecnológicos del orbe occidental contemporáneo, donde la ciencia y la razón han desbancado al mecanismo mítico-analógico de pensamiento. Sin embargo, como se ha señalado anteriormente, el mito es una realidad fuertemente arraigada en la trastienda de la mente humana, y, como tal es algo innato al hombre de todo tiempo y lugar. En este sentido, gran parte de los teóricos que hoy día estudian y analizan las características y la esencia del mito, coinciden en afirmar que la práctica totalidad de temas míticos presentes en las distintas culturas tradicionales perviven en el mundo actual disfrazadas bajo una apariencia "profana".El ejemplo más claro de este hecho lo constituirían las ideologías políticas, aunque tampoco quedarían exentos de esta influencia otros aspectos más cotidianos de nuestra vida que podrían ir desde los "fetiches" de todo tipo que se colocan en el cuerpo o en el automóvil, hasta un simple partido de fútbol, pasando por el triste fenómeno del terrorismo.

En realidad, lo que se modifica con el transcurso del tiempo y la evolución humana no son las "estructuras míticas" sino sus manifestaciones contingentes o "mitológicas". Mientras éstas se olvidan, aquéllas perduran y se adaptan al contexto.

Este hecho, perceptible en nuestra vida diaria, se observa de forma particular en la creación artística, y especialmente en los dominios de la literatura. El relato, ligado en sus orígenes al mito, perpetúa bajo distintas formas las estructuras y símbolos que componían la esencia de las narraciones antiguas, que en muchos casos se convierten en correlatos estructurales —consciente o inconscientes— que guían la marcha de la acción novelesca y la impregnan con su sentido. Dentro de estos esquemas míticos cuya pervivencia es obvia en la creación literaria del mundo actual, destaca de forma primordial la que el crítico chileno Juan Villegas ha denominado "estructura mítica del héroe", trasunto deformado y adaptado de las distintas etapas que constituían la aventura del héroe mítico.

Juan Villegas toma su punto de partida en las investigaciones de Joseph Campbell, quien, en su obra titulada *El héroe de las mil caras,* aborda un interesante estudio comparativo de distintos relatos heroicos tradicionales pertenecientes a culturas diversas, que le permite aislar la estructura central común a todos ellos. Las distintas instancias del proceso guardan, en opinión del investigador, una estrecha relación con las formas y el simbolismo de los rituales iniciáticos, de forma que estos mitos encierran un sentido directamente relacionado con la idea de muerte-renacimiento.

Es sabido que las ceremonias iniciáticas o "ritos de paso" suponen el momento que consagra un determinado cambio o evolución de un miembro de una comunidad en el seno de la misma. Como señala el antropólogo británico Edmund Leach, este proceso se halla perfectamente codificado, y se inicia con una salida del iniciante de su lugar habitual (rito de separación) para integrarse a un espacio distinto y "sagrado" en el que permanecerá aislado del resto del mundo (rito de marginación); tras la separación, el iniciante que ha superado la prueba, regresa a su vida normal y asume su nueva condición (rito de incorporación)[42]. Leach establece el siguiente esquema representativo de los distintos pasos del ritual:

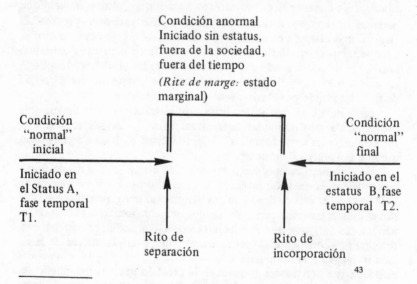

Condición anormal
Iniciado sin estatus,
fuera de la sociedad,
fuera del tiempo

(Rite de marge: estado
marginal)

Condición
"normal"
inicial

Iniciado en
el Status A,
fase temporal
T1.

Condición
"normal"
final

Iniciado en el
estatus B, fase
temporal T2.

Rito de
separación

Rito de
incorporación

43

[42] Leach, Edmund; *Cultura y comunicación. La lógica de la conexión de los símbolos.* Madrid, Siglo XXI, 1981, pp. 107-109.

[43] *Ibid.,* p. 109.

Estas tres fases (separación-marginación-incorporación) son para Campbell las tres instancias básicas que componen el esquema de la aventura del héroe mítico, quien, tras una salida de su mundo, vive una serie de experiencias y vence un número indeterminado de obstáculos que acaban proporcionándole una *iniciación* en forma de posesión de un objeto mágico o un conocimiento determinado, que posteriormente entrega o enseña a su comunidad de origen. Cada parte de este proceso (que Campbell codifica en las etapas de partida-iniciación-regreso) comporta a su vez toda una serie de posibles alternativas, que determinan las variaciones argumentales de cada relato, y que aparecen acompañadas de un simbolismo propio. Campbell analiza profundamente cada punto del proceso y llega a establecer el esquema en el que se recogen las distintas instancias que a su juicio componen la estructura del relato heroico.

ESQUEMA DE CAMPBELL [44]

Capítulo I: LA PARTIDA

1. La llamada a la aventura
2. La negativa al llamado.
3. La ayuda sobrenatural
4. El cruce del primer umbral
5. El vientre de la ballena

Capítulo II: LA INICIACION

1. El camino de las pruebas
2. El encuentro con la diosa
3. La mujer como tentación
4. La reconciliación con el padre
5. Apoteosis
6. La gracia última

Capítulo III: EL REGRESO

1. La negativa al regreso
2. La huída mágica
3. El rescate del mundo exterior
4. El cruce del umbral del regreso
5. La posesión de los dos mundos
6. Libertad para vivir

---

[44] Campbell, Joseph; *El héroe de las mil caras. Psicoanálisis del mito*. México, FCE, 1959, p. 233.

Juan Villegas intentará demostrar que el esquema descubierto por este investigador se halla en la base de construcción de numerosas narraciones de la época actual, y que las partes que lo componen —que denomina "mitemas" adoptando la terminología de Lévi-Strauss— se cargan con los contenidos históricos del momento o con las preocupaciones particulares del autor.

El "héroe" de la novela de hoy ya no es el semi-dios de los relatos tradicionales, sino que puede entenderse como "el personaje protagonista, generalmente, que representa el sistema de valores propuestos intrínsecamente en la novela "[45]. En su "aventura" es frecuente que el personaje, en un primer momento, abandone su vida habitual hastiado del mundo que le rodea y emprenda un "viaje" para intentar hallar un estímulo vital o una salida a su situación; este héroe insatisfecho emprende así un "camino de perfección" tras cuya conclusión puede o no regresar a su mundo anterior.

La primera etapa que señala Villegas en este camino representa "la vida que se abandona", y su concreción argumental puede presentar una gran variedad de posibilidades. El mitema inicial, *el llamado,* es de gran importancia para comprender el tipo de mundo que se niega o se rechaza en la obra; puede aparecer bajo la forma de un factor externo o de una reflexión interna que impulsan al protagonista a abandonar su existencia cotidiana. Este mitema suele ir acompañado por la presencia de *el maestro o personaje despertador,* el cual "tiene como misión llevar a cabo el llamado, provocar en el iniciante o futuro inciante la conciencia de que deberá abandonar la forma de vida que ha llevado, o hacer evidente lo insatisfectorio de la misma"[46]. Seguidamente puede actualizarse el mitema de *el viaje* que adquiere la forma de desplazamiento espacial y que generalmente pone en contacto al personaje "con otras manifestaciones humanas que le hacen cuestionar la suya"[47]. Tras él se llega al punto básico y fundamental de esta primera etapa, que será *el cruce del umbral.*

En la aventura mitológica, el héroe, después de la partida y el desplazamiento consiguiente de su residencia habitual, se ha de enfrentar al momento concreto del "tránsito", el abandono total de su espacio —y por extensión de su vida— anterior, y el acceso a un lugar nuevo donde se producirán sus experiencias y "pruebas". Se trata del momento del "cruce

---

[45] Villegas, Juan; *ob. cit.,* p. 66.

[46] *Ibid.,* p. 101.

[47] *Ibid.,* p. 102.

del umbral", cuyas manifestaciones, sobre todo en la novela moderna, pueden revestir infinitas modalidades:

> El simple tomar el barco, llegar al puerto, subir o pasar el puente que une la tierra y el barco, implican la posibilidad de asumir el mitema del cruce del humbral (...) fórmulas evidentes son el puente, el túnel, el zócalo, portal o umbral. También es posible que adquiera una forma temporal[48].

De esta forma, todo objeto sensible o momento psicológico que implique esta idea de "separación de mundos" o "tránsito" puede cumplir esta función. El momento del cruce significa el acceso a una "zona sagrada" en la que quedan automáticamente abolidas las categorías del mundo "profano" abandonado. Por ello, tan importante paso suele estar defendido por unos guardianes, "dioses o espíritus que defienden la entrada, tanto de la malevolencia de los hombres, cuanto de las potencias demoníacas y pestilenciales"[49]. Esta protección, según Campbell, suele estar a cargo de fuerzas peligrosas a las que el héroe se ha de enfrentar con riesgo de su propia vida si quiere acceder al espacio que defienden. Sea cual fuere la forma en que este momento se refleja en la novela moderna, esta instancia surge como algo imprescindible en el desarrollo de la estructura, y marca el fin de la primera etapa: el personaje ha cambiado de "mundo" y ha penetrado en la "zona sagrada", espacio donde tendrán lugar las experiencias que constituyen el grueso de la obra.

Villegas denomina a la segunda etapa "la iniciación en sí o la adquisición de experiencias". Se trata del auténtico "camino de iniciación" donde el héroe se va a encontrar con una serie de obstáculos o pruebas, con un recorrido —interior o exterior— que ha de efectuar para conseguir la "gracia" final. En los relatos contemporáneos no existe un orden determinado en los mitemas de esta parte, aunque comúnmente suele encontrarse en primer lugar, *el viaje.*

De forma general éste se convierte en el auténtico estructurador de la obra, y puede adquirir formas variadas, que van desde el "desplaza-

---

[48] *Ibid.,* p. 103.

[49] Eliade, Mircea; *Lo sagrado y lo profano.* p. 29. Para Cassirer esta es una de las características más señaladas del "pensamiento mítico": "La única distinción espacial primigenia que siempre se repite en las creaciones más complejas del mito y se va sublimando cada vez más, es esta distinción de dos regiones del ser: una normal generalmente accesible y otra que, como región sagrada, aparece realzada, separada, cercada y protegida de lo que le rodea" (En *Filosofía de las formas simbólicas II.* p. 118).

miento físico" —como era el caso de la instancia apuntada en la primera etapa— hasta el más habitual "viaje interior" a través de la psique del personaje, que suele suponer el reflejo de impresiones o sucesos vividos que van proporcionándole la "iniciación" en un "conocimiento" final. Otro mitema posible es *el encuentro,* que marca el momento en que el héroe toma contacto con seres o curcunstancias que le van a ayudar o poner dificultades en su empresa; esta situación tiene como variante la posible presencia de *el maestro o guía espiritual.*

En este "camino de pruebas" el protagonista sufre una serie de experiencias que se concretan en posibles mitemas como *la experiencia de la noche,* que se corresponde con el "rito de marginación o de aislamiento" de las sociedades tradicionales, y que puede aparecer bajo las formas de "una aventura prohibida, la crisis de una enfermedad, el contacto con la muerte o con personajes poderosos o peligrosos. En algunas ocasiones se concreta como un viaje nocturno por la ciudad u otro espacio, en el cual el protagonista se siente perseguido o experimenta multitud de terrores o de amenazas"[50].

La caída o descenso a los infiernos y *los laberintos* son mitemas que habitualmente surgen como variantes del anterior y que representan los obstáculos que el iniciante ha de solventar para poder seguir su viaje.

El mitema central del esquema, el *morir-renacer,* supone la culminación del camino. Mediante un suceso que puede tener multitud de concreciones, se simboliza la "muerte" definitiva del personaje a su vida anterior y su "nacimiento" a un nuevo estado del ser, donde obtiene el objeto mágico o el conocimiento preciso para comprender el mundo y su existencia. Tras esta "iniciación" puede producirse *la huída o la persecución,* con la que finaliza la segunda parte.

La siguiente y última etapa, denominada "La vida del iniciado. Triunfo y fracaso del héroe", supone el trasunto del momento en que el personaje mitológico retorna llevando consigo el don preciado obtenido con su esfuerzo y que ha de reportar un determinado beneficio a su comunidad. Sin embargo, en la novela moderna, señala Villegas, el regreso del protagonista no es algo habitual, y éste suele negarse a volver al mundo hostil del que partió a iniciar su aventura, o a comunicar lo aprendido en su camino:

> Gran parte de la novela moderna presenta otra concreción del héroe: aquélla en que el personaje no es visto en relación con su capacidad de ofrecer algo al mundo que lo circunda. Su

---

[50] Villegas, Juan; *ob. cit.,* p. 115.

aventura lo beneficia exclusivamente a él: él obtiene una verdad con la que ha de vivir, para bien o para mal, pero se niega, implícita o explícitamente, a su divulgación. La aventura ha significado un descubrimiento de sí mismo, lo que de ningún modo se proyecta a la colectividad[51].

Los mitemas que hacen su aparición generalmente en esta última etapa son *el regreso, la huída mágica, el cruce del umbral del regreso*, y, por último, *la posesión de los dos mundos*, que viene a simbolizar la capacidad de omnisciencia del iniciado, quien ha entrado en conocimiento del "mundo trascendente" que se une al que ya tenía del "mundo profano".

El esquema final de Villegas —reflejado en el gráfico que adjunto aparte— se convierte por lo tanto en una guía de primer orden para rastrear la existencia latente de esta estructura mítica en las creaciones literarias de la actualidad. La situación de los distintos mitemas no responde a un criterio riguroso, sino que el autor, respetando las instancias y la simbología básica del proceso, puede variar su colocación con entera libertad, e incluso eliminar aquéllos que no considere precisos.

Como pretendo demostrar a continuación, el esquema descubierto por Villegas se encuentra como base de la acción total o parcial de cinco novelas de Fuentes. El análisis de las mismas tomando como fundamento esta perspectiva, abrirá la posibilidad de acceder a un nuevo nivel de lectura y descubrir determinados contenidos ocultos o no inmediatamente perceptibles en estas obras.

ESQUEMA DE VILLEGAS

Primera etapa: LA VIDA QUE SE ABANDONA

Mitemas	*Motivos*
1) El llamado	Orfandad, soledad.
2) El maestro o despertador	
3) El viaje	
4) El cruce del umbral	

---

[51] *Ibid.*, p. 129.

Segunda etapa: LA INICIACION EN SI O LA ADQUISICION E
                 EXPERIENCIAS

Mitemas	Motivos
1) El viaje	Asombro, descubrimiento
2) El encuentro	Amor , amistad
3) La experiencia de la noche	
4) La caída o el descenso a los infiernos	
5) Los laberintos	
6) El morir-renacer	Amor, amistad
7) La huída y la persecución	

Tercera etapa: LA VIDA DEL INICIADO. TRIUNFO Y FRACASO
                 DEL HEROE

Mitemas

1) El regreso
2) La huída mágica
3) La negativa al regreso
4) El cruce del umbral del regreso
5) La posesión de los dos mundos

4.1.) *Aura*

La novela corta *Aura* refleja en la práctica totalidad de su extensión
los distintos mitemas y símbolos acompañantes de la estructura anteriormente descrita. Su acción breve y esquemática, desarrolla de forma clara
el proceso de "conocimiento-iniciación" que experimenta Felipe Montero en el caserón de la vieja Consuelo Llorente, tras el cual el personaje alcanza la trascendencia del tiempo y de la muerte.

Ya en la primera página se alude directamente al mitema de *el llamado,* reflejado en el anuncio que lee el protagonista:

Se necesita historiador joven (...). Conocedor de la lengua francesa (...). Juventud, conocimiento del francés, preferible si ha vivido en Francia algún tiempo[52]...

_____

[52] Fuentes, Carlos; *Aura.* México, ERA, 1962, p. 11. Todas las citas de esta
novela remitrán a la presente edición.

108

Felipe reconoce que en él sólo falta su nombre:

> Parece dirigido a tí, a nadie más (...). Sólo falta que las letras más negras y llamativas del aviso informen:Felipe Montero (*Aura*, p. 11).

Este anuncio funciona a modo de "llamada mágica" que moviliza al personaje hacia la "aventura" posterior, cuyo primer paso será *el viaje*.

En *Aura* ésta instancia se manifiesta en el recorrido que efectúa el protagonista hasta la casa de la señora Consuelo. El destino es un lugar en el "centro" de la ciudad, donde se halla la mansión, que aparece así caracterizada desde el primer momento con el simbolismo propio del "templo" o "zona sagrada". En palabras de M. Eliade:

> Aquí, en este Centro, lo sagrado se manifiesta de modo total (...). Nos hallamos en presencia de una geografía sagrada y mítica, la única efectivamente *real*, y no de una geografía profana, 'objetiva'...[53].

El "viaje" de Montero adquiere así las características de un desplazamiento desde un "mundo profano" a un "mundo sagrado" donde, como se verá, le esperan al personaje las fuerzas desconocidas a las que tendrá que enfrentarse en la siguiente etapa.

Tras su llegada al caserón se remarca especialmente el momento de *el cruce del umbral*, en cuyo pomo se erige la efigie del "perro guardían":

> Tocas en vano con esa manija, esa cabeza de perro en cobre, gastada, sin relieves: semejante a la cabeza de un feto canino en los museos de ciencias naturales. Imaginas que el perro te sonríe y sueltas su contacto helado. La puerta cede al empuje levísimo, de tus dedos, y antes de entrar miras por última vez sobre tu hombro (...). Tratas, inútilmente de retener una sola imagen de ese mundo exterior indiferenciado (*Aura*, pp. 13-14).

Al traspasar la puerta, Felipe Montero se halla en un mundo distinto, dominado por la oscuridad, y donde sus sentidos "objetivos" le son insuficientes para guiarse. Aquí se sucederán las experiencias iniciáticas de la segunda parte. Atrás ha quedado la existencia cotidiana del personaje,

---

53 Eliade, Mircea; *Imágenes y símbolos*. Madrid, Taurus, 1979, pp. 42-43. Sobre el tema del "simbolismo del centro" volveré más adelante en el apartado dedicado a la "atmósfera mítica".

descrita en las dos primeras páginas de la novela como una vida rutinaria y sin alicientes, que viene a representar el "mundo profano" que el héroe ha de abandonar en su aventura como primer paso en su "camino de iniciación".

Una vez que el protagonista ha accedido al lugar sagrado, se actualiza en la novela el nuevo mitema de *el viaje,* que adopta en este caso la forma de un proceso de "descubrimiento" paulatino que desemboca en el "conocimiento" final, convirtiéndose así en el estructurador general de esta segunda parte.

Durante su estancia en la mansión, Felipe conocerá en primer lugar a los personajes, Aura y Consuelo, que se le presentan rodeados de un cierto "halo mágico" (pp. 14 a 20). Poco a poco irá "descubriendo" los distintos muebles y objetos del lugar:

> Empujas esa puerta —ya no esperas que alguna se cierre propiamente; ya sabes que todas son puertas de golpe (*Aura,* p. 15).

y se va habituando a su particular "atmósfera":

> ... te das cuenta de que no la sigues con la vista, sino con el oído: sigues el susurro de la falda, el crujido de una tafeta...(*Aura,* p. 21).

> Renuncias porque ya sabes que esta casa siempre se encuentra a oscuras (*Aura,* p. 23).

Después de una primera toma de contacto con la casa y el ambiente misterioso que la envuelve, Felipe es testigo de los extraños fenómenos que en ella tienen lugar:

> ... ese jardín lateral (...) donde cinco, seis, siete gatos (...) encadenados unos con otros se revuelcan envueltos en fuego... (*Aura,* p. 31).

> Corres al vestíbulo, la sala, el comedor, la cocina donde Aura despelleja al chivo lentamente, absorta en su trabajo, sin escuchar tu entrada ni tus palabras, mirándote como si fueras de aire (*Aura,* p. 43).

La lectura de las memorias del general Llorente le permite también al protagonista ir sospechando la verdadera identidad de la anciana.

Montero va así descubriendo poco a poco el extraño ambiente de la mansión, y los acontecimientos que va presenciando le provocan un estado de asombro que va aumentando a medida que la obra avanza. Este estado de sorpresa, excitación y contínua reflexión del personaje para intentar desentrañar el misterio, constituye el auténtico "camino de las pruebas", que, como en todo relato mitológico, culminará en el acto de "iniciación" final.

Antes de pasar al mitema central de la obra, que constituye la conclusión efectiva del proceso, es posible todavía identificar en la novela otros dos mitemas, que pueden considerarse de carácter secundario ya ya que apenas añaden nada al proceso descrito. Se trata de *el encuentro*, concretizado en el momento en que Felipe conoce a Aura (pp. 19-20), y *la experiencia de la noche*, plasmada en la pesadilla que sufre el protagonista, en la que se le revela la auténtica identidad de Consuelo (p. 44).

Seguidamente se produce el mitema fundamental del proceso: *el morir-renacer*, donde se halla encerrada la clave interpretativa del relato.

Felipe Montero acude a una cita amorosa en la alcoba de Aura; allí, en una ceremonia ritual, tendrá lugar la unión de la pareja. Una vez finalizada, Felipe ya no será el mismo:

> Al despertar, buscas otra presencia en el cuarto y sabes que no es la de Aura la que te inquieta, sino la doble presencia de algo que fue engendrado la noche pasada. Te llevas las manos a las sienes, tratando de calmar tus sentidos en desarreglo: esa tristeza vencida te insinúa, en voz baja, en el recuerdo inasible de la premonición, que buscas tu otra mitad, que la concepción estéril de la noche pasada engendró tu propio doble (*Aura*, p. 51).

Algo nuevo ha nacido en Felipe Montero, y, a partir de ahí, todo se precipita hasta el desenlace: el protagonista, al observar la fotografía del general Llorente se reconocerá a sí mismo y "recordará" (pp. 58-59) y, en la noche, descubrirá en el lecho que Aura es una mera creación de Consuelo (pp. 61-62).

Tras el paulatino "descubrimiento" y el asombro consiguiente llega el "conocimiento" y el acceso a un grado superior de conciencia que permitirá al personaje trascender su "mundo profano" para integrarse de lleno en un "mundo sagrado". Esta ceremonia de trascendencia reviste las características de un acto de *amor*, motivo actualizador del mitema del morir-renacer, el cual se presenta como el principio capaz de lograr la superación del hombre.

Quizás en este punto se pueda avertir la posible influencia del pensamiento de Octavio Paz en la novelita de Fuentes. En las obras del primero, el amor aparece como un medio de "comunicación" y de "trascendencia" que libera al hombre de su soledad y le permite acceder a un nuevo estado mediante su realización en otro:

El amor es uno de los más claros ejemplos de ese doble instinto que nos lleva a cavar y ahondar en nosotros mismos y, simultáneamente, a salir de nosotros y realizarnos en otro: muerte y recreación, soledad y comunión[54].

En *Aura* se encuentran reflejados muchos de estos conceptos expuestos por Paz, y entre ellos quizás el más claro sea la realización del acto amoroso como una ceremonia de "comunión"; todo el acto sexual se encuentra plagado de alusiones y símbolos de tipo religioso y es llevado a cabo como un acto ritual. El crítico Santiago Rojas indica en este sentido que:

> El acto sexual, (...) se realiza entonces bajo el signo ritual de la Eucaristía y procura repetir en su esencia el sublime misterio de la transustanciación (...). La relación y semejanza del acto sexual con los símbolos establecidos durante la Pasión de Cristo es obvia[55].

Sin embargo, un profundo análisis de este pasaje de la novela revela que Fuentes no se propone representar en él el simbolismo de la Pasión de Cristo, sino que, tanto los actos como la simbología que les rodea, se relacionan de una manera directa con el ritual de la llamada "Misa negra". Jules Michelet fue uno de los principales estudiosos del tema, y la descripción que hace de este ritual en su libro *La bruja* se halla reflejado punto por punto en *Aura*[56]. Este autor señala dos actos fundamentales en la ceremonia que se pueden poner claramente en relación con las acciones de la novela:

En el "primer acto" tiene lugar el "lavatorio" o acción previa de purificación:

[54] Paz, Octavio; *El laberinto de la soledad.* México, FCE, p. 182.

[55] Rojas, Santiago; "Modalidad narrativa en *Aura:* realidad y enajenación". *Revista Iberoamericana*, núm. 112-113 (Julio-Diciembre, 1980), p. 495.

[56] Michelet, Jules; *La bruja.* Barcelona, Eds. Mundilibro, 1977. Ana M^a. Alban de Viqueira, en su artículo "Estudio sobre las fuentes de *Aura* de Carlos Fuentes" (*Comunidad,* México, II, 8, Agosto de 1967) señala este libro de Michelet como una de las fuentes más directas de Aura. Con posterioridad han aparecido algunos estudios comparativos entre ambas obras; destacan los de Janice Geasler Titiev ("Witchcraft in Carlos Fuentes *Aura, Revista de Estudios Hispánicos* (Alabama), tomo XV, núm. 3 Oct. 1981, pp. 395-405) y Adriana García de Aldridge ("Fuentes y la Edad Media". *Anales de Literatura Hispanoamericana*, núm. 4, Madrid, 1975, pp. 191-205).

[Tú sientes el agua tibia que baña tus plantas, las alivia, mientras ella te lava con una tela gruesa... (*Aura*, p. 48)]

Seguidamente, la mujer, que Michelet especifica que ha de tener al menos treinta años [y recordemos que Montero, en este instante, encuentra a Aura más madura:

... la muchacha de ayer (...) no podía tener más de veinte años; la mujer de hoy parece de cuarenta (*Aura*, p. 47)]

se coloca una corona con violetas, e inmediatamente después tiene lugar la "danza giratoria" o "ronda del sabbat":

[... se prende unos capullos de violeta al pelo suelto, te toma entre los brazos y canturrea esa melodía ese vals que tú bailas con ella, (...) giran los dos, cada vez más cerca del lecho (*Aura*, p. 48)]

En el segundo "acto", la mujer, convertida en altar reparte la oblea:

[Acaricia ese trozo de harina delgada, lo quiebra sobre sus muslos (...): te ofrece la mitad de la oblea que tú tomas, llevas a la boca al mismo tiempo que ella, deglutes con dificultad (...). Aura se abrirá como un altar (*Aura*, p. 49)]

Con esto finalizaba la parte fundamental de la ceremonia, que podía continuar con otros actos menos importantes.

Michelet parece resultar así la fuente directa para la descripción de este acto en *Aura*. Mediante la inclusión de este ritual de la "Misa Negra", Fuentes pretende simbolizar ese momento de "comunión" amorosa, definido por Octavio Paz, que supone la unión de los amantes en un solo ser, trasunto del andrógino original y por tanto representativo de la pureza de los comienzos. Se trata en definitiva de un acto de "transustanciación", similar al de la Misa cristiana, pero en donde es la Mujer quien se ofrece como alimento. Felipe Montero participa del misterio, "incorpora" simbólicamente a Aura y mediante su "comunión" con ella alcanza a conocer su verdadera identidad y a comprender los misterios de la vida y la reencarnación. El amor se presenta de este modo como el medio capaz de lograr la "trascendencia" y conseguir la unidad y totalidad del hombre, condenado a una escisión fatal. Como pone de relieve Rachel Phillips en su estudio sobre la obra de Octavio Paz:

El amor es el camino, más o menos, hacia la trascendencia del yo, y el hombre (...) puede captar por medio de él las verdades eternas que todas las mitologías y religiones han formulado[57].

Estos hechos hasta aquí analizados responden a las características del mitema del *morir-renacer:* mediante este acto de amor, Felipe Montero "muere" realmente a su existencia anterior y "nace" a otra vida distinta. Se trata de un verdadero rito de iniciación que engendra un nuevo nivel, una fusión con la auténtica realidad del hombre.

Después de este acto, Montero ya se halla "iniciado" y comienza a comprender todos los misterios de la casa; así, al contemplar unas fotografías del general fallecido se reconoce a sí mismo y "recuerda":

> Pegas esas fotografías a tus ojos, las levantas hacia el tragaluz: tapas con una mano la barba del general Llorente, lo imaginas con el pelo negro y siempre te encuentras, borrado, perdido, olvidado, pero tú, tú, tú (*Aura*, p. 58).

> ... te tocas los pómulos, los ojos, la nariz, como si temieras que una mano invisible te hubiese arrancado la máscara que has llevado durante veintisiete años: esas facciones de goma y cartón que durante un cuarto de siglo han cubierto tu verdadera faz, tu rostro antiguo, el que tuviste antes y habías olvidado (*Aura*, p. 59).

Al "recordar" su anterior encarnación, Montero vence simbólicamente a la muerte y se sitúa fuera de la temporalidad humana, insertándose en el "gran tiempo" o "tiempo cósmico", donde la vida se regenera contínuamente; su nuevo estado de conciencia comporta un nuevo ritmo temporal en el cual el reloj, instrumento para medir el tiempo en el "mundo profano", ya no tiene sentido alguno:

> No volverás a mirar tu reloj, ese objeto inservible que mide falsamente un tiempo acordado a la vanidad humana, esas manecillas que marcan tediosamente las largas horas inventadas para engañar al verdadero tiempo, el tiempo que corre con la velocidad insultante, mortal, que ningún reloj puede medir (*Aura*, p. 59).

En la escena final, la Luna, símbolo tradicional de la Mujer, descubrirá a Felipe que Aura no es más que el fantasma de Consuelo, su "juventud encarnada", y el misterio quedará desvelado por completo.

La novela concluye aquí sin que se produzca el regreso del héroe, encerrado ya para siempre entre las paredes de la casa de la calle Donceles.

Como se ha podido comprobar, en la aventura de Montero parecen seguirse las principales instancias caracterizadoras de la "estructura mítica del héroe". Ello permite descubrir la dimensión *ritual* de la novela, en

---

[57] Phillips, Rachel; *Las estaciones poéticas de Octavio Paz.* México, FEC,1976, p. 69.

la que se está refiriendo un cambio de "status", una transformación en la personalidad y en la vida del protagonista quien, tras un breve proceso de conocimiento y un acto ceremonial, descubre la verdad del mundo, y la falacia del tiempo lineal y de la realidad objetiva en que vive engañado el hombre de hoy: no existe un orden cronológico progresivo, sino una eterna repetición cíclica que comporta contínuas reencarnaciones. Felipe Montero fue en otro tiempo el general Llorente, y ello nos puede dar una pista para advertir una posible "clave mexicana" de la novela: la dominación extranjera perenne, que impide al país desarrollar su propia personalidad. En este "descubrimiento" final del personaje ocupan un lugar destacado la *Mujer* —que se convierte en la auténtica vía y camino de conocimiento— y la sacralización del acto amoroso, a través del cual Montero se une a Aura-Consuelo superando la soledad y el aislamiento propios del hombre contemporáneo. Como ha quedado advertido, una vez más parecen sonar en una obra de Fuentes los ecos del pensamiento de Octavio Paz, quien atribuye a la unión amorosa la facultad de lograr la trascendencia y superar la soledad. Este tema, como atestigua Ernesto Sábato, se convierte en uno de los más repetidos en el contexto de la novela hispanoamericana actual:

> El derrumbe de orden establecido (...) convierte el tema de la soledad en el más supremo y desgarrado intento de comunión, se lleva a cabo mediante la carne y así (...) ahora asume un carácter sagrado[58].

De esta forma, las distintas partes correspondientes a "la estructura mítica del héroe" advertidos en *Aura,* unidas a los "motivos" que las acompañan, podrían quedar reflejadas en el siguiente esquema

---

[58] Sábato, Ernesto; *El escritor y sus fantasmas.* Buenos Aires, Aguilar, 1967, p. 84.

Primera etapa: LA VIDA QUE SE ABANDONA

Mitemas	Motivos
1) El llamado	
2) El viaje	Soledad
3) El cruce del umbral	

Segunda etapa: LA INICIACION EN SI O LA ADQUISICION DE LA EXPERIENCIA

Mitemas	Motivos
1) El viaje (Este mitema se encuentra estructurado casi toda esta segunda parte)	Asombro, descubrimiento
2) El encuentro	
3) La experiencia de la noche	Amistad, amor
4) El morir-renacer	Conocimiento
	Amor

4.2) *Cambio de Piel*

La acción de *CP* se estructura a partir de dos temas que caracterizan prácticamente la totalidad de la novela: el viaje-desplazamiento que efectúan los personajes de México a Cholula y el viaje-interior a través de la propia personalidad de los protagonistas. Se trata, como se ha visto, de momentos importantes dentro del esquema de "la estructura mítica del héroe", de manera que su presencia destacada en *CP* podría ser un indicio de la posible existencia subyacente de este proceso. Un cuadro comparativo entre los distintos "momentos" de la historia referida en la novela y los principales mitemas de la estructura indicada, parece confirmar la veracidad de tal hipótesis

116

Plano de la "historia" en CP	Plano de la estructura mítica
— Situación de insatisfacción	El llamado
▼	
— Salida de los cuatro protagonistas rumbo a Veracruz	La partida
▼	
— Trayecto México Cholula	El viaje-desplazamiento
▼	
— Cruce del río tras "lidiar" al toro.........................	El "cruce del umbral" tras la victoria sobre el guardián
▼	
— Llegada al hotel de Cholula. Historia personal de los pro tagonistas	Acceso a la "zona sagrada". Viaje interior.
▼	
— Excursión a la Pirámide {	El laberinto / El "descenso a los infiernos"
▼	
— Muerte de uno o dos personajes	muerte-renacimiento.

Una vez más, el núcleo ideológico central del relato descansa en la idea ritual de muerte-renacimiento, que como trataré de demostrar en el análisis de los distintos niveles míticos de la narración, se halla explicitada de manera diversa a través de varias "claves" a lo largo de la novela. En principio, un estudio detenido de los contenidos con que se carga a cada uno de estos mitemas en CP mostrará un panorama bastante completo de los temas centrales de la obra.

En CP no se percibe el mitema de *el llamado* de una manera tan clara como en *Aura*. Sin embargo, el planteamiento del viaje, unido a las confesiones posteriores de los personajes, permiten vislumbrar el carácter de "huída" que este encierra. Las dos parejas piensan en un trayecto hacia el mar, un destino que ya implica la idea de "purificación" en consonancia con el simbolismo de las aguas[59] y que sólo puede partir del descontento con su forma de vida, punto que constituye la base misma del mitema inicial de la aventura del héroe. Repetidamente, por medio de las conversaciones y recuerdos de los viajeros, entrevemos este malestar vital que les aqueja y su consecuente y lógico deseo de cambio:

> —Recuéstate, dragona. No sufras. Todos queremos ser otra cosa[60].

> Hay que estar en un lugar, cualquier lugar, aunque lo inventemos, para poder empezar de vuelta, para renacer (*CP*, p. 96).

El trayecto entre la Ciudad de México y Cholula —donde tendrán lugar la mayor parte de los sucesos de la novela— se corresponde con el mitema de *el viaje-desplazamiento*. Se trata del viaje en automóvil de los cuatro personajes, en cuyo recorrido se suceden las reflexiones y comentarios acerca del país y de sus gentes, traídos al hilo del paisaje que van contemplando desde el coche. A renglón seguido se destaca de manera especial el instante de *el cruce del umbral*.

Los personajes, en su camino hacia Veracruz, se ven detenidos por un río en cuyo vado se halla una manada de toros y vacas que les impiden el paso. Franz se baja del auto, y con el chal de Elizabeth hace frente al jefe del grupo; tras unos lances de toreo, Javier ahuyenta a los astados haciendo sonar el claxon. En esta escena creo que es evidente el paralelismo con los símbolos que habitualmente acompañan al mitema indicado: el río, como símbolo de tránsito y delimitador de zonas, está cumpliendo la función de umbral,[61] mientras que los toros hacen las veces de guardianes

---

[59] El agua —y por extensión el mar— es considerada en todas las culturas humanas como un elemento primordial estrechamente ligado al concepto del origen. En este sentido implica un contenido de "renacimiento" o "regeneración". (Ver Eliade, Mircea; *Iniciaciones místicas*, Madrid, Taurus 1975, p. 165 o Gaster, Theodor H.; *Mito, leyenda y costumbre en el libro del Génesis*. Barcelona, Barral Editores, 1973, pp. 9-10).

[60] Fuentes, Carlos; *Cambio de Piel*. Barcelona, Seix-Barral, 1967, p. 61. Todas las citas de esta novela remitirán a la presente edición.

[61] René Guenon menciona este tránsito de una ribera a otra del río como un tema presente en distintas mitologías: "... el 'paso del puente' (que puede ser también el de un vado) se encuentra en casi todas las tradiciones y también más particularmente, en ciertos rituales iniciáticos". (*Símbolos fundamentales de la ciencia sa-*

defensores de la "zona sagrada"[62]. La propia descripción que se hace de la manada parece abundar en este papel:

> En el vado, casi inmóviles, plantados a lo largo de la estrecha joroba de tierra entre los dos brazos del río, estaban los toros, las vacas, los novillos, en el centro del río. Jarameños de cuernos cortos y delgados, con el color fusco abrillantado por el sol, *que parecían guardianes del paso del río* (*CP*, p. 214. El subrayado es mío)

Creo que de forma clara se está marcando en esta acción el momento del acceso al lugar de las experiencias iniciáticas, "zona sagrada" por naturaleza. El sentido de este paso cobra un mayor significado si se tiene en cuenta el lugar al que llegan los viajeros; se trata de Cholula, ciudad sagrada y ceremonial del mundo mexicano prehispánico y postcortesiano. En tiempos de los aztecas, en aquel lugar se alzaba una imponente mole de pirámides que lo consagraba como el más importante centro espiritual del mundo náhuate. Con la conquista y la destrucción de la ciudad por Cortés y sus soldados, en los lugares donde había pirámides se edificaron iglesias, e incluso en varias ocasiones éstas se construyeron encima mismo de los antiguos edificios aztecas, en uno de los más claros ejemplos de la superposición cultural que caracterizó el nacimiento de la nación mexicana:

> Se abre la ruta de la Gran Tenochtitlán y sobre las ruinas de Cholula se levantarán cuatrocientas iglesias: sobre los cimientos de los cúes arrasados, sobre las palataformas de las pirámides negras y frías en la aurora humeante del nuevo día (*CP*, p. 17).

Por encima del tiempo y de las formas de culto, la ciudad ha seguido manteniendo su carácter de lugar sagrado, ahora de la nueva religión importada:

> Mojaste los dedos, dragona, en una de las dos enormes pilas bautismales a la entrada. Te ví sonreír ante esa incongruencia fantástica: no eran sino urnas de piedra indígenas, viejas, labradas, corroídas, antiguos depósitos de los corazones humanos arrancados por el pedernal en los sacrificios de Cholula (*CP*, p. 20).

---

grada. Buenos Aires, EUDEBA, 1976, p. 301). Sir ir más lejos, en la propia mitología azteca el río aparece dividiendo las dos orillas de la vida y de la muerte, lo cual recuerda también el paso de la laguna Estigia en la mitología griega.

[62] La figura del toro como "guardián del paso" tiene numerosas connotaciones mitológicas. Se trata de un animal que hace su aparición en varias mitologías con distintos significados, y es inevitable el recuerdo del minotauro de la cultura griega, encerrado en el laberinto y finalmente vencido por Teseo.

Esta ciudad, este espacio, será el lugar donde se producirán las experiencias centrales de la novela y donde se celebrará el rito final.

Tras la llegada de los viajeros concluye la primera fase de la "aventura" y se inicia la siguiente, que se configura como un trayecto a través de la propia interioridad de los personajes. Todo viaje iniciático, como el que nos ocupa, supone un camino que va de las "tinieblas" a la "luz", y en *CP* esta investigación en el pasado de los protagonistas —especialmente de Franz— supone el proceso que arroja esa luz sobre sus responsabilidades y culpas personales y que a la postre permite vislumbrar el auténtico sentido del "castigo" final.

Elizabeth es el personaje del cual se nos ofrecen más datos en este recorrido interior. Procede de una familia de judíos emigrados a EE.UU. y allí conoce a Javier con quien contrae matrimonio. Su situación personal se halla marcada por su insatisfacción frente al mundo y frente a sí misma. En sus recuerdos afloran constantemente los momentos de su infancia y su vida feliz al lado de Javier, que contrasta con el estado actual de sus relaciones, sumidas en un completo deterioro:

> —U—hum. Nuestra vida ha sido igual. Quince años en blanco, de veras. Quince años sin nada que decir. El con su hipocondría y su chamba en la ONU. Yo, leyendo bestsellers. ¿Vale la pena hablar de todo esto? (*CP*, p. 184).

> —¡Qué atraviese las paredes! ¡Que todos se enteren! ¡Que todos sepan cómo se pierde un amor y que grande es el odio entre los que se amaron!(*CP*, p. 375).

Elizabeth vive en el mundo de la irrealidad, del ensueño, y fruto de este rechazo del presente son sus huidas a un imaginario pasado así como sus artes brujeriles, apenas apuntadas en la novela[63]. El sueño de amor de la mujer, rodeado de playas maravillosas en el escenario luminoso de la Grecia clásica, y portando vestidos de muselina (descripción que recuerda los planos "idílicos" de ciertas películas, presentados a cámara lenta y con una difusa luz"hamiltoniana") se ha esfumado y tan sólo resta el hastío y el cansancio del presente. En su búsqueda de explicación Elizabeth,

---

[63] En *CP* Fuentes vuelve a tratar la figura de la bruja, en este caso reflejada en la personalidad de Elizabeth (vid. pp. 42-43, 367-368 y 373). Incluso, recordando a Aura, algunos críticos han señalado que Isabel no es más que el doble o la creación de Elizabeth. No creo que haya suficientes datos en la novela que nos permitan llegar a semejante conclusión, pero, aunque así lo fuere, no se trataría de un doble "funcional" u operativo en el relato, a diferencia del establecido entre Aura y Consuelo.

además de a Javier, culpará al país —en el cual se siente extranjera— y al carácter de sus gentes, del que su marido es partícipe:

> Tu país es el culpable, Javier (...). México es una máscara. No tiene otro sentido este país. Sirve para ocultarnos del mundo, de lo que dejamos atrás (*CP*, 371).

> Eres como todos los mexicanos. Necesitas toda esa retórica para justificarte. El clima, los nopales, Moctezuma, la chingada, todo les sirve para justificarse (*CP*, p. 380).

De aquí procede su manifiesto odio a México y su deseo de marcharse (p. 103), lo cual no es sino la proyección del deseo de escapar de sí misma, sobre todo si se acepta la posibilidad de que Elizabeth no sea realmente norteamericana, sino mexicana, tal como se insinúa de forma un tanto ambigua al final(p. 471).

Franz es hasta cierto punto el personaje catalizador de las acciones de la historia. En el relato de su vida se comienza por sus primeros años de estudiante en Alemania, cargados de proyectos e ideales, y su historia amorosa con la joven judía Hanna Werner. Estos sueños y esta felicidad primera se van a ver pronto negados por el cambio en las circunstancias históricas. Estalla la guerra y Franz se va a convertir en el arquitecto encargado de diseñar el cementerio de Theresienstadt y de ampliar la fortaleza-prisión de Terezin. Allí se encuentra con Hanna a quien no tiene el valor de intentar salvar; el complejo de culpa le atormenta, e intenta justificar su acción aludiendo a la imposibilidad de la empresa:

> ¿Yo, un arquitecto adscrito al campo, un pequeño funcionario, un sudete, quizás un hombre sin convicciones firmes, ni siquiera un alemán, apenas un hombre eficaz iba a pedir que no mandaran a Hanna Werner en un transporte a Auschwitz? (...) ¿Yo iba a levantar la voz o la mano sólo para condenarme a mí y a Hanna? (*CP*, p. 468).

A él principalmente parecen ir buscando "Los Monjes", cuyo líder es Jakob, el hijo de Hanna Werner, que finalmente vengará en Franz la muerte de su madre.

Javier es un personaje vulgar. Funcionario de un organismo internacional, pretende ser escritor, pero tras la aparición de su libro *El sueño* no vuelve a publicar otra obra, lo cual le produce una evidente frustración Busca en el amor la salida a sus problemas personales —básicamente de identidad— y la conciencia total de su fracaso le llega en el momento en que Elizabeth le confiesa que el argumento de su única novela —que su

121

mujer le había sugerido— se lo había contado a ella el escritor Vasco Montero en una noche de amor (p. 384). También Javier busca justificaciones externas, crea sus propias mentiras para intentar ocultar su mediocridad y su falta de talento. Aparece presentado como un ser débil y enfermizo (p. ej. p. 65) que nunca ha tenido la fuerza necesaria para vencer la rutina y dedicarse plenamente a su vocación[64].

Estos personajes, a través del repaso a sus circunstancias vitales, aparecen signados por la impronta del fracaso y la mentira. Franz parecería por sus crímenes indirectos el más culpable de todos ellos, pero en la novela se insinúa en varias ocasiones su paralelismo con Javier; de esta forma, el beatnik que asumirá su papel en el juicio a que los jóvenes someten a los protagonistas dirá refiriéndose a Franz:

> ¿Qué soy otro como él, pero sólo latente, sin grandeza, su larva? Yo le escurro el bulto a un toro como ese, chaparra. Me da miedo (*CP*. p. 450).

Esta afinidad la destaca el propio autor en una entrevista:

> Javier y Franz representan la fraternidad de lo aislado. En Alemania, Javier hubiese sido Franz: un fascista por omisión. En México, Franz hubiese sido Javier: un intelectual burócrata demasiado consciente de sí mismo y de su aislamiento para transformar sus sueños en otra cosa[65].

Con esta declaración, Fuentes está abriendo el camino a la interpretación "existencial" de *CP*. De sus palabras se deduce que el destino del hombre se encuentra en buena medida determinado por el contexto en que vive; se trata de un tipo de determinismo histórico o ambiental, que constituye la principal justificación de Franz:

> Fue... fue una fatalidad. Me tocó ese tiempo. Yo... yo estaba acostumbrado a cumplir, era mi deber.(...) Había que vivir dentro de ese sueño del pueblo heroico, de los líderes heroicos, para comprenderlo y comprender... (*CP*, p. 436).

---

[64] Lanin A. Gyurko pone de relieve el paralelismo existente entre Javier y Rodrigo Pola: ambos son seres débiles, escritores fracasados, que tratan continuamente de afirmar su independencia frente a una madre que les sometió a una protección excesiva durante su infancia. ("El yo y su imagen en *CP*". *Revista Iberoamericana,* núms. 76-77, (Julio-Dic., 1971), pp. 698-699).

[65] Cit. por Richard M. Reeve; en VVAA *Narrativa y crítica de nuestra América.* Madrid, Castalia, 1978, p. 306.

Estas explicaciones parecen incluso convencer en primera instancia al narrador:

> Perdónenlo, y recuerden que también amó y respiró (...) el tiempo lo ha perdonado (...) hoy no daña a nadie (*CP*, p. 491)[66].

Pero Franz acaba condenado y el narrador acepta el veredicto considerando al checo como un símbolo de "lo viejo" que debe morir para dar lugar a una nueva vida.

En *CP*, por tanto, se están continuamente debatiendo determinados temas centrados en los problemas de la relación mundo-individuo-capacidad de elección libre, y en el conflicto entre sueño o realidad personal y realidad objetiva. Como declara Fuentes, en este segundo plano de contenidos, la novela cuenta "la historia de los sentimientos privados, viejos y nostálgicos acariciados, con los que creemos justificar nuestras vidas y de la pasión de un mundo que los niega"[67].

He dejado deliberadamente para el final al cuarto de los viajeros, Isabel, quien, a pesar de formar parte del grupo, contrasta claramente con el resto de sus miembros. De Isabel tan sólo sabemos que tiene 23 años y que conoció a Javier en la Facultad; la ausencia de datos sobre su vida, la define como un personaje sin pasado, que parece vivir tan sólo en función del presente. Ambos tiempos delimitan de este modo la distancia entre los dos grupos humanos que actúan en la novela: mientras Elizabeth, Javier y Franz aparecen marcados por el *pasado*, Isabel y los beatniks son los representantes del *presente* y del *futuro*; ellos, y la música de los Beatles que constantemente suena en su alrededor, son "el Renacimiento de la única religión, la del cuerpo y alma unidos sobre las ruinas oscuras de la Edad Negra de los banqueros y los armamentistas y los comisarios talmúdicos y los marines pentagónicos y los planificadores y los oradores de las cruzadas del asesinato colectivo y de la degradación personal" (*CP*, p.

---

[66] Este hecho le ha acarreado a Fuentes diversas críticas, y entre otras la famosa polémica sostenida con el crítico del *New York Times*, David Gallagher, quien le acusaba de justificar el nazismo. Fuentes responde negando la veracidad de tal afirmación, y sosteniendo que Gallagher no captó el tono de ironía en que se desarrolla la defensa de Franz. Entre otras coas, el autor dice: "... el señor Gallagher escoje dos líneas de diálogo de la boca de un personaje que, en el falso juicio de un ex-nazi, está desempeñando, incómodamente, el falso papel de abogado defensor y, de acuerdo con ello, repite todos los clisés y autojustificaciones del Tercer Reich". ("Carta de Carlos Fuentes al director del New York Times Book Review"; *Siempre*, México, núm. 774, 24 de Abril de 1968, p. III).

[67] Harss, Luis; *ob. cit.*, p. 378.

274). Estamos ante la dialéctica de "lo viejo" y "lo nuevo", de la necesidad de transformación, del ritual de "cambio de ciclo" o "de piel", que se manifiesta de manera principal en el juicio y la condena que el tiempo "nuevo" (los Monjes) dictará sobre el "viejo" (los viajeros con excepción de Isabel). Aquí radica el núcleo principal de ese sentido ritual que recorre las páginas de *CP*[68].

Las siguientes etapas de "la estructura mítica del héroe" que encuentran su correlato en *CP* se corresponden con los mitemas "descenso a los infiernos" y "el laberinto".

Una vez celebrado el juicio simbólico, los personajes emprenden una excursión en la noche a la gran Pirámide de Cholula. Ya en el propio título de la tercera parte de la novela se alude al carácter de la "excursión": "Visite nuestros subterráneos", en clara alusión al lugar bajo tierra adonde eran conducidos los iniciantes como paso previo a la ceremonia final. Los cuatro viajeros llegan a través del laberinto al centro de la pirámide y allí, ante el friso de los dioses —lugar "sagrado" por naturaleza— va a tener lugar el rito final, trasunto claro del mitema del *morir-renacer,* que supone la ejecución de la sentencia de ese "juicio" anterior y la conclusión efectiva del proceso que describe la novela. En *CP* este hecho va a adoptar un sentido muy particular y no único, ya que, como se ha comentado en la introducción, se proponen distintos finales posibles, que aportan diferentes contenidos.

En este escenario indicado se produce la muerte de algunos personajes, en un final que el propio Fuentes ha calificado de "totalmente equívoco"[69]. Se nos proponen tres posibilidades: 1) la muerte de Franz y Elizabeth al derrumbarse parte de la pirámide, con el siguiente asesinato de Isabel a manos de Javier; 2) la muerte de Franz apuñalado por Jakob Werner; 3) la muerte de Franz ante los "monjes" en el centro de la pirámide. En el primer caso se plantea la conclusión del "sentido mexicano" de la novela. El derrumbamiento separa a las parejas Elizabeth y Franz, que

---

[68] Para completar en lo posible los restantes temas presentes en esta parte de la novela, cabe también hacer una breve mención a la multitud de ocasiones en que en los recuerdos y parlamentos de los personajes y comentarios del narrador salen a relucir conceptos que atañen a México y al ser del mexicano. Fuentes repite los temas que aparecen en la mayoría de sus obra: critica el estrecho clasismo (p. 129), la corrupción y la "mordida" (pp. 182-184), la fiesta (id.), retoma la visión pesimista de la ciudad, en línea con las descripciones de *RMT* (p. 442) y tampoco pierde ocasión de exponer su posición contraria a la idealización del pasado azteca (p. 472).

[69] Rodríguez Monegal, Emir; en Giacoman, *ob. cit.,* p. 38.

queden sepultados, y Javier e Isabel, que se salvan. Al producirse tal suceso, el narrador comenta:

> Todo se derrumba... entre las dos parejas (...). Entre nosotros y ellos cae la masa de ladrillos rotos, de adobes viejos, de roca muerta... (*CP*, p. 422).

Esta separación que se establece en el fragmento entre "nosotros" y "ellos" adquiere un particular significado en este contexto: "ellos" son los extranjeros, mientras que ese "nosotros" está designando a los mexicanos. La dialéctica general entre lo "viejo" y lo "nuevo" se transforma en este caso en una confrontación entre lo "nacional" y lo "extranjero". El sentido de esta dicotomía se ha de enmarcar en el contexto de la obra, en la que Fuentes desarrolla una fuerte crítica a la imitación de moldes importados que sufre México, y que contribuyen a la alienación de la sociedad, alejada de sus verdaderos problemas. De forma simbólica, con la muerte de los dos viajeros se está produciendo esa eliminación del factor foráneo que impide al mexicano su propio desarrollo y que cada vez lo está convirtiendo más en un juguete de la sociedad de consumo que sirve principalmente a los intereses de EE.UU. "Se salva lo nacional —dice Luján Carranza— lo autóctono y muere lo foráneo, lo extranjero. Ha muerto con Frank (sic) una parte de Javier. Ha muerto con Elizabeth una parte de Isabel. Pero se salva lo 'mejor', lo puro, lo incontaminado, lo nacional, LO MEXICANO[70].

El resto de los posibles finales se inscribe ya dentro de la dialéctica anteriormente señalada. El narrador explica así los motivos de la condena de Franz:

> Es lo viejo. Debe morir. El ciclo ha terminado y lo nuevo debe nacer sobre los despojos de lo viejo (*CP*, p. 492).

Con el asesinato de Franz se lleva a cabo el castigo, la muerte y la cancelación de un mundo que exigía un cambio necesario. Su muerte por tan-

---

[70] Carranza, Luján: *Aproximación a la literatura del mexicano Carlos Fuentes.* Santa Fe (Argentina), Ed. Colmegna, 1974, p. 43. Sin embargo, como apunta Esperanza Figueroa Amaral, tampoco la mera erradicación de lo extranjero supondrá una solución para el país, mientras los mexicanos no superen las tendencias fraticidas que les han llevado a destruirse mutuamente a lo largo de su historia: "Libres de Europa y de los Estados Unidos —Elizabeth y Franz— los mexicanos se ocupan de destrozarse los unos a los otros", acto que en *CP* se corresponde con el asesinato de Isabel a manos de Javier. ("Reseña" en *Revista Iberoamericana*, XXXIV, 66, Julio-Dic., 1968, p. 368). Según esta autora, a este nivel el relato supondría una representación alegórica de la historia de México.

to adquiere la dimensión de un auténtico sacrificio ritual para hacer posibles la continuidad y la renovación de la vida, y sus oficiantes son los "monjes", representados del "nuevo tiempo". Sin embargo, Fuentes no presenta este cambio como una transformación hacia un futuro idílico; por el contrario, la filosofía esencialmente pesimista del autor parece apuntar hacia un final desesperanzado en el que los "revolucionarios" acaban cayendo en los mismo crímenes y errores que intentaron erradicar (tema éste que ya se percibía en *MAC*). "No sé si los monjes están infectados de lo mismo que condenan" (*CP*, p. 431) afirma el narrador, en una idea que Fuentes confirma a E.R. Monegal:

> Tanto la violencia de los españoles en Cholula como la posterior violencia de los *beatniks* en la pirámide, como la violencia que quemó a los judíos en Estrasburgo o la violencia nazi, son la misma violencia[71].

El cambio, la revolución, no acabarán con las contradicciones del mundo, y de ello es consciente Jakob al hablar con la Pálida:

> ... tú y yo iremos hasta el final de todas las viejas contradicciones para vivirlas, despojarnos de esa vieja piel y mudarla por la de las nuevas contradicciones, las que nos esperan despúes del cambio de piel (*CP*, p. 482).

En resumen, la historia de *CP* supone un "camino" o "viaje" hacia una "iniciación" o "cambio de ciclo", que se va a propiciar tras un sacrificio ritual en la pirámide. Estos mitemas y símbolos se recubren con un ropaje ideológico de referencia contextual, que es el que otorga todo su sentido a los hechos referidos. En el fondo se halla la crítica a la sociedad de consumo, al neo-imperialismo, a los mitos modernos que dejan al hombre inerme ante el inimaginable poder de la propaganda. Como bien señaló Vargas Llosa, el relato supone en este sentido una "frenética revisión de las mitologías y los modos enajenantes de la sociedad de consumo"[72]. Este mundo, nacido de la postguerra, cuyas esperanzas se han derrumbado, reclama la necesidad del cambio. El ciclo ha de terminar y dar paso a un nuevo mundo que, sin embargo, está ya fatalmente contaminado con el estigma universal de la violencia. Fuentes ya no limita estos temas a México, sino que los hace extensivos a todo el mundo —particularmente

---

[71] Rodríguez Monegal, Emir; en Giacoman, *ob. cit.*, p. 41.

[72] Vargas Llosa, Mario; *Contra viento y marea*. Barcelona, Seix-Barral, 1983, p. 159. Más adelante tendré oportunidad de profundizar más en este tema.

al bloque occidental— que vive embargado en el culto a la gran diosa "Pepsicóatl" mientras contempla impasible los crímenes y la opresión que día tras día se suceden. A esta idea central, a la imperiosa necesidad de transformación y a las escasas perspectivas de que ésta tenga lugar, conduce el análisis de los contenidos presentes en la estructura mítica de *CP.* Como se verá más adelante, tanto los temas que se estudiarán en el nivel referencial como en las técnicas de mitificación volverán a insistir en esta idea.

4.3) *Cumpleaños y los ritos mistéricos*

Gloria Durán, en su libro *La magia y las brujas en la obra de Carlos Fuentes,* percibe la existencia de un correlato estructural mitológico que sirve de base a la acción de la novela. Se trata de los actos rituales propios de las ceremonias de los misterios de Eleusis, nacidos del mito de Deméter-Perséfone y su viaje al Hades[73]. De resultar cierta esta apreciación —lo cual trataré de clarificar en las líneas siguientes— nos hallaríamos de nuevo ante una estructura que refleja un proceso iniciático muy similar al advertido en las obras anteriores, y donde la super-estructura de la "aventura del héroe" encontraría una concreción mitológica en este mito griego, en el que se aunaría la idea básica del camino de iniciación con el sentido de los ritmos cíclicos de la Naturaleza.

El contenido de las enseñanzas de los rituales eleusinos constituyen un misterio en la actualidad, ya que su práctica exigía el más riguroso secreto. No obstante, por medio del testimonio indirecto de diversos autores nos han llegado partes del proceso y lo que se creía era su significado final; Mircea Eliade señala que en él se reproducía la experiencia del alma después de la muerte. Tras unas pruebas iniciales, consistentes básicamente en el ayuno, los participantes debían vagar por oscuros laberintos, donde sufrían apariciones terroríficas. Más tarde eran invitados a una especie de banquete sagrado y, según ciertos testimonios, parece que en ocasiones se llegaba a una unión sexual simbólica con la sacerdotisa que encarnaba a la diosa. El individuo, una vez iniciado, accedía a un conocimiento final en el que comprendía "la proximidad con el mundo divino y la continuidad entre la vida y la muerte"[74]. El individuo llegaba a contemplar la vida humana como parte de un ciclo inmutable y eterno y alcanza-

---

[73] Durán, Gloria; *La magia y las brujas...,* pp. 173-196.

[74] Eliade, Mircea; *Historia de las ideas y de las creencias religiosas.* Tomo I. Madrid, Ediciones Cristianas, 1978, p. 316.

ba la *anamnesis* o "recuerdo" total de su existencia. Estos rituales, como señala Pierre Grimal, se encuentran estrechamente relacionados con la experiencia órfica, ya que "creíase que en su descenso a los infiernos, en busca de Eurídice, Orfeo había traído informes sobre la manera de llegar al país de los bienaventurados y evitar todos los obstáculos y trampas que esperan al alma después de la muerte"[75]. Así, en algunas tradiciones, Orfeo pasa a ser, junto con Dioniso, el fundador de estos misterios.

La acción de *Cumpleaños* presenta un estrecho paralelismo con las acciones referidas.

Tras la escena inicial en el mundo "exterior", el protagonista-narrador, George, despierta en un lugar extraño, ajeno a todo lo conocido, donde no son válidos sus sentidos objetivos ni las categorías tempo-espaciales racionales. Este momento del "despertar", que indica "cambio" o "tránsito", es el umbral que marca la entrada del personaje en esta "zona sagrada" que, a juzgar por las alusiones del niño que lo recibe, podría identificarse como el reino de la muerte:

> ¿Cómo había llegado hasta aquí? Un grave accidente, un accidente grave, repitió mi pequeño espectador[76].

> Su familia será debidamente notificada (*Cumpleaños*, p. 170).

Después de la llegada y la sorpresa de los primeros momentos, comienza el reconocimiento del lugar: una especie de casa-ciudad en la que reina la oscuridad y donde las ventanas se hallan cerradas. El personaje deambula por los angostos e interminables laberintos y, como indica Gloria Durán, pronto se pone de relieve el tema del ayuno, que George no se atreve a romper:

> ¿Cómo comunicarles que siento sed y hambre? Una invencible vergüenza me impide hacerlo. Sería admitir algo que no debo. Sería catastrófico (*Cumpl.*, p. 170).

El niño le invita a una cena con Nuncia, la mujer que junto a él habita el caserón, donde la joven revela que, en otra de sus encarnaciones, fue la Virgen María, con lo que comienza a introducir al protagonista en el misterio que ocupará la parte central de la novela.

En un rápido cambio de escena, la casa se transforma de forma re-

---

[75] Grimal, Pierre; *Diccionario de mitología griega y romana.* Barcelona, Paidós, 1981. p. 393.

[76] Fuentes, Carlos; *Cumpleaños.* En *Cuerpos y ofrendas,* Madrid, Alianza Editorial, 1972, p. 168. Todas las citas de esta novela remitirán a la presente edición.

pentina en un edificio abierto, con jardín, cercano al Golfo de México. Es verano, y George vive la felicidad de su unión con Nuncia, la cual trasciende los límites de lo físico para convertirse en una auténtica experiencia mística. Tras el reflejo de las tres etapas iniciales de los ritos mistéricos que tuvimos oportunidad de comprobar anteriormente, este momento parece corresponder a la segunda parte de las experiencias eleusinas, que Mircea Eliade describe del siguiente modo:

> ... al principio éste (el iniciante) anda errante en medio de las tinieblas y sufre toda clase de terrores; luego, de pronto, se siente inundado por una luz maravillosa y descubre lugares y praderas, oye voces y ritmos de danza[77].

Estos conceptos se traslucen en las descripciones del protagonista:

> La casa ha quedado atrás; delante de los balcones abiertos, al jardín se extiende hasta el bosque y allí el calor es frescura y la humedad tibieza, los abedules blancos renacen bajo la sombra de sus propias copas altas (...) en los claros, los árboles se separan en círculos, en semicírculos, en avenidas breves (...). Nuncia surgió de la oscuridad, renació como la naturaleza: blanca como las cortezas de los abedules, transparente como las sombras verdes de las enramadas (*Cumpl*, pp. 194-195).

En la última etapa del proceso, George, con la llegada del Otoño, regresa al caserón oscuro y recibe la visita de su "doble", que empieza a envejecer progresivamente ante su vista. El protagonista da un paso más en la comprensión del misterio, y contempla el contraste entre el "yo" inmutable de la especie humana, representado por él mismo, y el "yo" cambiante y perecedero del sujeto individual que, como su sosias, acaba sucumbiendo a la acción del tiempo. Su "alter ego" adopta finalmente la personalidad del anciano monje del S. XIII Siger de Brabante, quien le hace a George la "revelación" {del misterio total, fundamentado en sus tres tesis heréticas:

> La primera fue la de la eternidad del universo; la segunda la de la doble verdad; la tercera, la de la unidad del intelecto común. Si el mundo es eterno, no pudo haber creación; si la verdad es doble, puede ser infinita; si la humanidad posee una inteligencia común, el alma individual no es inmortal, pero el género de los hombres sí (*Cumpl*, p. 217).

---

[77] Eliade, Mircea; *Historia de las ideas...*, Tomo I, pp. 312-313.

Siger, a través de sus meditaciones y experimentos, entre los que se incluía la unión sexual con una mujer del pueblo, ha llegado a conseguir la *anamnesis:* se muestra conocedor del misterio de la vida y "recuerda" todas sus reencarnaciones pasadas y futuras, entre las que se encuentra el propio George, quien, de esta forma, queda asimilado a la personalidad del teólogo y accede también a esta sabiduría.

Tras el asesinato de Siger a manos de su criado, George huye de la casa y llega a un Londres transfigurado donde se encuentra de nuevo con Nuncia. Esta se halla embarazada, y, en un final un tanto ambiguo, parece cumplirse la profecía maldita del teólogo herético: George "muere" definitivamente, y su "alma" —que es también la de Siger— se trasladará al nuevo ser nonato verificándose así una nueva vuelta en la rueda del ciclo eterno.

También aparece clara en esta parte de la presencia o el trasunto de ciertas fases de los rituales eleusinos, tales como la aparición repentina de la visión idílica, surgida tras las tinieblas de los comienzos, la unión sexual con la sacerdotisa-Nuncia y, lo que es más importante, la revelación-iniciación final, en la que George primero conoce y más tarde experimenta, los ciclos ininterrumpidos de la vida humana.

El propio significado de la narración mitológica que parece servir de soporte a la acción de la novela, añade más datos a esta interpretación.

En el mito griego del que parecen derivar los misterios de Eleusis,Deméter, hija de Perséfone, estaba condenada a pasar dos tercios del año (o la mitad según otras versiones) en el Hades, y sólo le era permitido regresar junto a su madre al llegar la temporada estival. El claro carácter cíclico de esta condena nos remite, como señala Grimal, a un tema mítico de origen agrario en el que se estaría representando la "muerte" y "resurección" de la Naturaleza, y que iría acorde con la interpretación de Perséfone y Deméter como diosas de la tierra. En palabras de Frazer, Perséfone "no puede ser otra cosa que una personificación mítica de la vegetación y particularmente del grano que se entierra en el suelo algunos meses de invierno y vuelve a la vida como de la tumba en el brote de las espigas y en la floración y el follaje de cada primavera"[78]. El mismo autor considera a Deméter como una personificación de la tierra, de cuyo seno nacen los cereales y las plantas[79]. En consecuencia, el mito que narra sus viajes simbolizaría "la sombría melancolía del otoño y (...) la frescura, brillantez y verdor de la primavera"[80]. No creo que pueda haber otra in-

[78] Frazer, James G.; *La rama dorada.* México, FCE, 1944, p. 453.

[79] *Ibid.,* p. 454.

[80] *Ibid.,* p. 457.

terpretación, a tenor de lo señalado, para ese momento amoroso que viven George y Nuncia en *Cumpleaños;* como se especifica claramente, éste tiene lugar en el verano, única ocasión en la que Nuncia puede escapar del caserón sombrío adonde ha de regresar irremisiblemente, como Deméter al Hades, en cuanto llega el Otoño. En la novela el sentido de este mito estacional se ve reforzado por otros símbolos, como es la identificación de Nuncia con Selene, la diosa Luna, representante por antonomasia del ciclo natural. Estas concepciones temporales, comprendidas en los mitos de procedencia agraria de toda la Humanidad, son elevadas por Siger a una categoría "metafísica" al convertirlas en paradigma de la existencia total del hombre que, como la flor o la cosecha, renace periódicamente, reencarna tras una muerte que no es sino aparente.

Cumpleaños refleja por tanto a través de una compleja e intrincada red de temas y alusiones mitológicas algunas de las ideas más repetidas en las obras de Fuentes, haciendo especial hincapié en el tema del tiempo cíclico, del eterno retorno que, como tendremos oportunidad de ver en un capítulo posterior, se carga de determinados contenidos muy concretos en la narrativa del autor mexicano.

4.4) *Terra Nostra y el mito escatológico*

La acción central de *TN* se enmarca dentro del cumplimiento del mito escatológico o apocalíptico, que supone el fin de los tiempos y que, de una u otra manera, se encuentra presente en todas las concepciones religiosas del ser humano.

La novela arranca en un 14 de Julio de 1999 cuando, en medio de una serie de fenómenos extraños, el protagonista, Polo Febo, recibe la visita de la joven Celestina, quien se va a convertir en la narradora principal de toda la historia subsiguiente. Al final de la misma, se retorna a este lugar el día final del milenio: el 31 de Diciembre. Allí se escenifica el fin del mundo, el Apocalipsis, al cual le sigue un Génesis prefigurador de una nueva Humanidad.

Entre estos dos momentos se desarrolla la novela, en cuya acción el autor va a sumergirse y sumergirnos en el pasado para tratar de encontrar las raíces y motivaciones de esa "culpa" que provoca el castigo presente. Será una explicación del porqué de ese fin y de la necesidad de que todo se transforme. El lugar central de esta revisión histórica va a ser España[81] y los hechos sucedidos en este territorio en el lapso histórico comprendido entre 1492 y 1598, y el período literario que va de la publicación de *La Celestina* (1499) a la de *El Quijote* (1605). En estos años y en este lugar se forja para el autor el germen de la gran decadencia que va a sumir en la sombra al genio español y que va a impedir el libre desarrollo de los pueblos americanos, quienes recibirán los esquemas verticales de poder y la filosofía contrarreformista de la metrópoli. Fuentes fusiona en la figura de Felipe II —a quien presenta encerrado en su necrópolis-monasterio de El Escorial— las personalidades de los distintos monarcas de la época, desde los Reyes Católicos hasta Felipe el Hermoso, y sitúa bajo su reino los hechos más significativos ocurridos a lo largo del siglo XVI y comienzos del XVII. Como el propio autor indica:

> ... me salto a la torera las fechas históricas. (...) Hay una abolición del tiempo histórico real, a fin de darle una intensidad mayor a una serie de eventos históricos que suceden casi al mismo tiempo[82].

El punto de partida es el año 1492, fecha que supone la expulsión de los judíos de territorio español —coincidiendo con el descubrimiento del Nuevo Mundo— y que se ve seguida en 1609 de la expulsión de los moriscos. Fuentes se muestra partícipe de la teoría de Américo Castro, que interpreta estas expulsiones como la fragmentación de la cultura hispánica que provoca el inicio del declive del poderío español en el mundo. España, hasta entonces, era un territorio en el que coexistían en una convivencia pacífica y mutuamente fecunda las tres culturas más importantes del momento: la judía, la árabe y la cristiana. Con la eliminación de las dos primeras se acabó con la utopía de la convivencia y de la tolerancia y se inauguró una nueva época de represión y persecuciones guiada por el fanatismo religioso y político, que enarbolaba la bandera contrarreformista de la unidad y el orden inmutable. Se trata de una aniquilación de "lo otro" que, con distintos estandartes, se ha mantenido vigente hasta el siglo XX; como declara Fuentes en *Tiempo mexicano:*

> ... el desorden no cabía en el orden mantenido, con terribles explosiones de tiempo en tiempo, de Felipe II a Francisco Franco, y de San Ignacio de Loyola al Opus Dei[83].

---

[81] Aunque este repaso histórico y su interpretación podrían considerarse como un paradigma de la Historia universal, Fuentes le otorga a su análisis un ámbito geográfico muy determinado y centrado en España e Hispanoamerica, y más concretamente, España y México.

[82] Soler Serrano, Joaquín; *ob. cit.,* p. 264.

[83] Fuentes, Carlos; *Tiempo mexicano.* México, Joaquín Mortiz, pp. 50-51.

132

La expulsión combinada de judíos y árabes se vió acompañada de un declive económico que ayudó a acentuar el inicio de la decadencia. En el terreno cultural, la España de la Inquisición y de la "pureza de sangre" negó las ideas aperturistas de la nueva época renacentista y barroca basadas de forma primordial en la concepción corpernica del mundo variable y cambiante y en la filosofía erasmista de la realidad como simple apariencia. Estos postulados afloraron, sin embargo, en varias obras literarias, del momento, en las que latía la preocupación y el descontento con el rumbo que estaba tomando el país. D. Quijote, D. Juan y la Celestina, personajes que toman parte activa en *TN,* son los representantes de esa renovación frustrada, que al cabo quedó petrificada bajo el manto de los férreos ideales contrarreformistas; "España —dice Fuentes— mató a D. Quijote y D. Juan. Al restablecer, en la Contrarreforma, las jerarquías verticales de la Edad Media, España petrificó al Caballero y al Burlador. Les asignó el lugar del Comendador; un fantasma y una estatua"[84].

El proceso imaginado por Fuentes se continúa en 1521, año en que caen derrotados los comuneros de Castilla y que coincide con la caída de Tenochtitlán. La derrota de los castellanos sublevados supone el fin de las aspiraciones democráticas y liberalizadoras de una España que, a partir de entonces, se va a sumir aún más en el dogmatismo religioso-político. El autor refleja en su novela la opresión a que estaba sometido un pueblo que ya en las ciudades había comenzado a organizarse democráticamente y que rechazaba el verticalismo absoluto en el ejercicio del poder. Las repercusiones de este ahogamiento de los deseos de libertad fueron determinantes, en opinión del autor mexicano, para el desarrollo de las colonias del Nuevo Mundo. De esta forma, en su ensayo *Cervantes o la crítica de la lectura,* paralelo ideológicamente a la novela, hace la siguiente reflexión:

> Consideremos por un instante lo que hubiera significado para las colonias americanas de España el trasplante a nuestras tierras de un orden constitucional en pleno desarrollo democrático. (...) Al derrocar al movimiento democrático en 1521, España venció anticipadamente a sus colonias como entidades políticas viables[85].

En esta estructura de poder forjada en España en los siglos XV-XVII

---

[84] *Ibid.,* p. 50.

[85] Fuentes, Carlos; *Cervantes o la crítica de la lectura.* México, Joaquín Mortiz, 1976, p. 60.

ve Fuentes uno de los orígenes próximos de los actuales sistemas políticos de gran parte de las repúblicas hispanoamericanas:

> Las estructuras verticales del poder del absolutismo español de los Austrias son las estructuras verticales de la colonia española en América. Felipe II es el papá del doctor Francia, de Gómez, de Estrada Cabrera[86].

El otro factor sería la continuación del orden vertical y teocrático de las culturas indígenas, especialmente la azteca. Pero el autor acude aún más lejos en la historia y llega hasta la civilización considerada como la madre de la latinidad: el Imperio Romano que, bajo el reinado de Tiberio, sometía al pueblo a una cruel represión en nombre de una falsa unidad:

> ... yo soy el último romano, Teodoro, sólo yo; Roma es la unidad de toda la historia (...) Roma (...) ha conquistado la unidad: una sola ley, un solo emperador[87].

En este origen remoto, en esta cultura latina de la que son subsidiarias la española y la hispanoamericana, cifra el autor el nacimiento de las estructuras dictatoriales de la región latinoamericana. Como él mismo explica de nuevo en *Tiempo mexicano*:

> Las ideas romanas de continuidad y la legitimidad imperiales son apropiadas por España en cuanto conviene a su propio proyecto imperial, pero siempre en estado de conciliación con la herencia medieval (...) las concepciones de continuidad y legitimidad son el origen más profundo del ejercicio vertical del poder en América Latina. Nuestros países pueden verse como una multiplicación de pequeñas Romas, gobernadas por pequeños Césares, mezcla de Calígula y Edward G. Robinson[88].

---

[86] Osorio, Manuel; *ob. cit.*, p. 52.

[87] Fuentes, Carlos; *Terra Nostra*. Barcelona, Seix Barral, 1975, p. 688. todas las citas harán referencia a la presente edición.

[88] Fuentes, Carlos; *Tiempo mexicano*, p. 28. Tras estas interpretaciones históricas no resulta arriesgado ver el trasfondo de un tema ampliamente tratado en los últimos años por la novela hispanomamericana: el del dictador como figura que ejerce un poder despótico y arbitrario y que es una de las tristes realidades de la historia del Nuevo continente. El autor, en su búsqueda de las raíces del problema, auna sus preocupaciones con las de Octavio Paz quien, en su obra *Posdata*, concibe al poder en México como una estructura en forma de pirámide cuyo origen se halla en la confluencia del "tlatoani" azteca con el caudillo hispanoárabe.

Finalmente, en 1598, tercera fecha que enmarca históricamente a la novela, tiene lugar la muerte de Felipe II, hito que marca definitivamente el fin de la anterior grandeza española en el terreno económico y político.

Este amplio repaso histórico que conforma temáticamente la mayor parte del relato, responde a la necesidad —expresada repetidamente por el autor— de que el hombre conozca su pasado, su historia, para así poder encarar el futuro sin el riesgo de volver a cometer los mismos errores. El autor, asimismo, pretende dar a conocer al hombre latinoamericano las raíces de una cultura que le es propia y suplir así el silencio secular:

> En América Latina, cuando miramos hacia atrás, encontramos que tenemos cuatro siglos de silencio; que no se ha dicho nada. Sabemos que no podemos ir hacia adelante si no hacemos un esfuerzo de síntesis para decir todo lo que la Historia ha callado; todo lo que ha permanecido en las tumbas del silencio latinoamericano por tener un presente viable y, en consecuencia, un futuro humano, porque creo que un pasado inerte significa que también tendremos un presente y un futuro muertos[89].

A esta ingente labor se entrega Fuentes con dedicación de psicoanalista[90], y en *TN* ofrece una visión de la cultura española en la que se entremezclan la historia, los mitos, los personajes reales y los literarios; como indica acertadamente Luis Leal:

> Since the mythical elements are just as important as the historical, the novel becomes a *summa* that attempts to give the reader a total view of Hispanic Culture[91].

Este panorama de las bases culturales del hombre americano (y particularmente mexicano) que conforman esa "terra nostra" que da título a la novela, se ve complementado con el otro gran aporte que, fusionado

---

[89] Osorio, Manuel; *ob. cit.,* p. 51.

[90] Bien podría decirse que el autor lleva a cabo en la novela un "psicoanálisis" del ser latinoamericano. El psicoanálisis freudiano concibe la idea del "retorno", del repaso a la historia del individuo, para revivir y conocer traumas pasados y así comprender y perfeccionar el presente. Esta idea, encarada en un plano colectivo, parece presidir el repaso a la historia que Fuentes realiza en la novela.

[91] ("Dado que los elementos míticos tienen la misma importancia que los históricos, la novela se convierte en una *summa* que intenta ofrecer al lector una visión completa de la Cultura Hispánica"). Leal, Luis; "History and Myth in the Narrative of Carlos Fuentes". En Brody, Rb. and Rossman (eds.), *ob. cit.,* p. 14.

con el español, dio origen a ese mestizaje que caracteriza el mundo hispano: se trata de la civilización indígena prehispánica.

Los contenidos culturales, míticos y filosóficos del México precortesiano se plasman en la segunda parte de la novela, que lleva por título "El Nuevo Mundo". En la estructuración general de *TN*, este amplio relato surge como algo relativamente independiente, ligado a lo anterior, pero que permite una lectura totalmente autónoma, de la misma forma que los cuentos de *El conde Lucanor* o *Las mil y una noches* pueden leerse de manera individual con independencia de su inclusión en un corpus más amplio.

En esta narración el protagonista, peregrino que llega al Nuevo Mundo, asume todas las características del héroe de los relatos populares, que ha de salvar una serie de dificultades para, al final, regresar a su lugar de origen. En este sentido, es obvio el cambio en la forma narrativa con respecto a las otras dos partes de la novela: desaparecen los flash-back y el narrador múltiple, y el relato fluye en una total linealidad temporal con un narrador en primera persona que es el propio protagonista. El personaje, en busca de una utopía liberadora de las opresiones del Viejo Mundo, llega a América y entra en contacto con una nueva cultura. Tras sus experiencias, regresa y refiere lo que ha conocido y aprendido. Se trata de un relato que en todas sus facetas se encuentra revestido de tonalidades míticas, hecho perceptible ya desde su propia estructura que sigue prácticamente sin variación las pautas de "la estructura mítica del héroe".

La aventura se fragua en el encuentro inicial entre el joven peregrino sin nombre y el viejo Pedro, quien ya había intentado varios años antes hacerse a la mar en busca de un lugar más feliz que el de la vieja España. En aquel entonces, el príncipe Felipe había destruido las ilusiones de aquellos que se aprestaban al viaje; pero, 23 años después, Pedro, hastiado de la opresión y la infelicidad de su país, decide zarpar en busca de un nuevo paraíso; le guía tan sólo una idea: la huída y el renacimiento en un lugar virgen, alejado de todo lo conocido. Con estos argumentos el viejo convence al joven para que lo acompañe:

> Tiene que haber otra tierra mejor, una tierra libre y feliz, imagen verdadera de Dios, pues tengo por reflejo infernal la que hemos dejado atrás (*TN*, p. 361).

En este punto se actualiza el mitema inicial de *el llamado:* el héroe, insatisfecho, sale de su mundo en busca de uno nuevo, en este caso de una utopía soñada que tomará cuerpo real en los territorios descubiertos. El viejo y el peregrino escenifican el sentido de lo que fue en su comienzo el descubrimiento de América. El ambiente intelectual de aquel momento se encontraba marcado por el resurgimiento de los viejos mitos de la Edad de Oro y el Paraíso, que muchos pensadores reactualizaron como forma de escape de la realidad circundante; ellos buscaban la sociedad ideal, imagen de la pureza de los orígenes[92]. Esta utopía adquiriría dos vertientes fundamentales: política y religiosa. En el primer caso, los ideales se centraban en la formación de una sociedad sin clases, en la que todos trabajaran para el bien común y no existieran explotadores ni explotados. Se trata de ideas similares a las enarboladas por ciertos grupos heréticos medievales derivados de la Secta del Libre Espíritu, de tanta importancia en *TN*. La utopía religiosa pretendía el hallazgo o la creación de la Ciudad de Dios, donde se desterraran el odio y la muerte y reinaran el amor y la felicidad inherentes al Paraíso originario. Esta última adoptó, sin embargo, multitud de variantes, y, de una u otra forma, todas las sectas heterodoxas pensaron en esta utopía, este no-lugar, como el terreno de asentamiento y triunfo de sus ideales.

En todo momento, los personajes de *TN* se van a hacer eco de estas ideas. Tal es el caso por ejemplo, de Ludovico, quien, al planear el viaje con Pedro, finalmente frustrado, piensa encontrar o crear ese país donde no exista la culpa y todos los hombres participen de la gracia divina.

> ... la buena sociedad, el buen amor, la vida eterna sólo serán si cada hombre es Dios; si cada hombre es su propia e inmediata fuente de gracia. Entonces Dios será imposible porque sus atributos existirán en cada hombre (*TN*, p. 128).

El descubrimiento de América, de ese mundo nuevo y virgen, supuso la corporeización inmediata de esa utopía: todo parecía nuevo ante los ojos del descubridor; la vegetación, el clima, las maravillas naturales, recordaban a las excitadas mentes europeas el teatro del paraíso original. Allí se podía crear una nueva sociedad, y esta fue la idea que impulsó a numerosos pensadores y misioneros a embarcarse hacia el Nuevo Mundo para poner en práctica sus convicciones que, excepto breves y efímeros resultados, se resolvieron en un total fracaso.

Pedro y el peregrino encarnan en este mitema inicial ese espíritu utópico de la Europa de los siglos XVI y XVII.

El *viaje* transcurre a lo largo de dos meses sin apenas incidentes, hasta que los navegantes se ven envueltos en una gran tormenta que arras-

---

[92] Entre las obras más influyentes dentro de esta temática en época renacentista, destacan *Utopía* de Tomas Moro, *La Ciudad del Sol* de Tomás Campanella y *Nueva Atlántida* de Francis Bacon.

tra a la frágil embarcación. A punto de naufragar, logran salvarse gracias a la habilidad del joven y despiertan ya en la playa del Nuevo Mundo. No es difícil distinguir en el fondo de este episodio el trasunto del mitema de *el cruce del umbral;* los personajes han llegado al lugar de las experiencias.

Una vez concluido el viaje, se va a actualizar repetidamente el mitema de *el encuentro,* que va a suponer el inicio del proceso de conocimiento del protagonista. El primer encuentro tendrá lugar con los indios, quienes dan muerte a Pedro. El jóven naúfrago, haciendo uso del trueque, logra, por el contrario, ser aceptado en la comunidad, desde donde comienza a observar con sorpresa la realidad del mundo que le rodea. Al igual que les sucedió a los antiguos cronistas, el peregrino se muestra vivamente sorprendido por los frutos, los animales, y el clima del lugar, así como por el modo de organización de la pequeña sociedad en que vive, la cual se asemeja considerablemente a las soñadas en las utopías europeas:

> Fresco era el rocío, calientes las aguas del mar, de una calidez verdosa (...). Blanca playa de arenas brillantes, negro bosque de altos tallos: reconocí los árboles del desierto, las palmeras rumorosas. (...) Hundí mis plantas mojadas en las arenas del Edén. Aspiré olores novedosos, a nada parecidos, pero dulces y jugosos y espesos. (...) Bañéme en perlas, Señor, perlas de pedrería, netas y entrenetas (...). El mar había sembrado de perlas esta playa (*TN,* pp. 373-374).

> No tardé en saber que aquí todo era de todos, los hombres cazaban venado y capturaban tortugas, las mujeres reunían huevos de hormigas, gusanos, lagartijas y salamanquesas para las comidas; y los viejos eran hábiles en capturar culebras, cuyas carnes no son malas; y luego estas cosas repartíanse naturalmente entre todos (*TN,* p. 388).

Sin embargo, el narrador pronto descubrirá que este modesto poblado se encuentra brutalmente sometido a un poder superior que le cobra fuertes tributos en bienes y en seres humanos[93]. La utopía comienza ya a desvanecerse.

---

[93] A juzgar por los datos que se ofrecen en la parte final de la novela, y por el interés de Fuentes en seguir paso a paso la ruta de Hernán Cortés, podemos deducir que se trata de un poblado de indios totonacas, cuyo centro era Cempoala, quienes se encontraban totalmente subyugados por el despotismo azteca. La llegada de los embajadores en *TN* tendría como correlato histórico el momento en que los recaudadores de Moctezuma llegan a cobrar el tributo a los totonacas ante el conquistador.

El segundo encuentro importante será con el viejo del poblado, quien enseña al peregrino los misterios del calendario adivinatorio, le cuenta los mitos cosmogónicos y lo identifica como el "dios blanco", bienhechor, que ha regresado. Al igual que a Cortés, al jóven del Nuevo Mundo se le impone la máscara de la promesa; la máscara de Quetzalcóatl, regresado de Oriente para restablecer su reino de amor y de paz, usurpado por el negro Tezcatlipoca. El encuentro con el viejo supone la imposición de una identidad al peregrino que lo va a acompañar a lo largo de toda su peripecia por las tierras extrañas.

Tras la misteriosa muerte de los habitantes del poblado, tiene lugar el tercer encuentro del joven, que da paso ya al "camino de las pruebas" o de la aventura. Guiado por un hilo de araña, el naúfrago corre hacia un templo en llamas donde encuentra a una mujer joven que porta una corona de mariposas. Se trata del mitema que Campbell denomina "El encuentro con la diosa" y que, al igual que ocurre en varias narraciones mitológicas, se resuelve en un matrimonio místico, en una hierogamia, representada en la novela por la unión sexual de ambos que genera la auténtica fusión de sus personalidades hasta crear, momentáneamente, un ser andrógino:

> ... yo desaparecía dentro de la carne de la mujer y ella desaparecía dentro de la mía y éramos uno sólo, una araña enredada en sus propias babas, un sólo animal capturado en redes de su misma hechura; (...) Mi voluntad me dijo que jamás debía separarme de esta conjunción, que para conocerla había nacido, aunque al conocerla muriese en vida (*TN*, p. 413).

La Diosa le dirá los días de que dispone en el Nuevo Mundo, y tras la despedida, el héroe se lanza a la aventura, que se inicia de nuevo con el mitema de *el viaje*. En esta etapa se inscriben el encuentro con la vieja que barre su casa (pp. 416-417), la caída al pozo donde está a punto de perecer (pp. 418-422) y el encuentro con el negro Tezcatlipoca, su "doble' oponente (p. 426).

Guiado constantemente por el hilo de la araña, el protagonista llega a un pueblo situado cerca del volcán, que parece tratarse de un importante centro religioso[94]. Allí, ante la diosa de las mariposas, ahora en su figuración de Talzolteotl, diosa de las inmundicias, es testigo de una serie de actos sacrificiales y de penitencias entre los que se encuentran los ritos de confesión, sacrificios humanos, gladiatorios, y otras formas de culto que muestran un amplio panorama de distintas ceremonias de la anti-

---

[94] Este dato, y la continuación de la ruta seguida por Hernán Cortés, permite identificar a este lugar como Cholula.

gua civilización azteca. El joven, tomado ahora como la representación del dios Teztatlipoca, prefiere continuar su aventura, su extraño y desconocido destino, antes de cumplir el fatal sino que exigiría su sacrificio tras un año de vida regalada.

El continuo proceso de conocimiento prosigue en esta etapa, y al deslumbramiento inicial que había sufrido el personaje le sigue una visión más realista del mundo que le rodea: "El mundo nuevo era el mundo del miedo, de la pasajera felicidad y la constante zozobra" (*TN*, p.424).

El viajero continúa su ruta y llega hasta el volcán, lugar donde se actualizará el mitema de *el descenso a los infiernos*.

Cerca de la cumbre, el joven se hunde en una caída vertiginosa y llega al reino de la muerte. El momento del tránsito se representa, al igual que en la mitología azteca mediante el cruce de un río a lomos de un perro bermejo. Allí se entrevista con los emperadores del Mictlán quienes nuevamente lo identifican con el dios benefactor que viene a completar su hazaña mitológica:

> Ya viniste una vez. Ya nos robaste los granos rojos, y los diste en regalo a los hombres, y gracias a ellos los hombres pudieron sembrar, cosechar y comer. Aplazaste el triunfo de nuestro reinado. (...) ¿Qué buscas ahora? ¿A qué has regresado? (*TN*, p. 450-451).

El peregrino, impulsado por esa misteriosa predestinación que lo acompaña a lo largo de toda su aventura, repite la acción de Quetzalcóatl: roba los huesos a los dioses infernales y logra huir con ellos. Este hecho, al igual que en el mito original, dará lugar a una nueva Humanidad, nacida de la fecundación de esos restos por medio del llanto del héroe[95]. El narrador-personaje define así a estos "nuevos hombres":

> ... color de canela como todos los pobladores de esta tierra, me hablaban, desde sus primeras palabras (...) en nuestra propia lengua, la lengua, Señor, de la tierra castellana (*TN*, p. 456).

Se trata claramente del nacimiento del hombre mestizo, creado mediante la fusión simbólica de una materia primitiva y original (los huesos) con el aporte foráneo español (el llanto, líquido fecundante). Seguidamente, estos jóvenes acompañan al peregrino hasta Tenochtitlán, donde el naúfrago es testigo de los portentos que, según las crónicas, anuncia-

---

[95] En el mito original era la sangre del dios la que producía esta encarnación.

ron la llegada de los españoles y el final del poderío azteca. El viajero se interna en el *laberinto* de la ciudad y finalmente llega a una plaza, ante un gran palacio, donde tendrá lugar la escena final, trasunto del mitema del *morir-renacer*. En este escenario reaparece la señora de la selva quien, convertida en una anciana, obsequia al protagonista con la máscara de plumas que en el futuro servirá para que se reúnan de nuevo y, en otra encarnación, revivir su antiguo amor:

> ... esta vez no coincidieron nuestros tiempos, ha pasado tanto tiempo para mí desde que te conocí, pero tan poco para tí, espera, un día se cumplirá mi ciclo, volveré a ser la muchacha de la selva, volveremos a encontrarnos, en alguna parte ... (*TN*, p. 473).

El acto sagrado de la iniciación total en brazos de la diosa madre queda aplazado para un futuro indeterminado, que finalmente se concretará el último día del milenio en la ciudad de París.

El mito de Quetzalcóatl vuelve a servir de correlato en la acción subsiguiente: Tezcatlipoca descubre al joven y a la anciana en actitud amorosa y acusa al primero de embriaguez e incesto, al igual que había hecho "in illo tempore" con el héroe civilizador, el cual, avergonzado y arrepentido, había huído hacia Oriente prometiendo regresar algún día. Tezcatlipoca seguirá completando el conocimiento del peregrino: él, la encarnación de Quetzalcóatl, supone el principio de unidad que armoniza las dualidades, mientras que él mismo representa la dualidad, la oposición de contrarios que han de estar permanentemente en lucha. En el espejo de Xipe-Tótec le muestra el futuro de muerte y destrucción que sus compatriotas realizarán en el Nuevo Mundo. El mal ha triunfado en el pasado con la huída del dios benefactor, y volverá a triunfar en el futuro, en el que el amor y la paz predicados por el blanco Quetzalcóatl se verán suplantados por el horror y la muerte.

Tras el asesinato de su hermano Tezcatlipoca —que reactualiza el mito tan difundido de los gemelos enemigos y el fratricidio— el peregrino emprende el regreso a través de los laberintos de la ciudad. No ha podido completar la misteriosa misión para la que parecía predestinado, pero vuelve con el conocimiento de un nuevo mundo y con la evidencia de que ese lugar soñado desde Europa no existe. El joven, pensando en Pedro y su ingenuo intento de huir de las maldades del Viejo Mundo, llega a la conclusión de que en la nueva tierra hay "con otras razones, con otros ropajes, con otras ceremonias, los mismos crueles poderes que creíste abandonar al embarcarte con Venus, y conmigo, aquella tarde tan lejana" (*TN,* p. 481). El viajero, encarnación del dios creador, emprende el regreso dejando en esa tierra la semilla de una nueva Humanidad: los

141

jóvenes que hablan la lengua de Castilla pero con un acento "dulce, cantarín, despojado de los brutales tonos de la nuestra" (*TN*, p. 487). Embarca en una nave y se ve sumido nuevamente en un torbellino (*el cruce del umbral del regreso*) despertando finalmente en el Cabo de los Desastres, ya en el Viejo Mundo.

El héroe retorna con la sabiduría adquirida (*La posesión de los dos mundos*) que, con su narración, transmitirá a los habitantes de su lugar de origen.

Creo haber demostrado que, una vez más, la "estructura mítica del héroe" sirve como correlato de los hechos que se narran en esta segunda parte de la novela. Esa "iniciación" en forma de conocimiento, con la que el peregrino regresa al Viejo Mundo, ofrece muchas claves de gran interés para comprender qué es *TN* y el porqué de esa necesidad de poner fin a la Historia que surge como conclusión de la novela. El personaje, entre otras cosas, ha aprendido que América, soñada en un principio como utopía, resulta ser un espejo, un doble, del orden establecido del otro lado del mar: allí existen las mismas estructuras verticales, teocráticas y dictatoriales y los mismos rituales sangrientos, justificados ahora en la necesidad de mantener un orden cíclicamente cambiante y la continua lucha de opuestos. El mensaje de amor, paz y unidad que el peregrino-Quetzalcóatl aporta como solución estará siempre destinado al fracaso.

Las ideas extraídas de esta aventura se engarzan indisolublemente con las advertidas en la primera y tercera partes del relato, correspondientes básicamente a la descripción del mundo español. En ambos lugares reina el mal y los intentos de cambio y regeneración han sido vencidos. En palabras de Ludovico:

> Como la moral de Quetzalcóatl fue pervertida por el poder de allá, la de Jesús ha sido pervertida por el poder de aquí. ¿No podemos volver juntos, ayunos de terror y esclavitud, a esa bondad original, aquí y allá? (*TN*, p. 625).

En esa interpretación peculiar de la Historia, profundamente imbricada con el mito, Fuentes no se va a limitar al pasado, sino que va a proyectar los temas tratados en el tiempo presente y en el futuro. En época contemporánea, en España persisten, petrificadas, las mismas estructuras que existían en los años de la conquista de América: el poder de Felipe II se continúa en la dictadura de Franco, legitimada por las mismas razones religioso-políticas que en otro tiempo sustentaron la monarquía de los Austrias. El Escorial, símbolo del inmovilismo de la España de la Contrarreforma, se transforma en el valle de los Caídos, estructura pétrea e imagen de la intolerancia fratricida. En México, el poder se halla en manos de los EE.UU. que, en un tiempo futuro, 1999, proceden a la invasión del país a cuyo frente sitúan a un Presidente que es una nueva transfiguración del maligno Tezcatlipoca. El peregrino-Quetzalcóatl es ahora el guerrillero Polo Febo que nuevamente mata a su hermano y forma un pequeño ejército en la región veracruzana[96]. Con otros ropajes, con otras apariencias, el drama se ha efectuado en el pasado, se realiza en el presente y se repetirá en el futuro; sólo cambian las circunstancias externas, ya que en el fondo asistimos a una historia eternamente repetida e inmovible. De nuevo se perciben las ideas de Fuentes acerca de la Historia y el progreso, y su concepción del tiempo que vuelve una y otra vez sobre sí mismo generando una situación de aterrador inmovilismo.

Con lo deducido hasta ahora creo poder interpretar con una mayor seguridad el porqué de este mito escatológico en que se enmarca la estructura central de *TN*.

En la historia de las religiones, principalmente en la tradición occidental, el mito apocalíptico surge como el fin de una era caracterizada por el dominio de la maldad. Desde las profecías escatológicas de *La Biblia* hasta las heráticas de las múltiples sectas milenaristas surgidas sobre todo en la Edad Media, se esperaba la llegada de un Salvador que librara al mundo de las huestes del demonio y derrocara al Anticristo que se había instalado en el poder. Se trataba de una derivación obvia del "mito de la Edad de Oro" o de la perfección de los orígenes, ya que se creía que el Paraíso original sería restaurado al final de los tiempos coincidiendo con la llegada de este personaje benefactor. Estas esperanzas milenaristas se acrecentaban cada vez que sucedía algún desastre militar o alguna catástrofe (v. gr. la peste negra) y, del mismo modo que el "Mesías", el Anticristo fue identificado con distintos personajes históricos. Según una de

---

[96] Cabe señalar que Nuria Bustamante-Randolf ha interpretado la novela como el sueño alucinado del guerrillero Polo Febo quien, tras haber dado muerte a su propio hermano —el presidente del país (p. 738) se refugia en París, llevando consigo algunas de sus pertenencias entre las que se encuentran reliquias de la cultura indígena (pp. 764-771). En su reclusión, de seis meses de duración, se entrega a la lectura, y contemplación de los distintos objetos que ha traído, hasta caer en una enfermedad que le produce pesadillas y alucinaciones (pp. 776-779) que van a constituir la esencia del relato y en donde van a aparecer esos objetos y el reflejo de las múltiples lecturas del personaje. En esta experiencia onírica las distintas historias se entremezclan a menudo de manera incoherente y configuran un sistema de "narraciones enmarcadas" o "de caja china", mediante la inclusión incesante de un relato en otro anterior que lo abarca. (Bustamante-Randolf, Nuria; *Poética de la visión plural: su realización en 'Terra Nostra'*. P. H. D., Univ. of California, Santa Bárbara, 1982).

las varias profecías, este emperador del "tercer tiempo" tendría como signo una cruz encarnada en la espalda[97].

TN participa plenamente del ambiente y de los temas de las profecías y narraciones escatológicas, de forma que los personajes que aparecen a lo largo de la narración son siempre representativos de una de las dos esferas en pugna en este tipo de temática: el bien (Mesías-Salvador) y el mal (el Anticristo). Esta última instancia la identifica el autor con todos aquellos seres e ideas que a lo largo de la Historia han impedido el desarrollo libre de los países de habla hispana y los han condenado a una mera y cíclica repetición de los mismos errores. Felipe II, Francisco Franco, Moctezuma, Tezcatlipoca, el gobierno de los EE.UU., son factores castradores del ser hispano-americano, cuyo fin es necesario. Las ideas contrarias, el bien, el amor y la unidad, han sido predicadas por personajes reales o míticos, como Quetzalcóatl o Jesucristo, quienes, al igual que los jóvenes protagonistas de *TN*, llevan en la espalda el signo del reformador, del encargado de aportar el bien al mundo: el estigma de la cruz encarnada. Sin embargo, siempre han sido y serán derrotados: en la rueda de la Historia, Cristo será crucificado una y otra vez y Quetzalcóatl estará eternamente obligado a huir y dejar el gobierno a su oponente Tezcatlipoca-Huitzilopochtli. En los ciclos repetidos del "gran año" de nuestra historia, el mal, el Anticristo, ha triunfado. Por ello Fuentes propone como solución la destrucción final, que será seguida de un nuevo Génesis donde el hombre tendrá una nueva oportunidad. Este fin del mundo se celebra en un ritual escatológico, que es a la vez un ritual cosmogónico: sus protagonistas son la joven Celestina, imagen arquetípica de la Mujer, de la Madre Tierra, y Polo Febo, reencarnación de los hombres y dioses derrotados por la Historia. Ellos, tapados por la máscara de plumas que, en otro tiempo y lugar, había propiciado su encuentro, se fundirán en un acto de amor y se convertirán en un solo ser, un andrógino, con el que se inaugura una nueva era:

> ... te amas, me amo, te fecundo, me fecundas, me fecundo a mí mismo, misma, tendremos un hijo, después una hija, se amarán, se fecundarán, tendrán hijos (...) parirás con dolor a los hijos, por tí será bendita la tierra, te dará espigas y frutos, con la sonrisa en el rostro comerás el pan, hasta que vuelvas a la tierra, pues de ella has sido tomado, ya que polvo eres, y al polvo volverás, sin pecado, con placer (*TN*, p. 783).

---

[97] Para todo lo relacionado con el milenarismo y sus contenidos ideológicos, ver la importante obra de Norma Cohn *En pos del milenio*. Madrid, Alianza Editorial, 1983.

Se trata de la "coincidentia oppositorum", que supera todas las dualidades y discordias; en esa hierogamia o matrimonio sagrado se halla la solución para el futuro de una nueva Humanidad que nace al mundo "sonriendo" y "sin pecado". Fuentes está creando una nueva utopía americana cuyas raíces se hunden en el universal deseo de "renovatio" y en las fantasías y mitos de la perfección de los orígenes y del retorno al paraíso perdido. Esa utopía no se realizará ya en ningún espacio concreto y tendrá lugar al final de la Historia, en el no-tiempo posterior a Apocalipsis, en la Ucronía[98].

Este final de *TN* ha provocado interpretaciones contrarias sobre la visión presuntamente desesperanzada que Fuentes plasma en la obra. Las opiniones se dividen entre aquéllos que piensan que el autor refleja la realidad de un mundo sin salida cuya destrucción es necesaria para romper las continuas repeticiones, y quienes, por el contrario, opinan que en la obra se vislumbra una esperanza para el futuro si los hispanoparlantes son capaces de liberarse de las cargas que han soportado a lo largo de su existencia. En el primero de los casos se encuentra p. ej. Michael Wood quien señala que para Fuentes el pasado es "un peso cojeante e irresistible, un mundo viejo que eclipsa simplemente todos los mundos nuevos y próximos"[99], o Pedro Trigo, para quien, en el futuro, "sólo queda la eterna dualidad y contraposición, la repetición, el eterno retorno"[100]. Por el contrario, Juan Goytisolo ve un mensaje de esperanza al final de la novela: "La siniestra imagen de lo que fue no excluye la presencia de lo que pudo ser y será tal vez si con lucidez, energía y constancia los hispanoparlantes nos lo proponemos"[101].

Las propias reflexiones de Fuentes en sus ensayos y conferencias pueden contribuir a aclarar en parte este tema. En su discurso de recepción del premio "Rómulo Gallegos", otorgado a *TN,* el autor dice lo siguiente:

---

[98] Fuentes define así su concepto de utopía: "Utopía, el lugar que no es en el espacio, pues su realidad es sólo la del tiempo, y no de un tiempo determinado, sino de todos. Y el único tiempo que es de todos es el del origen, pues es el único que prefigura todos los futuros y concede, en un sólo gesto ritual, la sucesión de los calendarios". ("Juan sans terre". *Vuelta,* núm. 13, vol. 2, Dic. 1977, p. 28).

[99] Citado por Gloria Durán *The Archetypes...,* p. 156.

[100] Trigo, Pedro;" 'Terra Nostra' de Carlos Fuentes", *Reseña,* núm. 101, Enero, 1977, p. 9.

[101] Goytisolo, Juan: "Terra Nostra", en *Disidencias.* Barcelona, Seix-Barral, 1977, p. 236.

Civilización policultural, la América Latina, tiene la posibilidad, rara por no decir única en el mundo actual, de escoger y fusionar diversas tradiciones a efecto de crear un mundo auténtico de progreso, propio de nosotros, a pesar de y gracias a nuestras contradicciones, nuestras abundantes derrotas y nuestras escasas victorias (...). Somos dueños de la tradición de las civilizaciones indígenas (...) somos dueños legítimos de la antigüedad grecolatina y del medievo cristiano y herético (...) y somos dueños invisibles de la tradición democrática de la Edad Media española[102].

Este es el núcleo ideológico de esa nueva utopía de Fuentes: la creación de un modelo propio, alejado de los importados, que posibilite un auténtico mundo de libertad en América Latina. Si esto no se consigue, sólo resta la eterna repetición de errores; para evitarlo, el hombre debe volver los ojos a su propia historia, donde se halla el germen de su identidad y donde puede encontrar todas las respuestas.

El contexto histórico-social, está presente por otra parte, en el trasfondo de estas preocupaciones, básicamente coincidentes con las expresadas por la mayoría de los narradores hispanoamericanos de hoy, y que encuentran su paralelo en las corrientes contemporáneas de filosofía de la historia[103]. Ernesto Sábato declara así en una reciente entrevista:

... me parece difícil, si una persona es realista, que no vea que en estos momentos la humanidad está viviendo una situación apocalíptica. Yo no estoy seguro de que sobrevivamos a la catástrofe atómica. Pero suponiendo que sobrevivamos a ella, queda el apo-

---

[102] Fuentes, Carlos; Discurso en la entrega del Premio Internacional "Rómulo Gallegos". Caracas, Eds. de la Presidencia de la República y del Consejo Nacional de Cultura, 1978, p. 246.

[103] Las ideas de decadencia y renovación forman parte de los temas que afloran en las obras de buena parte de los pensadores y filósofos de las últimas décadas del siglo. Estos tienden a ofrecer una visión caótica del mundo actual, cuya situación insostenible prefigura un fin no lejano al que le ha de seguir una creación necesaria. Eduardo A. Azcuy caracteriza al mundo de hoy como "una época de grandes logros materiales realizados sobre el dolor y la miseria de los pueblos del mundo, época que se debate en el sin sentido y el vacío espiritual". *(Arquetipos y símbolos celestes*, Buenos Aires, Ed. F.G. Cambeiro, 1976, p. 164).
La huída de este presente conduce al escape hacia un paraíso futuro donde se plasma el ideal utópico de la Humanidad: "Frente a estos matices letales se advierte el dificultoso comienzo de un *tiempo tercero*, un ciclo postmoderno que se halla indisolublemente ligado a la transformación sicológica del hombre y a la implantación de la justicia social. Una nueva época para un nuevo mundo. Una *Renovatio* integral". *(Ibid.* p. 164).

calipsis espiritual, el de una era que comenzó en los tiempos medievales y que ahora termina ante nuestros ojos[104].

Es la conciencia del fin de una época, que abre las esperanzas de una renovación futura en la que varios pensadores proyectan su deseo de retorno a la unidad perdida. Para Sábato, la solución se encuentra en un intento por reconciliar "en una síntesis suprema, lo racional con lo irracional, la ciencia con el arte, el pensamiento lógico con el pensamiento mítico. La reintegración del hombre que ha sido desintegrado"[105].

Tras estas esperanzas y anhelos vuelven a resonar las palabras del maestro Octavio Paz, insuperable analista de la realidad hispanoamericana, y sus ideales de amor y unidad que han de liberar al hombre del laberinto de la soledad en que se halla perdido:

> Todos esperan que la sociedad vuelva a su libertad original y los hombres a su primitiva pureza. Entonces la Historia cesará. El tiempo (la duda, la elección forzada entre lo bueno y lo malo, entre lo injusto y lo justo, entre lo real y lo imaginario) dejará de triturarnos[106].

4.5) *Una familia lejana*

El proceso de "iniciación-conocimiento" que se advertía en obras anteriores, vuelve a repetirse ahora en la penúltima novela de Carlos Fuentes: *Una familia lejana*. En este caso se trata de la experiencia vivida por el anciano Conde de Branly en el extraño caserón de Clos des Renards donde habita el enigmático Víctor Heredia. Nuevamente hacen su aparición los caserones antiguos y anacrónicos, propios de la novela gótica, y los fantasmas del pasado envolviendo la historia de un personaje "normal" que penetra en un mundo distinto donde es testigo de unos hechos que superan los límites de comprensión de la mente cartesiana. Pero, ahora, a diferencia de lo que sucedía con Felipe Montero, el "héroe" va a salir de ese mundo y va a transmitir lo que ha vivido al exterior, en este caso al novelista Carlos Fuentes quien, a su vez, lo referirá en forma de novela a un público mas extenso y anónimo.

---

[104] *El País,* Domingo, 7 Oct. 1984; Suplemento de "Libros", p. 1.

[105] *Ibid.,* Sobre este tema en la narrativa hispanoamericana de hoy, ver la ya citada obra de Graciela Maturo *La literatura hispanoamericana, de la utopía al paraíso.*

[106] Paz, Octavio; *El laberinto...,* pp. 190-191.

ESQUEMA DE LA ESTRUCTURA MITICA DE 'TERRA NOSTRA'

A) **Plano "real" o posible:** sueño o delirio de Polo Febo (París, 1999).

B) **Plano simbólico-mítico** (u onírico)

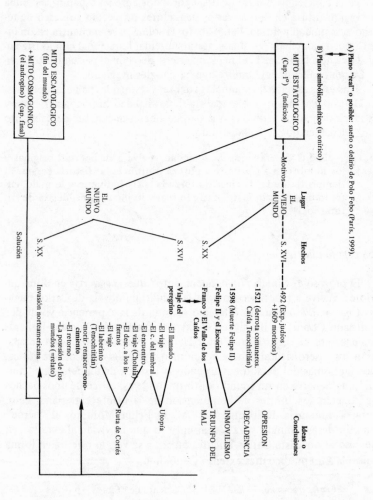

MITO ESTATOLOGICO
(Cap. 1º) (indicios)

Lugar	Hechos	Ideas o Conclusiones
EL VIEJO MUNDO	S. XVI ---- 1492 (Exp. judíos +1609 moriscos)	
	S. XX	
	- 1521 (derrota comuneros, Caída Tenochtitlán)	OPRESION
	- 1598 (Muerte Felipe II)	DECADENCIA
	- Felipe II y el Escorial	INMOVILISMO
	- Franco y El Valle de los Caídos	TRIUNFO DEL MAL

Motivos

- Viaje del peregrino

EL NUEVO MUNDO

S. XVI

S. XX

- El llamado
- El viaje
- El c. del umbral
- El encuentro
- El viaje (Cholula)
- El desc. a los infiernos
- El viaje (Tenochtitlán)
- El laberinto
- morir - renacer =conocimiento
- El retorno
- La posesión de los mundos (=relato)

Ruta de Cortés

Utopía

MITO ESCATOLOGICO
(fin del mundo)

+ MITO COSMOGONICO
(el andrógino) (cap. final)

Solución

Invasión norteamericana

Desde el punto de vista de la estructura mítica, el relato desarrolla una vez más las etapas de un "camino de iniciación" que, como veremos a continuación, aparecen claramente marcadas en los distintos momentos de la historia.

La novela se inicia con el encuentro en el RAC de París entre Branly y su amigo Fuentes. El anciano le expresa a este último su deseo de contarle una vivencia reciente que, a la postre, se convertirá en el grueso de la narración. Este momento encuentra su correspondencia en la estructura antedicha en el mitema de *La posesión de los dos mundos;* el héroe ya ha finalizado su aventura, ya tiene en su poder el objeto mágico o el secreto y se dispone a entregarlo o trasmitirlo al mundo exterior. Fuentes cumple en este sentido el papel de interlocutor inmediato o receptor directo del "secreto", aunque él es tan sólo el representante de un auditorio más amplio, que abarca al hombre en general:

> ... me quedé (...) con la impresión de que mi amigo quería hablarnos a la plaza y a mí, al mundo y a ese usted numeroso que yo representaba en ese momento y que se esconde, irónico y enemigo, en el nosotros de las lenguas romances, nos y otros, yo y los demás[107].

Tras el encuentro se inicia el relato de Branly consistente en un extenso "flash-back" en el que recoge sus relaciones con los Heredia.

El momento inicial, identificable con el mitema de *el llamado,* halla su correspondencia en el instante en que el conde conoce en México al arqueólogo Hugo Heredia y a su hijo Víctor, y les invita a visitarlo a su casa de París, hecho que realizan poco tiempo después. El conde se ve misteriosamente atraído por estas personas a pesar de que afirma que lo único que perseguía con su compañía era recordar la niñez y los juegos infantiles al lado de Víctor, en el momento en que su vejez le hace sentir cercana la muerte:

> ... había una razón detrás de mi cortesía para con los Heredia (...). Quería, simplemente, que Víctor me permitiese entrar con él a su infancia antes de que ambos la perdiésemos, él porque iba a crecer, yo porque iba a morir (*UFL*, p. 27).

El hallazgo del homónimo en el listín telefónico prolonga este mitema y lo conecta con el siguiente: el *viaje* que el conde y el muchacho emprenden a casa del francés Heredia. El momento de la llegada constituye

---

107 Fuentes, Carlos; *Una familia lejana.* Barcelona, Bruguera, 1980, p. 11. Todas las citas remitirán a esta edición.

un auténtico reflejo de *el cruce del umbral,* ya que se anuncia explícitamente que se está accediendo a un mundo diferente del normal. Este "rito de tránsito" se repite en las tres visitas que hace Branly al lugar hasta encontrar al inquilino. En la primera de ellas, el conde "tuvo la sensación de hundirse en un mundo de verdor submarino; (...) remarcó esa sensación de sofoco que le hacía concebir la entrada a la villa de Enghien como un descenso submarino: el mar, también, puede refrescar mientras ahoga" (*UFL,* p. 35). En la segunda visita se acentúa lo extraño del lugar, que aparece nimbado con una aureola de atemporalidad:

> ... era Septiembre, el otoño aún no comenzaba y sin embargo la avenida de castaños y encinas era un hondo sendero ininterrumpido de follaje seco (*UFL,* p. 38)[108].

En la tercera ocasión en que penetra en el recinto, Branly expresa su extrañeza ante la inexistencia de un estanque o "espejo de agua" (p. 44) que refleje la imagen de la casa, lo cual hace pensar en su carácter fantasmal. Claramente se está marcando un territorio delimitado por las fronteras que se establecen entre el "afuera" y el "adentro" que responden a la división "sagrado/profano" en el pensamiento mítico. El caserón será el "templo", lugar sagrado donde se oficiará el ritual que concluya el extraño pacto establecido entre Hugo y Heredia el francés y para el cual, como le confiesa el primero a Branly al final de la novela, sólo se necesita "un espacio perfecto (...), un espacio antiguo donde mi muerto y el suyo se encuentren a través del joven Víctor que está vivo" (*UFL,* p. 191).

Branly sufre un accidente automovilístico y se ve obligado a instalarse en la mansión. A partir de entonces se inicia el "camino de las pruebas" reflejado en las experiencias que va a sufrir el anciano en ese mundo diferente. Tras el umbral del Clos des Renards queda el mundo real, objetivo y "profano" y, en palabras de Margaret Seyers-Peden "from that moment of the arrival at the Clos des Renards the reader is never returned to objective reality"[109].

Esta segunda parte de la estructura se articula en torno a los mitemas del "viaje-conocimiento" y el "descenso a los infiernos". Por la mente de Branly, yacente en el lecho, comienzan a desfilar, en un amasijo confuso

---

[108] A este anacronismo de las hojas muertas en verano se hará repetida alusión a lo largo de la novela.

[109] ("Desde ese momento de la llegada al Clos des Renards el lector ya no es devuelto nunca a la realidad objetiva"). Sayers Peden, Margaret; "Forking Pads, Infinite Novels, Ultimate Narrators". En Brody adn Rossman (ed.), *ob. cit. p.* 106'.

e indelimitable, recuerdos, lecturas y experiencias, y se hace patente su imposibilidad de diferenciar el sueño de la vigilia. Incluso, en un momento dado, el interlocutor, Fuentes, apunta la posibilidad de que al menos una parte de lo que está escuchando no sea más que un sueño de Branly:

> Esta, le recordé, es la hora del sueño profundo y seguramente a ella pertenece la historia que me está usted relatando (*UFL*, p. 116)[110].

Todo esto genera una gran ambigüedad que se constituirá en la nota característica de la narración.

El conde profundiza en el conocimiento de su anfitrión, Víctor Heredia, quien se confiesa descendiente de una familia cubana emigrada a Haití que ha desterrado por completo todo lo concerniente a la cultura española. Siente un profundo rencor hacia Branly por la antigüedad de su linaje que le hace verse a sí mismo como un "nuevo rico" o advenedizo sin raíces. Su mentalidad refleja el proyecto "europeísta" del hombre latinoamericano que, consciente de su complejo de inferioridad con respecto a la cultura europea, reniega de lo propio y vuelve sus ojos hacia el mito de la civilización occidental, que tiene su centro privilegiado en París. El "proyecto" de este personaje contrasta con el de Hugo Heredia quien pretende encontrar la auténtica identidad del americano en el pasado, en el "mensaje de las piedras". Se trata de distintos posicionamientos ante uno de los problemas más importantes del hombre del nuevo mundo: la búsqueda de sus raíces y de su identidad que evidencian una personalidad fragmentaria, desgajada en múltiples proyectos y alejada de una deseable unión. En este contexto ideológico se enmarca el suceso importante del que Branly es testigo en Clos des Renards: la unión sexual entre Víctor y André —el hijo de Heredia el francés— que remite a este hecho de la necesaria unidad y que se tiñe en la novela de ribetes míticos con las repetidas alusiones al retorno a una homogeneidad primordial donde residía la perfección de los orígenes. En esta ceremonia se celebra el ritual de unión de los fragmentos dispersos del americano, y de ella na-

---

[110] A esto se le han de añadir la gran cantidad de alusiones bibliográficas y fragmentos de obras concretas con que el conde salpica la narración. El mismo señala: "Soy digno de vivir porque tengo una biblioteca en mi cabeza" (p. 65). Fuentes, al final de la obra, descubre en la biblioteca de Branly una serie de títulos que, según indica el narrador, "habían aparecido en el curso de esta narración" (p. 206). Con todo esto, parece apuntarse que gran parte de la historia puede ser fruto de la mente del anciano, quien entremezcla sus sueños con sus recuerdos y alusiones constantes a sus lecturas favoritas.

cerá una nueva personalidad en la que se aúnan los caracteres del mexicano mestizo (que, como afirma Octavio Paz no quiere ser ni indio ni español y reniega de su origen) con la vertiente europea. Se trata de una nueva versión de la utopía vasconcelista de la "raza cósmica" que, como los viejos fetos en la piscina del club, lleva muchos años esperando, gestándose, para poder nacer. Atrás, quedan los proyectos parciales, el retorno al pasado (Hugo Heredia) o la negación resentida de lo español (Heredia el francés) en aras de un nuevo y necesario universalismo, como el preconizado tiempo atrás por el Ateneo de la Juventud y el grupo "Hiperión", que tanto influyeron en la mentalidad de Fuentes. Se trata, en definitiva, de la unión entre tradición y modernidad que el autor reclama como proyecto iberoamericano de futuro[111]. Como se puede observar, en el fondo de la obra laten nuevamente las preocupaciones por el Continente americano y su estado actual, motivo de numerosas reflexiones de los personajes.

Las extrañas experiencias de Branly se entremezclan con los sueños y los recuerdos que le vienen a la mente de una manera obsesiva. El conde ve su muerte cercana y huye hacia el pasado, hacia el recuerdo de su infancia o de sus amores de juventud. Los "fantasmas" subconscientes del conde, que pretende exorcizar por medio de este "descenso a los infiernos" de su memoria, se confunden con los sucesos para-normales que tienen lugar en el viejo caserón del Clos des Renards, y que Branly llega a comprender tan sólo de una manera parcial. De esta forma, el mitema correspondiente al *morir-renacer*, que en este caso comportaría la adquisición del conocimiento o la "iniciación" definitiva, se cumple en la novela de forma incompleta: aún quedan numerosas lagunas, cabos sueltos y facetas incomprensibles sobre lo sucedido. Por ello, tras huir de la mansión, el conde regresa a su casa (el "cruce del umbral del regreso") y poco más tarde acude a visitar a Hugo Heredia en México para tratar de completar el "conocimiento". Finalizada la entrevista, Branly "posee" la historia y se la transmite a Fuentes, a quien, como al depositario de una maldición, envolverá finalmente. La historia se proyecta hacia la personalidad del propio autor: él mismo es Heredia (p. 223), es decir, es parte activa de ese mundo dividido, con cicatrices abiertas como la del jardín de Clos des Renards, y, como paradigma de la personalidad hispanoamericana, lleva a sus espaldas un fantasma que le recuerda las posibilidades truncadas, inconclusas, los caminos no tomados que pudieron haber hecho de él otra persona:

[111] Ver, Fuentes, Carlos; "Una perspectiva iberoamericana", *ABC* (Madrid), 17 de Junio de 1984, p. 56.

Imagine si hubiese regresado a México al terminar la guerra y
se hubiese arraigado en el país de sus padres. Imagine que publica
su primer libro de cuentos a los veinticinco años y su primera novela cuatro después; habla usted de México y los mexicanos, las
heridas de un cuerpo, la persistencia de unos sueños, la máscara
del progreso. Queda para siempre identificado con ese país y su
gente.
No fue así, Branly, digo sin demasiada seguridad. No sé si para
bien o para mal, pero soy otra cosa (*UFL*, pp. 213-214).

América lleva también en sus espaldas el fantasma de su "otra" historia
negada: la América trunca, la utopía incumplida, las ilusiones muertas,
que podrían haberse realizado de haberse elegido otros caminos más ten-
dantes a la integración que a la desintegración. El continente americano
está plagado de "Heredias" que, a pesar de sus lazos de sangre, se dividen
en proyectos distintos; es un lugar donde se perpetúa la lucha entre hermanos, donde el "estigma de Caín" determina la Historia. La fusión de
los dos jóvenes —de la que, según Heredia nace un "ángel", símbolo de
la unión y de la pureza (pp. 145, 150, 156)— interpretada como un retorno de la unidad originaria, es vista como el deseo de una integración necesaria. Pero al final todo queda inconcluso: tras contemplar los fetos, signo de ese nuevo ser americano aún no nacido, Fuentes declara lacónica-
mente: "Nadie recuerda toda la historia" (p. 223).

De esta forma, se advierte que la estructura de la novela se articula
en torno a las experiencias que vive el Conde de Branly, quien sale del
mundo de la realidad objetiva y se ve inmerso en una "zona sagrada", mítica y atemporal, en la que adquirirá un cierto conocimiento. El ulterior
intento de completar las evidentes lagunas y contradicciones de la historia narrada por medio de la visita a Hugo Heredia, y los descubrimientos
finales de Fuentes, no logran sin embargo aclarar en absoluto los múltiples enigmas que la narración ha planteado. La "iniciación" ha sido tan
sólo parcial, y ello es un índice revelador de la incapacidad del hombre
actual para llegar a un profundo y total conocimiento de sus realidades
trascendentes. De esta forma, en el momento final de la historia, cuando
todos los elementos aparentemente dispersos de la misma aparecen súbi-
tamente relacionados, Branly reconoce su manifiesta incapacidad de
comprensión debido a que carece de algo esencial: la facultad de la analogía (p. 200). En este punto, reflejo de una de las ideas centrales de Fuentes, radica el motivo del consciente hermetismo del relato: en la sociedad
contemporánea, presidida por el "pensamiento lógico", todo objeto posee su propia individualidad y todo tiempo es sucesivo e irrepetible. Sin
embargo, existe otro tipo de "pensamiento" latente y no menos humano
que el anterior: aquél que se fundamenta en la capacidad de la analogía,

en el cual nada existe individualmente, todo está relacionado entre sí, incluso con su contrario. Como afirma Hugo Heredia, este "pensamiento mítico" se halla vivo en la mentalidad indígena:

> Porque si desea usted, Branly, que yo resuma la lección más profunda de la antigüedad mexicana, es ésta: todo está relacionado, nada está aislado, todas las cosas están acompañadas de la totalidad de sus atributos espaciales, temporales, físicos, oníricos, visibles e invisibles (*UFL*, p. 184)[112].

Nosotros, los personajes y lectores, nunca podremos conocer ni interpretar la historia porque carecemos de ese poder analógico y estamos encerrados en las categorías de la lógica moderna. Por ello, el propio Fuentes-personaje, al final de la novela, reniega de su derecho a interpretar algo en lo que se ha evidenciado la ineficacia de la "razón cartesiana":

> ... en verdad no tengo ni tendré los derechos ni los poderes para interpretar nada, variar nada, entrometerme en los túneles de esta historia soberanamente indiferente a mi persona (*UFL*, p. 218)[113].

Se trata, en resumen, de un nuevo ataque de Fuentes contra la razón y el "buen sentido" sustentados por la "buena conciencia" burguesa, que juzga al mundo a través de sus categorías mentales y se halla cerrada a todo aquello que no se le asemeje.

Como breve conclusión, a través del entramado laberíntico y confuso de esta novela, se puede observar la presencia de determinados contenidos que han hecho su aparición de forma repetida en otras obras de Fuentes; básicamente surge en el relato el problema de la identidad del hispanoamericano, la necesidad de ahondar en el pasado, la idea de la unidad frente a proyectos ajenos y disgregadores y la crítica a la comodidad burguesa, anclada en unos criterios presuntamente objetivos y engañosamente poseedores de la "realidad".

---

[112] En su entrevista con Gladys Feijóo, Fuentes señala que este retorno a un tipo de pensamiento analógico constituye una de las notas mas destacadas de la literatura contemporánea: "... hay un regreso a las formas originales, a las formas ligativas (...) a las formas de ligazón que nos proporciona la 'poiesis', la poesía en su sentido etimológico original, el elemento que une todo, el segmento de realidades que de otra manera se disiparán, serían centrífugas, no tendrían cohesión". (Feijóo Galdys; *ob. cit.*, p. 74).

[113] Anteriormente, Hugo Heredia, en su entrevista con el conde, había pronunciado palabras similares; el relato, dice, "Está abierto a todas las interpretaciones. Yo mismo, que lo viví, no lo entiendo bien". (*UFL*, p. 187).

B) ATMOSFERA MITICA

Ernst Cassirer, en su importante obra *Filosofía de las formas simbólicas,* establece una delimitación entre los conceptos de "pensamiento lógico" y "pensamiento mítico". Mientras la primera actividad toma su fundamento en las categorías "objetivas" de percepción que, aunque no innatas sino aprendidas, tienen un punto de verificación exterior, la "conciencia mitológica" aparece como algo encerrado en sí mismo, con leyes propias y aislado del mundo inmediatamente perceptible. En esta categoría o forma de pensamiento domina la idea de la unidad relacional de todas las cosas, lo cual supone la inexistencia de dicotomías como sueño-realidad o vida-muerte y la presencia de un profundo contenido analógico y de causalidad. "En el pensamiento mítico —dice Cassirrer— *todo* puede *derivarse* de todo, porque todo puede estar conectado con todo temporal o espacialmente"[1].

En los relatos de Carlos Fuentes resulta frecuente encontrar un determinado "ambiente" o "atmósfera" rodeando la acción central del relato, cuyas notas definitorias vienen a coincidir con los parámetros esenciales del "pensamiento mítico". Se trata de lo que Michel Palencia-Roth denomina "técnicas de mitificación"[2], que se traducen en la novela en determinadas distorsiones que "sacuden" inconscientemente al lector y que conforman lo que Lewis ha calificado como "mythical quality"[3], que se constituye en una de las características más destacadas de la narrativa contemporánea, especialmente en Hispanoamerica.

En esta particular creación de atmósfera ocupan lugar central —al igual que en los relatos mitológicos— las categorías de *tiempo* y *espacio.*

1) Tiempo
Como ya se ha tenido oportunidad de mencionar en páginas anteriores, la "mentalidad mítica", no concibe el transcurso temporal de una manera lineal y progresiva sino como una realidad que constantemente está volviendo sobre sí misma. Tal concepto descansa, según Eliade, en la idea de la "renovatio" que se halla como fundamento de toda mitología: el mundo se renueva periódicamente y ello se refleja tanto en los cambios estacionales como en los sucesivos apocalipsis y génesis que se

---

[1] Cassirer, Ernst; *ob. cit.,* p. 73

[2] Palencia-Roth, Michel; *ob. cit.*

[3] Citado por White, John J.; *ob. cit.,* p. 5

155

han producido. Este "sentimiento de fases" —en palabras de Cassirer[4]— comporta la idea de un "eterno retorno" donde se entremezclan los contenidos de repetición, predestinación y fatalismo que constituyen categorías importantes en la configuración mental de las sociedades tradicionales. El hombre no tiene una existencia individual sino que forma parte de un engranaje social y de un entramado trascendente o divino donde todo se halla escrito y determinado. Como en el caso de los aztecas, en cuya cosmovisión estas ideas ocupan un lugar destacado, en la mayoría de las culturas el papel del ser humano se limita a retardar un cataclismo inevitable por medio de ceremonias rituales propiciatorias.

La gran mayoría de los estudiosos del mito —especialmente aquéllos pertenecientes a la dirección simbolista— coinciden en señalar esta característica del *tiempo cíclico* como el núcleo básico al que remiten todos los conceptos temporales que se desprenden de las narraciones mitológicas. Como tendremos oportunidad de comprobar más adelante, se encuentran estrechamente ligados a él los temas del Paraíso primordial o la perfección de los comienzos, el Apocalipsis y todo tipo de símbolos escatológicos.

El "tiempo cíclico", empleado como técnica narrativa, se convierte a su vez en uno de los elementos imprescindibles de la llamada "novela mítica". Su aparición puede sugerir distintos contenidos, dependiendo del contexto temático, pero en líneas generales los autores de hoy suelen emplear esta categoría para dar cuenta del engaño a que vive sometido el hombre actual, condenado a un retorno constante que anula la idea de progreso y limita totalmente su capacidad de elección libre. Vivimos en una época en la que se ha evidenciado la falsedad del mito del avance y el bienestar continuo y que, por contra, se debate en una crisis de todo tipo que da lugar a interpretaciones apocalípticas del mundo. Fruto de este ambiente es la ruptura de las categorías temporales en el género novelístico y la presentación de este tiempo que retorna una y otra vez sobre sí mismo, y que genera esa sensación de "eterno presente" y de una historia que, en ningún caso, supone evolución[5].

La práctica totalidad de los relatos de Fuentes encierran una confi-

---

[4] Cassirer, Ernst; *ob. cit.*, p. 146.

[5] En palabras de Manuel Durán, en la mayoría de las concepciones temporales que predominan en la actualidad "a la idea de un progreso indefinido, oblicuo o bien helicoidal, a un 'despegue' o una espiral de progreso, cabe oponer toda una serie de visiones cíclicas o de máscaras superpuestas que ocultan unas realidades permanentes". (Durán, Manuel; *ob. cit.*, p. 91).

guración temporal ralativa a la idea del "retorno". La presencia del "tiempo cíclico" en algunas de sus novelas ya se ha percibido en el apartado anterior, donde también se ha dado cumplida cuenta del sentido que su empleo comporta. En este punto trataré tan solo de llevar a efecto una cierta sistematización de los procedimientos que sirven al autor para crear esta sensación en sus obras, y una interpretación más amplia de su significado en el corpus novelístico del escritor mexicano.

La técnica de la *repetición* se convierte en una de las más frecuentes en este intento de anulación del tiempo en los relatos aquí tratados. Amén de las múltiples *repeticiones internas* que con un tono y carácter variado se perciben en estas obras[6], las más señaladas son aquéllas que se producen al inicio y al final de las narraciones y que configuran una estructura circular, en la cual, en palabras de M. Baquero Goyanes "se produce un encuentro con el punto de arranque, con el inicio del relato (...) las últimas páginas o frases de la novela repiten las del comienzo..."[7].

Esta técnica se halla presente en los dos monólogos de Ixca Cienfuegos que abren y cierran *RMT* en los que se repiten similares conceptos[8]. Del mismo modo, la aparición de la prostituta Gladys García poco después del comienzo (p. 148) y en la conclusión (p. 565) viene a completar esta simetría y a recalcar la sensación de la historia que recomienza tras su final. Lo mismo se puede indicar en el caso de *ZS*, obra en la que se establecen claros paralelismos entre los puntos inicial y final del relato. Estas repeticiones las pone de relieve el crítico Andrés O. Avellaneda:

> La relación con Giancarlo (...) se halla (...) en la entrada y en la salida de la obra (...). Las acciones que abren y cierran la novela tienen lugar en Diciembre, época de Navidad (...). El mito de Ulises está incluído en el principio y el final del curso narrativo[9].

Por su parte en *CP* la intervención del propio narrador establece estas conexiones circulares:

---

[6] Por ejemplo la repetición de la escena de la fiesta en **RMT** en pp. 177 y 533 o la reiterada presencia de "estribillos" o frases obsesivas que asaltan a Artemio Cruz en su lecho de muerte.

[7] Baquero Goyanes, Manuel; *Estructuras de la novela actual.* Barcelona, Ed. Planeta, 1979, p. 200.

[8] Comparar las pp. 143-149 con las que van de la 546 a la 565.

[9] Avellaneda, Andrés, O.; "Mito y negación de la historia en 'Zona Sagrada' de Carlos Fuentes". *Cuadernos Americanos,* México, CLXXV, 2 (Marzo-Abril, 1971), p. 247.

Terminado, el libro empieza (*CP*, p. 9)... esta noche final que es la del principio (*CP*, p. 494).

El narrador termina de narrar una noche de Septiembre en la Coupole... (*CP*, p. 9), París, Septiembre de 1966 (*CP*, p. 503)[10].

Incluso novelas de tono "realista" como *LBC* o *CH* no se sustraen a esta técnica de la estructura circular. En el primer caso, en ambos extremos del relato se repiten las mismas palabras del narrador omnisciente:

> Caminó de regreso a la casa de los antepasados. Había salido la luna y Guanajuato le devolvía un reflejo violento desde las cúpulas y las rejas y los empedrados. La mansión de cantera de la familia Ceballos abría su gran zaguán verde para recibir a Jaime (*LBC*,pp. 9-10 y 191).

La narración finaliza en el mismo momento en que empieza, y lo propio puede decirse de *CH*, en cuyo final el agente Félix Maldonado se ve envuelto en una situación prácticamente idéntica a la vivida al comienzo de su aventura[11]. En afirmación de Gladys Feijóo que podría ser válida para todas las novelas mencionadas, "todo comienza de nuevo: lo que fue, es y será"[12].

En segundo lugar, ocupan una situación destacada dentro de las técnicas empleadas por el autor mexicano las abundantes *superposiciones temporales,* que generan una indeterminación cronológica y crean la sensación de "tiempo detenido". Esto es parcialmente perceptible en el entorno que rodea las experiencias de los personajes dentro de lo que he denominado "zonas sagradas", lugares donde —como veremos posteriormente— se produce una ruptura de las categorías "lógicas" de percepción. Caso evidente es el que tiene lugar en *Aura,* novela que ya desde el comienzo plantea el tema de la superposición entre "lo viejo" y "lo nuevo", advertible en la misma numeración del edificio:

---

[10] El propio Fuentes ha declarado que *CP* "really has a cyclical structure, not stable or open, but cyclical". ("Realmente tiene una estructura cíclica, no estable o abierta, sino cíclica"). (Doezema, H. P.; *ob. cit.,* p. 498).

[11] Comparar pp. 15-16 y 60 con 280-283. Este aspecto circular de *CH* lo estudia Lucrecio Pérez Blanco en su artículo "*La cabeza de la hidra* , de Carlos Fuentes; novela-ensayo de estructura circular". *Cuadernos Americanos,* Vol. CCXXI, núm. 6 (Nov.-Dic., 1978), pp. 205-222.

[12] Feijóo, Gladys; "Notas sobre 'La cabeza de la hidra' ". *Revista Iberoamericana,* núm. 110-111 (Enero-Junio, 1980), p. 220.

El 13 junto al 200, el antiguo azulejo numerado —47— encima de la nueva advertencia pintada con tiza: *ahora* 924 *(Aura,* p. 13).

Felipe Montero y el protagonista de *Tlactocatzine* son testigos de la presencia viva del pasado en el mundo extraño al que ingresan. El primero tiene visiones pertenecientes a otros tiempos —como el jardín de la casa, ya desaparecido (pp. 31-32)— en tanto que el segundo tiene un encuentro con Carlota, esposa del ex-Emperador Maximiliano, en una casa en la que incluso el tiempo "atmosférico" es diferente al del mundo exterior.

Una experiencia muy similar sufren George, en *Cumpleaños,* quien en su encierro involuntario percibe rumores pertenecientes a momentos históricos distintos[13] y el conde Branly, de *UFL,* testigo en su lecho de enfermo de las conversaciones entre los jóvenes Víctor y André, quienes entre otros temas, hablan de una invitación imposible para unos hechos que transcurren en la época actual:

> —... oye, ¿has leído la historia de la máscara de fierro?
> —No, ¿de quién es?
> — Alejandro Dumas. ¿No lo conociste? (...) Vino de Haití, igual que mi papá. Queríamos invitarlo a esta casa, pero murió el mismo año.
> — El mismo año *(UFL,* p. 72)[14].

El tema de las reencarnaciones y de las personalidades confluyentes se constituye también en uno de los aspectos que adopta la técnica de la superposición. Esta adquiere una relevancia especial en *TN,* donde los distintos personajes (especialmente Polo Febo y Celestina) experimentan una continua reencarnación a lo largo de la Historia que los define como caracteres eternos, y el rey Felipe II trasciende su propia individualidad histórica para convertirse en una personalidad que agrupa tanto a sus antecesores y sucesores como la persona del dictador Francisco Franco. El mismo Fuentes ha señalado que por medio de estas confluencias ha intentado crear la sensación de tiempo detenido:

> The theme of simultaneity is very present in this novel, because actualy the characters in this novel lived in many different

---

13 Ver págs., 184, 199, 202, 215, 218.

14 Alejandro Dumas falleció en 1870, lo cual demuestra la imposibilidad de que Víctor Heredia —y mucho menos su hijo André— hubieran podido siquiera llegar a conocerle.

epochs: they are all the kings and queens and infants of Spain, living in the same space and the same time[15].

Los desubrimientos que acerca de su propia identidad realizan los protagonistas de *Tlactocatzine..., Aura* y *Cumpleaños,* inciden también en estos contenidos. Los dos primeros averiguan que son la reencarnación del marido de la anciana que habita el caserón, en tanto que George conoce por boca de Siger de Brabante que es tan solo una manifiesción temporal de una continua rueda de reencarnaciones[16].

Una tercera vía que adopta esta técnica superpositiva consiste en la presentación simultánea de distintos momentos históricos. El procedimiento ocupa parte importante en las páginas iniciales de *CP,* donde se alterna la relación de ciertos pasajes correspondientes a la conquista de Cholula por Cortés y sus tropas con la narración de los movimientos de los personajes en su llegada a la misma ciudad (pp. 11-25). También este anacronismo se desprende del misterioso diario que lee el narrador en su persecución de los protagonistas, en el que se entremezclan las noticias de hechos acaecidos en épocas y lugares muy diferentes, como es la represión llevada a cabo contra los judíos en 1349 (p. 268) o el proceso contra Jeanne Fery, acusada de ejercer la brujería a finales de la Edad Media (p. 121). Del mismo modo, en *Cumpleaños* el protagonista logra escapar de su encierro y llega a un Londres atemporal donde coexisten ante su mirada todas las etapas de su historia:

---

[15] ("El tema de la simultaneidad se halla muy presente en esta novela, dado que en realidad todos los caracteres en esta novela han vivido en diferentes épocas: son todos los reyes y reinas e infantes de España, viviendo en el mismo espacio y el mismo tiempo"). Doezema, H. P.; "An Interview...". p. 2.

[16] Este juego de identidades y personalidades confluyentes se proyecta en *TN* al propio ámbito de la creación literaria. En esta obra el cronista, que en realidad es Cervantes, aparece identificado y confundido en ocasiones con otros escritores de la historia universal de la literatura, caso de Shakespeare o Kafka. Todos ellos aparecen unidos en una sola identidad, como si se tratara de una unidad básica de la que surgirían diferentes individualidades que tendrían por oficio la escritura. Tras esta concepción surge con evidencia manifiesta la idea borgiana acerca de la autoría única de la literatura universal, que residiría en la unidad del espíritu (ver "La flor de Coleridge", en *Otras inquisiciones).* Fuentes desarrolla de forma más explícita esta idea en su ensayo *Cervantes, o la crítica de la lectura* donde, hablando de Cervantes, Shakespeare y Joyce, el autor afirma: "estoy convencido de que se trata del mismo autor, del mismo escritor de todos los libros, un polígrafo errabundo y multilingüe llamado, según los caprichos del tiempo, Homero, Virgilio, Dante, Cervantes, Cide Hamete Benengeli, Shakespeare, Sterne, Goethe, Poe, Balzac, Lewis Carrol, Proust, Kafka, Borges, Pierre Ménard, Joyce... Es el autor del mismo libro abierto que, como la autobiografía de Ginés de Pasamonte, aún no termina". (Fuentes, Carlos; *Cervantes o la crítica de la lectura.* p. 96).

... reconozco los lugares porque aquí he vivido siempre, pero antes no lo sabía porque no estaba acostumbrado a ver lo que fueron al tiempo que veo lo que son. Camino por Marylebone Road con sus casas de ladrillo y sus aguilones verdes, pero al mismo tiempo y en el mismo espacio recorro los cotos de caza del rey, observo el vuelo de los faisanes y escucho el rumor de las liebres (*Cumpleaños*, p. 226).

Otro tanto podría señalarse en la historia de Artemio Cruz, cuya muerte viene a coincidir con el momento de su nacimiento como forma de señalar el fin y el inicio de uno de los múltiples ciclos repetidos en la historia mexicana.

El peculiar *manejo de los tiempos verbales* en varias novelas determina la existencia de una particular perspectiva narrativa que crea asimismo esa impresión circular y de atemporalidad. Tal circunstancia se convierte en uno de los elementos más destacados de dos relatos que vieron la luz en el mismo año: *Aura* y *MAC*.

En *Aura* nos hallamos ante una forma narrativa que se mantiene uniforme a lo largo de toda la obra. Se trata de la segunda persona del singular, que se combina con tiempos verbales en presente y futuro. La aparición de este último supone una clara distorsión del habitual punto de vista narrativo, ya que resulta infrecuente que se refiera la historia desde una situación aparentemente anterior al momento de ejecución de los hechos. Sin embargo, un detenido examen de las ocasiones en que surge la expresión en futuro en *Aura* nos descubre que su presencia no implica alteración alguna del orden lineal de la historia; se trata de un "futuro inmediato" que indica una acción que tendrá lugar con una inmediatez muy cercana a la órbita temporal que abarca el tiempo presente:

Caminas con lentitud, tratando de distinguir el número 815 en este conglomerado de viejos palacios coloniales (...). Levantarás la mirada a los segundos pisos: allí nada cambia (*Aura*, p. 13).

Si el futuro no cumple una función "proléptica" o de anticipación en la organización temporal del relato, sus repercusiones se han de buscar por tanto otro plano, y fundamentalmente en las distintas connotaciones que su empleo comporta a nivel semántico: el narrador se coloca por encima de los acontecimientos y relata hechos que, aunque van a suceder inmediatamente, aún no se han producido en el momento de la emisión. Esto demuestra que él *ya sabe* lo que va a ocurrir y esto sólo puede conocerlo quien ya ha vivido la experiencia. Si consideramos al "presente" como la "situación real" del narrador advertimos que, aunque los sucesos se encuentren realmente en un pasado, éste, en lugar de utilizar el tiempo pretérito, emplea el presente y el futuro de indicativo. Esto indica que el narrador está re-viviendo lo que cuenta: está relatando algo que le está sucediendo, pero que a la vez ya le ha sucedido, lo cual le permite expresar el futuro inmediato de la acción. Asistimos pues a una hábil manipulación temporal, lograda mediante una distorsión entre la situación real del narrador y la perspectiva que adopta; con ello se logra una quiebra en la línea lógica del tiempo, confundiéndose el pasado (en que ocurrió la acción relatada) el presente y el futuro (tiempos verbales en que la acción nos es referida). La que se ha vivido se está re-viviendo y —según indica el futuro— se volverá a vivir. De esta forma, el autor está creando la evidencia de un "tiempo cíclico" donde las líneas se confunden en un "eterno presente" y todo vuelve a ser lo que ha sido. Esta técnica introduce asimismo en el relato la idea de "fatalismo" o destino inevitable:

> Entrarás a la recámara. Las luces de las veladoras se habrán extinguido. Recordarás que la vieja ha estado ausente todo el día y que la cera se habrá consumido, sin la atención de esa mujer devota. Avanzarás en la oscuridad hacia la cama. Repetirás... (*Aura*, p. 60).

Los rasgos semánticos del futuro que, como se ha dicho, se refieren a la idea de posterioridad, y los contenidos de "realidad", "realización" y "efectividad" inherentes al indicativo[17] contribuyen a crear en *Aura* ese ambiente de determinismo y predestinación. Esta circunstancia encuentra su explicación en la idea anterior: si los hechos están repitiéndose continua y cíclicamente, lo que ya ha sucedido en un momento volverá *inevitablemente* a suceder; así lo vió también Gloria Durán:

> Así, el 'tú', la segunda persona, forma familiar en que está escrito el relato, puede interpretarse como su más viejo, más sabio, subconsciente yo, conocedor del secreto del destino, quien observa los movimientos de Felipe desde el ventajoso lugar de una pasada experiencia. Sabe con precisión lo que va a hacer Felipe porque él ya lo hizo en una existencia anterior. Así, aunque el narrador hable frecuentemente en tiempo futuro, cuenta con un sólido elemento del pasado; es un *futuro inevitable*[18].

[17] Ver, Alarcos, Emilio; *Estudios de gramática funcional del español.* Madrid, Gredos, 1973, p. 101.

[18] Durán, Gloria; *La mujer y las brujas...*, pp. 68-69.

En *MAC* el análisis del futuro en la narración en segunda persona revela unos contenidos similares, si bien en principio se puede advertir una mayor complejidad en cuanto a la significación de este uso verbal.

Al igual que sucedía en *Aura* resulta evidente la presencia de un *futuro inmediato,* que alterna con el presente y en ocasiones con el pasado, y mediante el cual se refiere una acción que prácticamente está ocurriendo. Sin embargo, también es posible detectar la presencia de otro tipo de contenidos distintos, expresados por medio de este tiempo: son los momentos en que Artemio rememora su vida pasada:

> ... tú bajarás la cabeza acomo si quisieras acercarla a la oreja del caballo y cicatearlo con palabras. Sentirás —y tu hijo deberá sentir lo mismo— ese aliento feroz, humeante, ese sudor, esos nervios tensos, esa mirada vidriosa del esfuerzo. Las voces se perderán bajo el estruendo de los cascos y él gritará... (*MAC,* p. 224).

En este caso se trata de una especie de *futuro-pasado* donde claramente se reitera la sensación de tiempo cíclico, perceptible de manera particular en algunos párrafos donde incluso se disloca la construcción lógica temporal:

> Si, ayer volarás desde Hermosillo, ayer nueve de Abril de 1959, en el vuelo de la Compañía Mexicana de Aviación... (*MAC,* p. 13).

En otros momentos, en cambio, el futuro adquiere su auténtico carácter de "anunciador" del porvenir y se convierte en un *futuro-profético:*

> ... aceptarás tu testamento: la decencia que conquistaste para ellos, la decencia: le darán las gracias al pelado Artemio Cruz porque los hizo gente respetable (...) te justificarán porque ellos ya no tendrán tu justificación (*MAC,* p. 276).

Por último, en el episodio en el que Artemio se arrepiente de las elecciones realizadas en su vida, nos encontramos ante un *futuro-imposible,* negado por la realidad de lo acaecido.

A pesar de estas diferencias, las connotaciones que introduce en el relato el empleo de este tiempo verbal son básicamente las mismas que en *Aura.* Por una parte, la sensación de "tiempo cíclico" se encuentra marcada por ese *futuro-vivido* que apunta directamente a la repetición de los hechos. También aparece ese tono de fatalismo e inevitabilidad, íntimamente ligado, como se ha dicho, a la idea de "retorno". Fuentes crea nuevamente la imagen del "eterno presente" o tiempo detenido, lo cual se ha de ligar al papel que juega Artemio en la novela como símbolo o paradigma de la historia de México.

Por último, también en algunos pasajes de *CP* se puede percibir la presencia de esta peculiar y ambigua perspectiva narrativa que en este caso no es empleada de forma regular como sucedía con las obras anteriores:

> *Cruza* la calle y entra en la oficina de telégrafos (...) *Empezó* a extender los telegramas no anunciados (...) *tendrá* que regresar al gabinete de radiología (...) y cuando la enfermera pronuncie su nombre, Javier se *pondrá* en pie (*CP*, pp. 55-56. El subrayado es mío).

La *alinealidad del relato* se convierte en otro de los procedimientos usuales de Fuentes en la construcción del orden temporal de sus novelas. Tan sólo en muy contadas ocasiones se atienen éstas a los cánones "clásicos", y muy por el contrario, son frecuentes en ellas las alternancias constantes —analépticas y prolépticas— que suelen generar desconcierto en el lector, a quien de ordinario no se le advierte a qué momento pertenece el suceso que está siguiendo. El relato se construye así como una especie de "puzzle" que el receptor ha de reorganizar de acuerdo con su propio ingenio y sagacidad. Por medio de esta fórmula el escritor mexicano manifiesta su rechazo al tiempo sucesivo y crea la mencionada sensación de atemporalidad.

En *CP* el narrador, Freddy Lambert, refiere los sucesos desde una situación total y deliberadamente ambigua. Por lo que se deduce de la lectura, parece que en un primer momento el misterioso personaje conoce la historia de los viajeros a través de su trato personal y de las informaciones proporcionadas por las dos mujeres, de manera especial por Elizabeth. Seguidamente él les pasa esta información a los beatniks y todos ellos emprenden viaje a Cholula, lugar donde se llevará a término el crimen. Tras la muerte de Franz, Elizabeth —que en uno de los posibles finales muere también en un derrumbe en la pirámide— visita a Freddy en el manicomio donde ha sido recluído y le comunica la conclusión de toda la historia, que finalmente Lambert "recuenta" dirigiéndose, en un estilo epistolar, a Elizabeth e Isabel. Como se puede deducir de lo afirmado, estamos ante un complejo entramado temporal, que se traduce en el relato en una ruptura de la linealidad y en una constante superposición, a menudo caótica, que suscita en el lector la impresión de hallarse ante un universo estático, en el que no cabe hablar de evolución, sino de constantes proyectos y paralelismos entre todos los momentos de la historia.

Algo similar podría señalarse en los "saltos" temporales y la indeterminación de la personalidad del narrador en las partes primera y tercera de *TN,* en las continuas proyecciones al pasado de la memoria de Artemio Cruz y de los personajes de *RMT,* así como de la particular perspectiva narrativa del enloquecido Mito, de *ZS*, en cuya mente se confunden y entremezclan las categorías tempo-espaciales.

Estas técnicas creadoras del "tiempo cíclico" y del "eterno presente" se ven acompañadas de múltiples *alusiones de los personajes* referidas a la falsedad del tiempo lineal. Quizá las obras donde más presentes se hallen estas reflexiones sean *Aura* y *Cumpleaños*, cuyos protagonistas, Felipe Montero y George, conocen al final de su experiencia la auténtica dimensión de la temporalidad:

> No sé de donde traigo estas categorías imposibles: el tiempo se me ha vuelto tan ancho como algunas premoniciones, tan estrecho como ciertos recuerdos (*Cumpleaños*, p. 177).

Del mismo modo, Ludovico, personaje presente en la práctica totalidad de la acción de *TN*, declara casi al final de la novela haber servido "al eterno presente del mito" (*TN*, p. 746). El tema se repite, con ciertas variantes, en un comentario de Hugo Heredia en *UFL:* "Percibimos parcialmente una sucesión lineal y creemos que no hay otro tiempo" (*UFL*, p. 17)[19].

En una dimensión mexicana, este contenido se refleja en las repetidas menciones que se hacen en las obras de Fuentes a la inexistencia de estaciones en México, aspecto que se relaciona con la ausencia de fluir temporal. Valga como ejemplo la reflexión de Rodrigo Pola en *RMT:*

> Pensó que hacían falta estaciones, (...) una primavera: un renacimiento, no esta prolongación idéntica a sí misma, sin hitos, sin calendarios, sin un tiempo de reposo. —Perdemos la cuenta, Ixca. Todos los días, aquí como que son iguales. Polvo o lluvia, un sol parejo, nada más. ¿Qué cosa puede resucitar este mundo parejo, Ixca? (*RMT*, p. 377)[20].

De forma paralela a estas alusiones internas fluye en los relatos de

---

[19] No considero necesaria una presentación exhaustiva de las distintas ocasiones en que los personajes de Fuentes hacen alusión directa a la inexistencia de un tiempo lineal, por tratarse de una idea que se repite en prácticamente la totalidad de sus relatos. Basten los ejemplos ofrecidos, que se podrán ver completados con otras afirmaciones de interés en este sentido presentes en *TN* (pp. 485 y 658) o en *UFL* (p. 18).

[20] Encontramos afirmaciones similares en otro momento de la misma novela (p. 176) y en otros relatos, tales como *Tlactocatzine...* (p. 37), *LBC* (p. 96),*CP* (p. 110), o *GV* (p. 107).

Fuentes un profuso *simbolismo* relativo a estas ideas de "regeneración" y "muerte-renacimiento". Con ellas se relacionan la gran mayoría de las referencias míticas y mitológicas que encuentran cabida en estas páginas, así como los personajes y figuras arquetípicas asociadas, tales como la Madre Tierra o el andrógino[21]. Aparte de estos, cuyo significado y función tendré oportunidad de estudiar más adelante, se percibe la presencia de otros "símbolos cíclicos" —en terminología de G. Durand— tales como *el laberinto* y *la caverna iniciática,* cuya existencia es detectable de forma principal en los relatos que siguen a nivel estructural las pautas de "la aventura del héroe".

El laberinto es un símbolo iniciático por naturaleza que representa el lugar que permite o veda el acceso al espacio sagrado. Es, por tanto, el reflejo de las "pruebas iniciáticas" que en las sociedades tradicionales se realizan con anterioridad a la ceremonia definitiva, y en la mayoría de las narraciones mitológicas se pueden relacionar con este símbolo el cúmulo de dificultades que el personaje debe salvar para hacerse con el objeto mágico. Ya se ha tenido oportunidad de comprobar en el apartado anterior las modalidades de aparición de esta figuración en las novelas de Fuentes, que es sugerida de forma explícita como "antesala del tempo iniciático" en *Cumpleaños, CP* y *TN.*

Superado el problema del laberinto, el héroe-personaje accede al "templo", lugar sagrado que supone el trasunto de la *caverna iniciática,* función que en el presente corpus novelístico cumplen los caserones o edificios donde los personajes experimentan extrañas vivencias que a la postre les permitirá acceder al definitivo conocimiento - iniciación[22].

El símbolo del *doble* —relacionado con la técnica de superposición anteriormente comentada— hace su aparición, de una u otra manera, en la práctica totalidad de las novelas del autor mexicano. Por medio de esta figuración los personajes pierden su propia individualidad, especialmente en el sentido temporal, y, como sucede en *Aura* o *Cumpleaños,* se ven como "otros", como una proyección de ellos mismos pertenecientes a otro tiempo y lugar. En el segundo relato mencionado, George se enfrenta directamente a su propio doble o "sosias", en cuya evolución contempla los ciclos ininterrumpidos de la vida humana y comprende el misterio de la reencarnación. Por medio de este símbolo se está aludiendo

---

[21] Ver apartado dedicado a "referencias míticas y mitológicas".

[22] Sobre el significado y la función de estos edificios en la obra estudiada, ver en el apartado siguiente el punto dedicado al espacio.

en la novela a la idea de la eternidad del ser humano, sujeto, como el tiempo y los ritmos de la Naturaleza, a una constante vuelta que excluye la posibilidad de muerte definitiva.

También en ocasiones se encuentran alusiones a animales, plantas u objetos cuyo simbolismo remite a la idea de "renacimiento". Tal es p. ej. el sentido del caballo, que hace su aparición en *Cumpleaños* y en *ZS*, del tigre *(Cumpleaños)*[23], del toro y el caracol *(TN)* o de los lotos *(Cumpleaños)*, figuras todas ellas alusivas al ritmo inalterable de destrucción-creación y que suelen aparecer acompañando momentos "claves" de la estructura mítica o en alusiones o recuerdos de los personajes[24]. Por otro lado, ya ha sido apuntado en otro momento el significado del mar como símbolo de regeneración en el caso concreto del viaje que emprenden los cuatro protagonistas de *CP*[25].

El peculiar tratamiento del tiempo en el orden interno de la narración que se desprende de todos los ejemplos mencionados, viene a profundizar en varios temas y contenidos ya advertidos en otras partes del presente estudio, y que hacen referencia a la posición de Fuentes ante la Historia tanto en un sentido universal, relativo al proceso general de la Humanidad, como particular, centrado en su propio país.

La interpretación de la Historia humana entendida no como un progreso continuado y lineal, sino como un círculo que vuelve continuamente sobre sí mismo, aparece ya en el cuento *El que inventó la pólvora*. El descubrimiento que logra el único superviviente de la catástrofe atómica al reinventar la chispa del fuego, nos coloca al comienzo del proceso de una carrera tecnológica que, nuevamente, habrá de acabar con la destrucción del mundo.

Este tema aparece desarrollado con una mayor extensión y complejidad en *CP*. No creo necesario repetir aquí los contenidos observados en el estudio de la estructura mítica; baste tan sólo con recordar que el relato, en todas sus dimensiones mítico-simbólicas, remite a la idea del cambio, del ciclo, y presenta un panorama del mundo actual signado por una violencia eternamente repetida. Si algo hay en común a la raza humana

---

[23] El símbolo del tigre en este relato parece haber sido tomado directamente del poeta inglés W. Blake. La influencia de este autor es notoria en toda la narración, e incluso en un momento de la misma Fuentes sigue, prácticamente de forma literal, un poema del escritor británico titulado "London".

[24] Para comprobar el signficiado simbólico de estas figuras, ver el libro de Eduardo Cirlot *Diccionario de símbolos*. Barcelona, Ed. Labor, 1979.

[25] Ver el punto dedicado a esta novela en el apartado de "estructuras míticas".

de todo tiempo y lugar —parece decir *CP* y con ella la mayoría de las obras de Fuentes— es la dinámica de violencia y de opresión del semejante; el escritor coincide en este punto con las teorías lanzadas por determinados antropólogos y etnólogos de la actualidad, como René Girard o Edward C. Whitmont, para quienes esta faceta de muerte y destrucción constituye un componente innato del inconsciente humano[26]. Estos instintos han estado siempre canalizados por un "centro ordenador" superior que los ha utilizado al servicio de una ideología política o religiosa para lanzar a las masas al exterminio de "lo otro" y de esta manera afianzarse en el poder. Estos "núcleos de decisión" recayeron en el pasado en manos de reyes o gobernantes dictatoriales (Tiberio o Felipe II, en *TN)* y en la historia moderna se prolongan en determinadas ideologías fanáticas (p. ej. el nazismo en *CP)* y principalmente en el papel que desempeñan las dos superpotencias como polos a cuyo alrededor gravita la vida del mundo de hoy. Este último aspecto es tratado ampliamente en *CH,* donde el enloquecedor "juego" mantenido en última instancia entre la CIA y la KGB es un exponente del que, a nivel mundial, ejecutan las dos naciones que sustentan estos servicios de inteligencia.

Dentro de este entramado de continuas repeticiones y caídas, el hombre se encuentra fatalmente predestinado a no ser más que un mero juguete de la superestructura del poder reinante; no existe la posibilidad de salida: el ser humano vive en la ilusoria creencia de la libertad y de la capacidad de decisión personal cuando en realidad forma parte de una masa amorfa y anónima donde es impensable la acción individual. Tal es la conclusión a que llega Félix Maldonado al final de su aventura y de contenido muy similar es la enseñanza que recibe George de Siger de Brabante:

> ... conocí la elemental y clara verdad: ser engendrado, nacer, morir, son actos ajenos a nuestra libertad; se burlan ferozmente de lo que, precariamente, tratamos de construir y ganar en nombre del albedrío (*Cumpleaños,* p. 217).

También en esta línea se ha de enmarcar el fracaso de Jaime Ceballos, que no puede romper el determinismo ambiental que lo empuja desde su nacimiento a integrarse en la vida de apariencia y de hipocrecía de la sociedad burguesa de Guanajuato.

En otras obras las indicaciones temporales se relacionan con la nación mexicana. La posición de Fuentes la resume Ixca Cienfuegos cuando

---

[26] Girard, René; *La violencia y lo sagrado.* Barcelona Anagrama, 1983. Whitmont, Edward, C.; *Retorno de la Diosa.* Barcelona, Argos Vergara, 1984.

define a México como un país donde "todo vive al mismo tiempo" (*RMT*, p. 546). La totalidad de sus momentos históricos coexisten en un lugar donde no se percibe evolución ni progreso; la antigua mentalidad indígena, con su particular concepción del mundo y sus figuraciones mitológicas, sigue presente y actuante en el aparente mundo civilizado de hoy (*Por boca de los dioses, Chac Mool, RMT*), y la nación vive empeñada desde antiguo en enmascarar su propia identidad bajo la imitación de moldes extranjeros, sean españoles, franceses (*Tlactocatzine..., Aura*) o norteamericanos (*MAC, CP, TN, AQ*) en lo que supone una situación perenne de sometimiento a un poder exterior.

También en el orden de la historia interna del país se percibe la perpetuación de la dinámica de la violencia, que el autor relaciona con la necesidad de ofrecer sacrificios al sol, propia del espíritu indígena, y con el mito cultural de "la chingada". La primera postura la expone Manuel Zamacona en una de sus intervenciones:

> —Lo espantoso, Cienfuegos, es que a veces no sabe uno si esta tierra, en vez de exigir venganza por tanta sangre que la ha manchado, exige esa sangre (*RMT*, p. 478).

La muerte de este mismo personaje, sorprendente y sin motivo aparente vendrá a ser un exponente de esta violencia innata e irracional, y lo mismo podría decirse del asesinato de Federico Silva en el cuento de *Las Mañanitas*. Cuando no se aplica sobre el ser humano, esta avidez de sangre se sacia con los animales y especialmente con los perros callejeros, como se relata en el cuento *Estos fueron los palacios*

> ... ya no sé si les hacen esto a las pobres bestias para no hacérselo entre sí, o si sólo se entrenan con ustedes para lo que se van a hacer ellos mismos mañana, quién sabe...[27].
> Me digo que si no fuese por ellos, a mí me tocaría la paliza. Como si los perros estuvieran siempre entre los demás muchachos y yo, sufriendo por mí (*AQ*, p. 58).

En otro orden de cosas, queda patente que en México sólo sobreviven y triunfan aquéllos que, como Artemio Cruz, han sabido hacer del "chingar" su lema vital, mientras que los idealistas como Gonzalo Bernal o el coronel Arroyo están condenados al fracaso y a la muerte[28].

---

[27] Fuentes, Carlos; *Agua Quemada*. México, FCE, 1981, p. 55. Todas las citas ulteriores de este volumen remitirán a la presente edición.

[28] Sobre el mito cultural de "la chingada", ver punto dedicado a los "mitos culturales mexicanos" en el siguiente apartado.

Todos estos son temas candentes dentro de las preocupaciones personales del autor, constantemente tratados y debatidos en sus ensayos y artículos periodísticos. Fuentes trata de hacer consciente al hombre mexicano —e hispanoamericano— de la situación real en que vive: situación de atraso propiciada por su eterna sumisión a poderes extranjeros —en la actualidad al colonialismo económico de EE.UU.— y la ambición rapaz de sus gobernantes, aspectos que se vienen a unir a la ignorancia completa de la propia identidad y tradición, y que imposibilitan la existencia de un proyecto vialbe de futuro. El escritor, en obras como *Aura* o *MAC* apela directamente al lector, a través del empleo de la segunda persona narrativa, para inquietarlo, hacerle despertar y sumergirlo en el conocimiento de una historia necesario para hacer posible el cambio. Sin embargo, la particular filosofía de Fuentes no muestra muchos resquicios para el optimismo: tan sólo una commoción profunda, similar al Apocalipsis que se describe en *TN*, sería capaz de cambiar el rumbo de la Humanidad. Incluso esa solución drástica podría no ser suficiente, puesto que el drama, como queda dicho, anida en la propia interioridad del hombre, que puede volver a repetirlo indefinidamente (*El que inventó la pólvora, CP*). Esta perspectiva, entre pesimista y tímidamente esperanzadora, que recorre la obra de Fuentes se decanta totalmente hacia la primera vertiente en sus recientes relatos, y más particularmente en *AQ* donde ya tan sólo se deja constancia de que la transformación no ha sido —no es— posible y únicamente resta una melancólica resignación.

2) El espacio

La dimensión espacial es, junto con el narrador y el tiempo, una de las más importantes categorías estructurales del relato y uno de los factores de relevancia que pueden contribuir a la creación del "ambiente mítico". La novela de hoy, en consonancia con su intento de rescate de las formas de pensamiento y percepción "míticas" del individuo, abunda en lo que Ricardo Gullón ha denominado "espacios simbólicos"[29] que tienen como nota determinante la ruptura que se lleva a cabo en su interior con las categorías "reales" y "objetivas" del mundo exterior. Su caracterización tiene evidentes puntos de contacto con el concepto del "círculo mágico" o lugar aislado del mundo "profano", figuración de la

---

[29] Gullón, Ricardo; *Espacio y novela*. Barcelona, Antoni Bosch, 1980.

que se deriva el concepto del "templo" sagrado como lugar alejado de la contaminación del mundo "de fuera". En la novela moderna cumplen esta función aquellas zonas delimitadas por una frontera precisa: "Habitaciones herméticas, casas incomunicadas, calles o ciudades aisladas, inencontrables"[30], donde el personaje ingresa y experimenta la realidad de una súbita transformación con respecto al mundo del que procede.

Los grandes *caserones antiguos* que hacen su aparición en los relatos de Fuentes cumplen de manera especial esta función de "templos iniciáticos", y el autor normalmente se encarga de remarcar la diferencia existente entre el mundo que abandona el personaje y el lugar al que ingresa, generalmente tras un rito de tránsito[31]. El simbolismo que acompaña este momento —como el "centro" *(Aura)* o el propio "umbral"— contribuye a definir el lugar como "zona sagrada". En *Aura* el contraste se destaca especialmente:

> La puerta cede al empuje levísimo, de tus dedos, y antes de mirar por última vez sobre tu hombro, frunces el ceño porque la larga fila detenida de camiones y autos gruñe, pita, suelta el humo insano de su prisa. Tratas, inútilmente de retener una sola imagen de ese mundo exterior indiferenciado

Lo mismo puede decirse del ambiente que se crea en el cuento *Tlactocatzine...* dentro del vetusto edificio donde reina incluso un tiempo meteorológico diferente al del exterior:

> Hoy, aquí, sí he vuelto a experimentar, con un dejo nórdico, la llegada del otoño. Sobre el jardín (...) algunas hojas han caído del emparrado (...) y la lluvia incesante parece lavar lo verde (...). Entré corriendo a la casa, atravesé el pasillo, penetré en el salón y pegué la nariz a la ventana: en la Avenida del Puente de Alvarado, rugían las sinfonolas, los tranvías y el Sol, Sol monótono[32].

El tema se repite en *UFL* donde se describe el ambiente "invernal" que reina en la casa de Enghien (cuyo jardín se halla cubierto de hojas secas) cuando aún no ha comenzado el otoño (p. 38).

---

[30] *Ibid.*, p. 27.

[31] Ver apartado dedicado a "estructuras míticas".

[32] Fuentes, Carlos; *Los días enmascarados*. México, ERA, 1982, pp. 37-39. Todas las referencias a este volumen remitirán a la presente edición.

Una vez en el interior del edificio, el personaje comienza a percibir que en este nuevo espacio no son válidas las categorías de percepción y medición del mundo exterior; el reloj se convierte en un objeto totalmente inservible:

> No volverás a mirar tu reloj, ese objeto inservible que mide falsamente un tiempo acordado a la voluntad humana, esas manecillas que marcan tediosamente las largas horas inventadas para engañar al verdadero tiempo, el tiempo que corre con la velocidad insultante, mortal, que ningún reloj puede medir. Una vida, un siglo cincuenta años: ya no te será posible imaginar esas medidas mentirosas, ya no te será posible tomar entre las manos ese polvo sin cuerpo (*Aura*, p. 59).

Como factor "escénico" que rodea la experiencia de los personajes cabe destacar la presencia de los juegos de "luz" y "oscuridad", que en opinión de Cassirer constituyen elementos importantes en la configuración espacial de la mentalidad mítica[33]. Estos son especialmente perceptibles en "Tlactocatzine...", *Aura* y *Cumpleaños*.

En *Aura*, Felipe Montero experimenta una incómoda inseguridad en la constante penumbra que reina en el caserón de Consuelo. Felipe viene de un mundo "de luz", en el que el sentido de la vista es predominante e ingresa a un mundo "de tinieblas", donde se siente indefenso y duda costantemente de sus sentidos: "Dudas, al caer sobre la butaca, si en realidad has visto eso". (*Aura*, p. 31). Esta dicotomía "luz/oscuridad" puede ponerse en relación con otras oposiciones presentes en la novela, como son las de "realidad/irrealidad" y "racionalismo/onirismo", las cuales, en definitiva, vienen a representar la oposición fundamental entre "sentimiento lógico" y "sentimiento mítico"[34].

Felipe entra en un lugar donde dominan las fuerzas de la oscuridad y el misterio. Pronto comienza a ser testigo de una serie de hechos que

---

[33] "Invariablemente —dice Cassirer— el desenvolvimeinto del sentimiento mitológico espacial tiene su punto de partida en la antítesis de *día* y *noche, luz* y *oscruidad*". *ob. cit.*, p. 131.

[34] Eduardo Thomas y Guillermo Gotschlich señalan que el contraste entre "luz" y "oscuridad" y el sentido aquí expuesto, se proyectan también en la dimensión espacial de la casa, de forma que, "la polaridad buhardilla-zaguán, entonces, corresponde a la oposición entre los poderes de la razón y los de lo irracional, natural, esencial y profundo". (Thomas, E. y Gostchlich G.: "Procesos de embrujamiento y estructura del relato en *Aura*". *Revista Chilena de Literatura*, núm. 16-17, (Octubre 1980 - Abril 1981), pp. 343-344).

superan su mente racional, y que él estará intentando siempre "traducir" a términos lógicos, circunstancia que lleva contínuamente a interpretaciones erróneas. Estos conceptos de "lógica" y "racionalismo", aplicados al mundo de Montero, se unen al de "luz", también característico de aquél, del mismo modo que los conceptos de "irrealidad" y "onirismo" se ponen en relación con "oscuridad" y "tinieblas", notas dominantes del mundo de Consuelo. La correspondencia entre estos conceptos se advierte en aquéllos momentos en que Felipe, al igual que intenta "traducir" lógicamente lo que observa, intenta iluminar la oscuridad:

> Buscas en vano una luz que te guíe. Buscas la caja de fósforos en la bolsa de tu saco... (*Aura*, p. 14).
> Decides bajar, a tientas, a ese patio techado, sin luz (...). El fósforo ilumina, parpadeando, ese patio estrecho y húmedo (...). Te quedas solo con los perfumes cuando el tercer fósforo se apaga (*Aura*, pp. 46-47).

Felipe está tratando, simbólicamente, de introducir la "razón", la "realidad" mundana en el extraño mundo al que ingresa, de forma que ambos ambientes quedan así separados por las siguientes connotaciones:

"Mundo" de Felipe	*"Mundo" de Consuelo*
Lógica	Onirismo
Racionalismo	Irracionalismo
Luz	Oscuridad

Mediante estas oposiciones, Fuentes pretende reflejar al prototipo del hombre "normal", que vive en un mundo regido por unos esquemas mentales determinados y presididos por los sentidos externos, enfrentado a su "otra cara", al lado oculto de su ser, constituído por las fuerzas inmateriales, desconocidas y oscuras. De nuevo, tras este contenido se advierte la presencia de uno de los temas favoritos de Fuentes: La crítica a la "comodidad burguesa", que confunde la realidad con su propia percepción del mundo y se halla cerrada a la admisión de la existencia de una "segunda realidad"; sin embargo, ésta forma parte esencial del ser humano y, aunque negada, fluye de forma inconsciente en la vida diaria.

Situaciones similares, aunque menos desarrolladas que ésta, se podrían indicar en los restantes relatos mencionados.

En estos viejos edificios —cuya connotación de atemporalidad viene dada por su supervivencia en el mundo moderno y su contraste con las actuales construcciones— tendrá lugar el proceso de conocimiento y aprendizaje —en definitiva, de "iniciación"— de los personajes en los misterios del mundo, especialmente en lo relativo al tiempo y a la personalidad.

También resulta relativamente frecuente en las novelas aquí estudiadas la aparición de zonas y lugares que actúan como auténticos *microcosmos* de una realidad más amplia. Es el caso del hotel donde habita el protagonista del cuento *Por boca de los dioses*, que se erige en auténtico espacio representativo de la realidad del país: por el sótano del moderno edificio vagan en la penumbra los dioses del orden antiguo[35] y su propia estructura piramidal —trasunto de la propia jerarquización de México— se deduce del sacrificio final en la parte más elevada de la casa.

Por su parte, en *TN*, el Escorial y su figuración contemporánea, el Valle de los Caídos, se convierten en la imagen de la España pétrea, intolerante, encerrada en sí misma y fuertemente defendida de las posibles "agresiones ideológicas" contrarias a sus convicciones oficiales.

En la misma línea, la hacienda Miranda, en la que transcurre gran parte de la acción de *GV* puede considerarse como una imagen de la nación en el momento de la acción revolucionaria: los que hasta entonces habían estado oprimidos se instalan en el poder desalojando a la antigua oligarquía, y el pueblo, por vez primera, se contempla en el espejo y reconoce su identidad[36].

En otros momentos, los espacios se construyen a medida de una persona determinada, quien los utiliza como auténticos *templos* de sus *mitos personales*. El caso más evidente es el apartamento de Guillermo en *ZS*, convertido por el propio protagonista en una defensa contra el mundo exterior:

> Corro a mi casa, cruzo mi umbral y se lo que es: la frontera de mi país privado, de mi zona sagrada (...). Aquí regreso, como los incas, a renovar mi energía y (...) sólo en este espacio me renuevo (*ZS*, pp. 30-31). La zona sagrada me aisla y me continúa: afuera queda lo profano (*ZS*, p. 32).

---

[35] Fuentes, Carlos; *Cantar de ciegos*. México, Joaquín Mortiz, 1964, p. 70. Todas las citas del presente volumen remitirán a esta edición. Acerca de este tema, Fuentes ha comentado en una entrevista reciente "Mi país es un país de muchos niveles, de muchos pisos, y hay un sótano, hay un sótano que sí esta habitado por los dioses mexicanos. De cuando en cuando asoman la cara y hacen muecas, juegan travesuras, hacen bromas, pero se manifiestan de cuando en cuando". (Jihard, Kadhim: *ob. cit.*, p. 4).

[36] Ver significado del espejo en el apartado dedicado a "referencias mitológicas".

174

La casa de Mito posee las características propias del "santuario" que guarda los objetos y las imágenes de culto. En este caso, cumplen esta función las películas de Claudia, que el joven contempla repetidamente, así como los perros, los discos y el suéter, verdaderos "fetiches" que suplantan a la actriz[37]. El apartamento es por tanto el "templo" dedicado a la "diosa" Claudia Nervo, y por ello Mito se ve a sí mismo como un ángel de la divinidad que adora:

> Me acaricio lentamente y me veo liberado del deseo ajeno, solo en mi gruta encantada, pronto a convertirme en el deseo propio: putto, ángel inmaculado que no tomará marido ni mujer, querubín desinteresado (*ZS*, pp. 92-93).

Lo mismo, aunque en menor medida, podría decirse de El Escorial, lugar donde Felipe II proyecta sus obsesiones, y de la casa del conde Branly, anclada, como su propietario, en el ambiente de un aristocraticismo obsoleto y receptora de reliquias que el anciano intenta defender de "la posible invasión de la calle" (*UFL,* p. 38).

Por último, cabe señalar la existencia de *otros espacios* que, de forma diversa, cumplen el papel de "lugar sagrado" en la novelística de Fuentes. A este respecto ya se ha señalado la inequívoca función que en el sentido mencionado cumple la *ciudad de Cholula,* y más específicamente la pirámide, en *CP,* como lugar de iniciación. Esta nota determinante también podría aplicarse al dormitorio de Claudia en *ZS* que, en palabras de Margaret Sayers-Peden "Is holy too because it is the site of Mito's assumtion of his mother's personality, the site of the ritual of possession"[38].

Mención especial merece la característica como zona sagrada de la *Ciudad de París* en *TN* y *UFL.*

En *TN* París es el escenario donde se producen los prodigios apocalípticos y donde se oficia la ceremonia que supone el fin del milenio y el nacimiento de una nueva Humanidad: allí tiene lugar la unión definitiva de Polo Febo y Celestina, y en este espacio se reúnen también a esperar el fin del mundo los personajes más representativos de la reciente novela hispanoamericana, que rememoran, en actitud lúdica, la historia de opresión de sus respectivos países:

---

[37] Ver Sarduy, Severo: "Un fetiche de cachemira". En Giacoman, *ob. cit.* pp. 261-273.

[38] ("... es también sagrado porque es el lugar de la asimilación de Mito de la personalidad de su madre, el lugar del ritual de posesión"). Sayers-Peden, Margaret: "The World of the Second Reality in Three Novels by Carlos Fuentes". En VVAA: *Otros mundos, otros fuegos,* Michigan Estate University, 1975, p. 84.

—Chorros, vos, tu papa y tu mama, decía triunfalmente Oliveira, extendiendo un póker de prisiones sobre la mesa: las tinajas de San Juan de Ulúa, la isla de Dawson, el páramo de Trelew y el Sexto de Lima. A ver, topen esa...
(...)
—¿Tú, Zavalita, qué tenés?
—Tercia de exterminios en plazas públicas, pues. Maximiliano Martínez en Izalco, Pedro de Alvarado en la fiesta del Tóxcatl y Díaz Ordaz en Taltelolco.
—Las dos últimas son la misma. Vale por par, pendejo (*TN*, pp. 766-777).

"Oliveira, Buendía, Cuba Venegas, Humberto el mudito, los primos Esteban y Sofía y el limeño Santiago Zavalita" (*TN*, p. 765) esperan el final en París, espacio que adopta el significado del "centro mítico", del "axis mundi"; lugar que es todos los lugares a la vez, especie de "aleph" que reúne todos los tiempos. Es el templo final de la iniciación, punto de encuentro del ser americano:

> Quizás París será el punto exacto del equilibrio moral, sexual e intelectual entre los dos mundos que nos desgarraron: el germánico y del mediterráneo, el norte y el sur, el anglosajón y el latino (*TN*, pp. 756-766).

París, como señala Fernando Aínsa, es el lugar mítico adonde acuden los seres del universo novelesco latinoamericano en ese "movimiento centrífugo" en busca de su identidad[39]. La ciudad, por tanto, trasciende los límites del mero espacio físico y se convierte en el núcleo espiritual del americano y en el "templo" que recibe el rito de la renovación con su posible mensaje de esperanza futura. Como subraya Pedro Trigo: "París es el lugar mítico en el que el pasado acaba para que nazca la historia reconciliada, la tierra de nadie, fuera del imperialismo español del pasado y del actual de USA"[40]. Esta ciudad reaparece en *UFL*, novela en la que se plantean de nuevo problemas relativos a la identidad y a la personalidad del hispanoamericano. En el "espacio sagrado" del Clos des Renards tendrá lugar también la "fusión" entre André y Victor, que recuerda muy de cerca la creación andrógina de *TN*. En ambos casos se asiste a la destrucción de algo y a una nueva creación, una nueva génesis, en el ámbito

---

[39] Aínsa, Fernando: *Los buscadores de la utopía*. Caracas, Monte Avial, 1977.

[40] Trigo, Pedro: " 'Terra Nostra' de Carlos Fuentes". *Reseña* n. 101 (Enero, 1977). p. 9.

mítico de la "ciudad luz". El autor en esta obra repite por boca de Hugo Heredia las ideas que había expuesto sobre París en la novela anterior:

> Lo primero que Lucie me hizo notar es que cuanto le conté sobre mis antepasados estaba jalonado por ese extraño amor a Francia que supuestamente nos salva a los latinoamericanos de la vieja subordinación hispánica y de la nueva subordinación anglosajona; Francia es como una protección sugura y anhelada (*UFL*, p. 172).

La capital francesa se convierte de nuevo en el "centro mítico" donde, en esta ocasión, se reúnen los fragmentos desgarrados del ser latinoamericano y donde, simbólicamente, éste se reintegra a la unidad[41]. París es por tanto el santuario neutral que supera todas las contradicciones[42].

3) Rituales

Una tercera y última instancia creadora de esta particular "atmósfera" lo contituye la presencia en varios relatos de sucesos o acciones que poseen en el orden semántico interno de la novela un sentido que va mucho más allá del acto en sí mismo. Se trata de lo que podríamos llamar *ritos* o *rituales*, que en su gran mayoría se hallan estrechamente unidos a los procesos iniciáticos anteriormente analizados pero que, en otros casos, surgen como auténticos factores "creadores de ambiente". La inmensa mayoría de los mismos comparecen de la mano de una figura de gran importancia en la narrativa del escritor mexicano: se trata de la bruja, trasunto de la Mujer conocedora de los secretos del mundo. En las novelas de Fuentes resulta corriente encontrarse ante personajes femeninos que desempeñan este papel; brujas son Teódula Moctezuma, Claudia Ner-

---

[41] Desde esta perspectiva, el viaje de Víctor y Hugo a París podría interpretarse, en consonancia con las ideas de Fernando Aínsa, como el trasunto del movimiento centrífugo del americano en busca de su totalidad, que encuentra en Europa y más particularmente en la ciudad mencionada.

[42] Probablemente, tras este destacado papel de la ciudad francesa se halle un intento de justificación de Fuentes dirigido hacia aquellos que en los años 70 le habían atacado por vivir en este lugar, cómodamente instalado y presuntamente despreocupado de los problemas de su país (ver el apartado dedicado a la biografía de Fuentes). El escritor mexicano intenta dar una explicación "étnica" del atractivo de esta capital para el hombre americano y al mismo tiempo demostrar que a pesar de la lejanía siguen afectándole los problemas de América Latina.

vo, Elizabeth, Celestina, la Señora, la Dama Loca, Nuncia y, sobre todo, Aura y Consuelo[43].

Es precisamente en *Aura* donde de forma más obvia hacen su aparición estas ceremonias brujeriles. Así la quema de los gatos en la hoguera, que Felipe contempla desde su habitación, se identifica con un rito destinado a mantener los "hados" favorables y frecuentemente encaminados a la idea de fertilidad. Frazer afirma que esta ceremonia se lleva a cabo en algunos lugares de Francia para obtener buenas cosechas[44], en tanto que Michelet señala la costumbre vigente en algunas zonas de quemar gatos encadenados en la noche de San Juan, "fiesta de la vida, de las flores y del despertar del amor"[45]. El significado concreto de este acto en *Aura* lo ponen de manifiesto las memorias del genral Llorente:

> ... tu m'avais dit que torturer les chats ètait ta manière a toi de rendre notre amour favorable par un sacrifice symbolique... *(Aura, p. 41).*

También el sacrificio del macho cabrío, del que Montero es testigo *(Aura,* p. 43), es un acto perteneciente al ceremonial de las brujas y, según indica de nuevo Michelet, posee un significado similar al anterior[46]. En la novela, por tanto, estos sucesos "mágicos" van encaminados a una idea de "fertilidad", connotación que también se halla presente en el simbolismo del color verde de los ojos de la joven[47]. En consonancia con el tema central de esta novelita, estos hechos pueden interpretarse como "actos propiciatorios" de la "ceremonia" posterior en la que tendrá lugar la "fertilidad" no de la Naturaleza o del ser humano, sino del Espíritu, que nacerá a una vida superior y a un estrato más elevado de conocimiento.

---

[43] Ver al respecto el mencionado estudio de Gloria Durán *La magia y las brujas...*

[44] Frazer, J. G.; *ob. cit.,* p. 45

[45] Michelet, Jules; ob. cit. p. 45

[46] *Ibid.,* p. 200.

[47] June Dickinson Carter añade a esta idea que los tomates y riñones que habitualmente come Aura encierran un valor simbólico relacionado también con la idea de fertilidad (Dickinson Carter, June: "*Aura:* una tragedia psicológica y sociológica". En Lévy, Isaac Jack y Juan Loveluck, *ob. cit.,* p. 116).

La obsesión de Consuelo por mantener viva su juventud coincide con la de Claudia Nervo, que es sorprendida por su hijo oficiando extraños ritos en su particular "templo" (pp. 122-123). Ella se justifica ante Mito con la necesidad de huir del paso del tiempo: "Quiero durar Guglielmo. Estoy buscando la manera, la única que conozco" (*ZS*, p. 203).

Por su parte, en *TN* prácticamente todos los personajes femeninos responden al tipo de la bruja y ejecutan diversas ceremonias. Destaca sobre todos ellos Celestina, ser atemporal y omnisciente, en quien el autor ha querido encarnar la figura pura y auténtica de la bruja, trasunto de "las antiguas diosas del mundo mediterráneo" (*TN*, p. 532) desterradas por la nueva religión y poseedoras de los misterios de la encarnación[48].

Además de estos actos rituales derivados de las actividades brujeriles, otros hechos poseen un significado similar en las obras de Fuentes. Es el caso p. ej. del sacrificio del gato que ejecuta Jaime Ceballos, que con este acto celebra una verdadera ceremonia de tránsito, canceladora de su vida anterior y propiciatoria de la siguiente. Tras este crimen gratuito se destaca la transformación operada en el joven, quien "rogó a otro Dios, nuevo, desprendido del primer Dios de su primera juventud" (*LBC*, p. 185); será el Dios de su tío, Jorge Balcárcel, exponente de los vicios y defectos de la sociedad guanajuatense a la que Jaime decide integrarse.

Basten como muestra estos datos para poner de manifiesto la actuación de uno de los factores, a menudo casi imperceptible, que, junto a las distorsiones temporales y espaciales, contribuye a crear esa particular "atmósfera" que recorre la práctica totalidad de los relatos de Carlos Fuentes. Estos "rituales", como ceremonias propiciatorias que son, se relacionan obviamente con los temas principales advertidos en los anteriores puntos de análisis, de forma que la narrativa de Fuentes comienza a aparecer conformada, en cuanto a sus figuraciones mítico-simbólicas, como algo homogéneo y reincidente en los conceptos de "repetición" y "renovación necesaria". El estudio que sigue a continuación, que abordará el análisis de las distintas referencias míticas y mitológicas presentes en estos relatos, contribuirá a confirmar o contradecir tal impresión.

---

[48] Ver en el apartado siguiente el punto dedicado a "La Mujer".

C) REFERENCIAS MITICAS Y MITOLOGICAS EN LA OBRA NARRATIVA DE CARLOS FUENTES

La tercera y última etapa en el estudio de la narrativa de Carlos Fuentes consistirá en un análisis de la función y el sentido que adoptan las distintas referencias míticas y mitológicas que hacen su aparición de forma reiterada en sus relatos. Estas se relacionan estrechamente con las dos instancias analizadas en los apartados anteriores a través de múltiples correspondencias internas que quizás no se perciban en toda su amplitud en un estudio necesariamente acotado como el presente.

El interés declarado del escritor mexicano por emplear las figuraciones y el simbolismo mítico en la creación literaria, le impulsa a experimentar con ellos en sus novelas, en las que se manifiesta un complejo entramado referencial cuya catalogación y análisis comporta una evidente dificultad. El crítico William Kennedy, refiriéndose a *CP,* pone de relieve la existencia de esta complicada red de alusiones con una afirmación que podría generalizarse a la obra total de Fuentes: "It will take three batallions of literary critics at least two decades to sort out the allusions he piles on".[1].

Un intento de ordenación de todo este caudal temático nos lleva a establecer una división inicial en torno a dos grandes instancias: la primera se corresponde con los temas y contenidos de raigambre universal —"temas míticos"— cuya presencia se percibe actuando en determinados pasajes de las obras aquí estudiadas o en la caracterización de personajes concretos; la segunda hace relación a los momentos en que surgen en las páginas de Fuentes temas, contenidos o personajes de una filiación cultural determinada —por lo general la azteca-náhuatl y la griega clásica— que también en su mayoría funcionan como correlato, comparación o contraste con las realidades "externas" de sus novelas. Un tercer apartado de este capítulo, independiente ya de esta doble división, atenderá a un aspecto de gran importancia: se trata de analizar la presencia y el sentido del llamado "mito social" o "mito moderno" en la obra del autor mexicano.

---

[1] ("Serían necesarios tres batallones de críticos literarios y al menos dos décadas para descifrar las alusiones que acumula"). Citado por A. E. Ramírez Mattei: p. 395.

1) Referencias míticas

a) La "Edad de Oro"

Toda cultura humana cuenta entre sus figuraciones míticas con la imagen de un Paraíso original, reino de paz y perfección, destruido tras la inmersión del hombre en la Historia. Se puede acudir a cualesquiera de los sistemas religiosos de la Humanidad para percibir esta idea como una de los contenidos más repetidos del "subsconsciente colectivo" en un plano cultural. Su concreción mitológica goza de múltiples variantes dependientes del lugar, pero todas ellas son partícipes de una serie de notas comunes, como son la felicidad original del ser humano en contacto estrecho con la divinidad, y la ausencia de trabajo o, en otros casos, envejecimiento. En el mundo occidental, la literatura clásica se hizo abundante eco de estos temas; probablemente la versión más acabada corresponda a la obra de Hesiodo *Los trabajos y los días* en la que se plantea la progresiva degradación de la raza humana a partir de la "casta" primigenia o "raza de oro". Hesiodo señala que estos hombres, que vivían en íntima convivencia con los dioses y que sufrían una muerte tan solo aparente, fueron castigados tras el engaño que le hizo Prometeo a Zeus y fueron lanzados a las penalidades del mundo exterior. Este motivo de "la expulsión del Paraíso" que trata de esta manera el autor clásico se convierte en el núcleo central del mito que estamos tratando: el hombre, en todas estas narraciones , es incapaz de mantener la pureza del Edén y comete una transgresión que le obliga a abandonar el espacio sagrado y salir a un lugar donde reinará la enfermedad, el trabajo, la dispersión y, a la postre, la muerte. Pero el ser humano siempre guardará en lo prufundo de su mente el recuerdo del origen. Como señala Mircea Eliade, todas las religiones y sistemas mitológicos se hallan impregnados de esa "nostalgia del Paraíso" y de la unidad primordial, que, se cree con esperanza, serán recobrados al final de los tiempos: al Apocalipsis le ha de suceder una Génesis restauradora de los momentos previos a la "caída". En palabras del investigador rumano:

> ... a partir de un cierto momento el 'origen' no se encuentra únicamente en un pasado mítico sino también en un porvenir fabuloso (...) por esta razón encontramos en las concepciones de la escatología, entendida como una cosmogonía de futuro, las fuentes de todas las creeencias que proclaman la Edad de Oro no sólo (o ya no) en el pasado, sino asimismo (o únicamente) en el porvenir[2].

---

[2] Eliade Mircea; *Mito y realidad*. Barcelona, Guadarrama 1978. pp. 59-60.

Para Eliade el mito de "la Edad de Oro" polariza un importante número de temas dependientes y una amplia simbología, hechos que contribuyen a convertirlo en el núcleo central al que remiten todos los mitos humanos. Aceptemos o no en toda su extensión la afirmación de este autor, lo cierto es que el concepto de la "Edad de Oro" se halla en un lugar de primer orden dentro de las figuraciones mítico-religiosas de todos los pueblos, y a su alrededor se genera un vasto mundo de referencias, símbolos y mitos secundarios. Tal es el caso de los conceptos de "perfección" y "unidad" o de los mitos escatológicos y cosmogónicos, con los que aparece ligada indisolublemente la figura del andrógino, ente primordial, germen de todo lo creado y expresión máxima de la *unidad* de los orígenes[3].

Por lo señalado se advierte la posibilidad de establecer dentro de esta esfera de contenidos una dicotomía entre dos campos semánticos enfrentados: por un lado se hallarían los conceptos de "origen", "paraíso", "androginia" y "unidad" (=vida) y por otro las ideas de "caída", "historia", "dualidad" y "multiplicidad" que vienen a resumirse en la noción final de "muerte". El hombre, que se siente arrojado del Paraíso hacia el devenir profano de la historia, siente la nostalgia de los comienzos que es, a su vez nostalgia de la unidad.

Este tema resurge con especial importancia en el mundo contemporáneo y de manera particular, en el ámbito de la creación literaria de Hispanoamerica. Las circunstancias contextuales, reseñadas con anterioridad, generan una situación de insatisfacción vital del intelectual y un rechazo del mundo que se traduce en una visión apocalíptica de la historia y en la floración de símbolos relativos al Edén primordial[4]. El mito de la "Edad de Oro" se convierte en materia literaria a través de su empleo o reelaboración por parte de los escritores como forma de manifestar su crítica y su descontento con la situación de su país o del mundo en su conjunto y como expresión de un utópico deseo de cambio. Carlos Fuen-

---

[3] Como señala Joseph Campbell, la idea del dios andrógino y del hombre primordial bisexuado es común a la práctica totalidad de culturas humanas. La posterior separación en dos sexos diferenciados supondría un síntoma de la "caída", que produce una dualidad desintegradora de la unidad primigenia. Esta figura, se cree, volverá a nacer al final de la historia humana, en el reino del Paraíso restaurado. (Campbell, Joseph: *El héroe de las mil caras).* Este tema fue también muy tratado por los filósofos y literatos de época clásica, destacando entre ellos Platón, quien, en el *Banquete,* hace un tratamiento profundo de esta imagen que relaciona con la idea de la pureza original.

[4] Graciela Maturo, en su libro ya mencionado *La literatura hispanoamericana. De la utopía al paraíso,* trata extensamente este tema.

tes ha señalado que éste es uno de los contenidos más reseñables dentro de la actual narrativa del continente:

> ... creo que en casi todas nuestras novelas de importancia hay un profundo sentido de la nostalgia de un origen perdido o de una meta final de reposo que a la vez es una reconquista del Paraíso perdido. Esa tensión entre la nostalgia de un pasado y la aspiración de un futuro, es lo que da su nervio a la novela latinoamericana, pero es también lo que representa sus peligros[5].

A Octavio Paz le corresponde de nuevo una de las elaboraciones más acabadas de esta temática en su ensayo *El laberinto de la soledad,* obra de gran trascendencia en los años 50 y 60 como ya he tenido oportunidad de señalar en otro momento. Paz pone el énfasis en la soledad del hombre contemporáneo que, arrancado de su Paraíso unitario y lanzado al mundo de las dualidades y las contradicciones, busca desesperadamente la "comunión" que sólo puede entrever por medio del acto sagrado del amor, instante que reactualiza la reunión del ser dividido y que por tanto devuelve por un momento al hombre a la perfección mítica:

> Y le pedimos al amor —que, siendo deseo, y hambre de comunión, hambre de caer y morir tanto como de renacer— que nos dé un pedazo de vida verdadera. No le pedimos la felicidad, ni el reposo, sino un instante, sólo un instante, de vida plena, en la que se fundan los contrarios y vida y muerte, tiempo y eternidad, pacten. (...) Creación y destrucción se funden en el acto amoroso; y durante una fracción de segundo el hombre entrevé un estado más perfecto[6].

El mito de la "Edad de Oro" ocupa un lugar destacado en la creación literaria de Carlos Fuentes. Al igual que a sus colegas, el tema le servirá como forma indirecta de rechazo de la situación actual y como vehículo para manifestar su convicción en la imperiosa necesidad de un cambio profundo. En sus planteamientos se pueden percibir dos direcciones fundamentales: aquéllas en la que el contenido aparece en sus cánones "clásicos" como ocurre en *RMT, Cumpleaños* o *TN,* y es incluso objeto de reflexión filosófica, y aquellos otros momentos en que la idea se pro-

---

[5] Díaz Lastra, Alberto: "Entrevista con Carlos Fuentes". *La cultura en México,* núm. 267 (29-III-67), p. 6.

[6] Paz, Octavio; *El laberinto de la soledad,* pp. 176-177.

yecta en una dimensión exclusivamente personal, en relatos cuyos personajes, insatisfechos o desquiciados, se crean su propio "edén" como forma de huida.

La novela que, sin lugar a dudas, se hace eco de una manera más completa de los aspectos tratados hasta ahora es *TN*. En esta extensa y compleja obra el autor teje una amplísima red de alusiones míticas y simbólicas cuyo análisis individual y detenido evidencia una clara filiación en última instancia con el tema mítico que nos ocupa.

La presencia del mito escatológico que, como se vió en el primer apartado, enmarca el sentido del relato, es un primer dato indicativo de la presencia latente de la idea de la "Edad de Oro". El final de *TN* recrea el momento del fin del mundo y del nacimiento de una nueva Humanidad, y en él se hace efectiva la aparición del andrógino como símbolo del paraíso restaurado. La misma alusión subyace en las múltiples ocasiones en que se plantean en la obra reflexiones sobre los conceptos de "unidad", "dualidad" y "triada". Para los distintos personajes, en línea con lo indicado, lo "bueno" —en términos simplificadores— es identificado siempre con la idea de "unidad"[7], mientras que los conceptos de "maldad" y "destrucción" se relacionan con la noción de "dualidad":

> La dualidad pura, de existir, sería un corte inapelable en la continuidad de las cosas; sería la negación de la unidad cósmica abriría un abismo eterno entre las dos partes, y esta oposición merecería los epítetos de estéril, inactiva, estática. El mal habría triunfado (*TN*, p. 535).

Tal disquisición se hace aún más compleja con la inclusión en la disputa del núm. 3, guarismo "mágico" de la cultura occidental e inmerso en el código inconsciente de nuestra mente: "Occidente se piensa a sí mismo en tríadas" ha dicho el propio Fuentes[8], y ha añadido que en todas partes este número simboliza "solución armónica del conflicto de la caída (...) y síntesis biológica"[9]. El 3 se asocia por tanto de forma estrecha al 1, y en este sentido se manifiestan la práctica totalidad de los personajes de la novela. Es el caso del anciano del Nuevo Mundo:

---

[7] Así p. ej. el peregrino, que asume el papel de Quetzalcóatl, se considera a sí mismo como el "principio de la unidad, del bien, de la paz permanente, de las dualidades disueltas...". (*TN*, p. 476).

[8] Fuentes, Carlos: *Cervantes o la crítica de la lectura*, p. 104.

[9] *Ibid.;* p. 105.

184

Tres es el cruce de caminos: la unidad o la dispersión. Tres es la promesa de la unidad. (*TN*, p. 395).

De las enseñanzas del Sefirot hebreo para quien este número significa "el umbral de retorno a la unidad" (*TN*, p. 531). Del sabio de la Sinagoga:

Tres es la síntesis de uno y dos. Los contiene a ambos. Los equilibra (...). Es el número completo (...). La reunión de los tres tiempos (...) todo concluye, todo se reinicia (*TN*, p. 533).

Es la manifestación perfecta de la unidad. Combina lo activo con lo pasivo, une el principio femenino al masculino (*TN*, p. 535).

De la gitana de Spalato:

... el número tres significa solución armónica de la caída, incorporación del espíritu al binario, fórmula de cada uno de los mundos creados y síntesis de la vida (*TN*, p. 577).

O, entre otros más, del propio Ludovico:

Tres es el número que resuelve las oposiciones, la cifra fraternal del encuentro y el mestizaje (*TN*, p. 601).

El número 3, a juzgar por los datos observados, aparece pues estrechamente ligado al concepto de beatitud y, por extensión, del Paraíso primordial. El viajero del Nuevo Mundo, identificado con Quetzalcóatl, portador del mensaje del bien, se desdobla en sus otros dos hermanos gemelos y aparece por tanto marcado por este guarismo que señalará el contenido de su mensaje y el sentido de su misión en *TN*. Pero para comprender estos últimos en toda su extensión se hace preciso aludir al ropaje doctrinal del que se reviste en su mayor parte este tema de la "Edad de Oro" en la novela, y que responde a las premisas centrales de las *doctrinas milenaristas* del Medievo. .

Los movimientos milenaristas cuentan como base de sus convicciones con la certeza de la próxima llegada del fin del mundo y la restauración del Paraíso que, como indica Norman Cohn, se habría de producir tras "un cataclismo del cual iba a salir el mundo totalmente redimido y transformado"[10]. El nuevo mundo se crearía tras la destrucción del Anticristo, cuya eliminación era necesaria para la instauración de un reino

---

[10] Cohn, Norman; *ob. cit.*, p. 282.

de paz y prosperidad bajo el mandato de un Emperador —con frecuencia el propio Cristo— que gobernaría un mundo unido y purificado. A lo largo de la Historia se identificó a numerosos reyes y emperadores con este salvador, quien, según ciertas tradiciones, debería ser reconocido por una marca muy concreta: "la señal tradicional de la elección divina, la cruz sobre o entre los omóplatos, que se creía había marcado a Carlomán y debía señalar también al último emperador[11]. Este es precisamente el estigma que portan en *TN* los tres naúfragos sin nombre, el peregrino del Nuevo Mundo y el guerrillero Polo Febo: ellos, una vez más, aparecen caracterizados con el símbolo del salvador, con la marca del Mesías restaurador del Edén primordial y vencedor de la maldad[12].

El ropaje milenarista con que se reviste el mito subyacente de la "Edad de Oro" en *TN*, unido a los contenidos advertidos en estudios anteriores de esta novela, permiten llegar a una conclusión más certera respecto a su tema central:

En las primeras páginas de la narración, Fuentes muestra la evidencia de un mundo en descomposición en el que son claros los signos de un próximo fin; hay fenómenos prodigiosos[13] y las procesiones de flagelantes —cuya función en el Medievo consistía en atraer la piedad divina ante la inminente destrucción que, a su juicio, se avecinaba— constituyen una realidad cotidiana. El milenio se acerca; el mal, el Anticristo, domina el mundo y debe ser destruido. Esta figura maligna no tiene en la novela una concreción única, sino que aparece como un ente de muchas caras que ha surgido a lo largo de la Historia bajo distintas figuraciones: la brutalidad y los crímenes del pasado (la represión de los emperadores romanos o de los Austrias españoles, los exterminios de judíos en la Edad Media o los sacrificios humanos de los aztecas) se reproducen en el presente en hechos similares que van desde los campos de concentración nazis hasta la dictadura de Franco. En una dimensión estrictamente mexicana, el Anticristo aparece encarnado en el ejército de los EE.UU., país que ha

---

[11] *Ibid.*, p. 72.

[12] Aparte de los temas señalados, el autor recoge en su novela otros contenidos pertenecientes a las profecías milenaristas, y especialmente de las emanadas de la secta del "Espíritu Libre", una de las más señaladas del Medievo, cuyos principios teóricos expone sobre todo Ludovico.

[13] Hierven las aguas del Sena (p. 13); los edificios, pinturas y esculturas se transfiguran de forma extraña (pp. 13-14); abundan los incendios (p. 15) y las vacunas son ineficaces contra los microbios (p. 17).

ido paulatinamente minando y socavando la identidad propia de México hasta llegar a invadirlo en un imaginario futuro para convertirlo en una colonia más de la Unión, con la sola resistencia de la guerrilla veracruzana dirigida por Polo Febo.

La semilla de renovación, de amor, de unidad, predicada a lo largo de la Historia por los portadores del estigma –Quetzalcóatl, Cristo, el peregrino– y que fue derrotada una y otra vez por las ideas contrarias –encarnadas en Tezcatlipoca, Franco o los EE.UU.– acaba finalmente triunfando: su portador, Polo Febo, el último día del milenio, se funde con la fuerza mágica de la "Tierra Madre", de la Mujer –representada en la atemporal Celestina– y de su fusión nace un ser andrógino que restablece la unidad primordial y recomienza la Historia de una Humanidad que tendrá una nueva oportunidad sobre la tierra.

Así, pues, de lo dicho hasta ahora se puede colegir que el mito rector que preside el nivel mítico-referencial de *TN* es el de la "Edad de Oro", expresión del anhelo de retorno a un pasado idílico como forma de rechazo a un presente insatisfactorio. Con él aparecen relacionadas las figuras del *Mesías*, portador de la unidad primordial, y del *andrógino*, final y principio de los tiempos, que toman parte activa en el relato. Estos contenidos míticos universales encuentran en la mayoría de los pasajes de la obra una concreción determinada, fundada en las teorías milenaristas, que añaden a estos mitos la dialéctica Anticristo/Mesías. Tal enfrentamiento se plasma en la novela en un extenso estudio histórico en el que se resalta la continuidad de un proceso inalterable de crímenes y opresión y el rechazo repetido de impulsos renovadores. Los personajes que encarnan estas ideas son seres de identidades cambiantes pero que en un sentido mítico, como se tendrá oportunidad de ver más adelante, responden al molde de determinadas figuras arquetípicas presentes en modo diverso en todas las culturas humanas.

El contenido básico de *TN* responde por tanto a la dialéctica de la "renovatio" y en su desarrollo Fuentes juega con una serie de mitos y figuras universales, que comparecen en tiempos y lugares distintos, y que ponen al descubierto un nuevo tema presente en la novela: el autor parece estar haciendo alusión a la idea jungiana de la unidad esencial de los mitos y de las experiencias religiosas de la Humanidad. Este posible aspecto de *TN* puede percibirse a través de algunas intervenciones de los mismos personajes, como p. ej. Ludovico:

> ... ¿por qué han soñado, pensado o vivido lo mismo todos los hombres en el albor de su historia, venciendo todas las distancias (...)? Un día todos fuimos uno. Hoy todos somos otros (*TN*, p. 600).

En el caso de los gemelos subyace también el concepto universal de los hermanos primordiales, tal y como señala de nuevo Ludovico:

> ... los hermanos fundadores, comunes a todas las razas, a todos los pueblos, los mismos, con distintos nombres, los que nombraron, los que cayeron, los que volvieron a fundarlo todo sobre las ruinas de la primera creación, haciéndose parte de ella, la gracia (*TN*, p. 591).

Para J. M. Oviedo, este tema se convierte en uno de los más destacados de la narración, en la que, a juicio de este crítico, se percibe:

> ... un vasto, oceánico impulso de integración, interpretación y síntesis de los mitos con que el hombre de todos los tiempos ha intentado explicarse el mundo y su ubicación en él. A lo que aspira Fuentes es a mostrar cómo un mito, cruzando siglos y espacios distintos, se refracta en otro, ampliándolo o corrigiéndolo, y así se forma una cadena de grandes imágenes permanentes cuya fuerza ha puesto en marcha pueblos enteros, ha modificado la realidad y ha dado coherencia a la historia humana (...). Esa visión de los mitos como un sistema de unidades intercambiables y dispersas pero que tienden a la unidad, se apoya en los últimos aportes de la antropología estructural[14].

Desde esta perspectiva, *TN* es una novela en la que historia y mito se funden de manera indisoluble, siendo la primera interpretada a la luz de esos mitos universales del paraíso primordial, la caída o el tiempo cíclico. Tras esta "universalización" de los temas se percibe la conocida opinión de Fuentes acerca de la inexistencia de "excentricidades" culturales y sobre la unidad del espíritu humano[15].

El planteamiento filosófico que Fuentes hace de estos aspectos míticos en *TN* aparece de una forma menos compleja y acabada, en su mayoría en forma de alusiones aisladas, en pasajes de otras novelas. Así p. ej. en *Cumpleaños* asistimos de nuevo a una discusión en torno a los concep-

---

[14] Oviedo, José Miguel; "Fuentes: Sinfonía...", p. 21.

[15] Con anterioridad a Fuentes, ya Octavio Paz había desarrollado esta idea de parentesco levistraussiano: "no hay pueblos marginales –dice el maestro mexicano– y la pluralidad de culturas es ilusoria porque es una pluralidad de metáforas que dicen lo mismo. Hay un punto en el que se cruzan todos los caminos; este punto no es la civilización occidental sino el espíritu humano que obedece, en todas partes y en todos los tiempos, a las mismas leyes". (Paz, Octavio: *Claude Lévi-Strauss o el nuevo festín de Esopo*. México, Joaquín Mortiz, 1975. p. 44).

tos de "unidad" y "multiplicidad", ligados respectivamente a las ideas de "perfección" y "caída". Nuncia es el principal portavoz de una filosofía que clama por el retorno a la unidad original y que proyecta el concepto de maldad en la materia, contenidos éstos que conforman la base ideológica de las herejías dualistas que inspiran todos estos planteamientos. Esta es la explicación de la peculiar interpretación que sobre la figura de Cristo se ofrece en el relato: para los dualistas —doctrina que adoptaron comunidades como la de los gnósticos, arrianos, bogomiles y cátaros— el mundo es una eterna lucha entre el principio del bien y el del mal. El primero es pura espiritualidad y, como bondad suprema, no pudo haber creado el mal y la materia que habrían sido obra del demiurgo maligno. De esta forma, con un mayor o menor extremismo, estos grupos concebían que Cristo, desde el momento en que fue hecho hombre, es decir materia, no podía ser, al menos totalmente, divino; por ello, Nuncia, reencarnación de la Virgen María, confiesa que fue "el conducto del demonio" (*Cumpl.*, p. 192) para engendrar a un hombre que, en lugar de reforzar la unión generó la dispersión:

> ... murió disperso (...) la nueva religión se fundó sobre la dispersión de la unidad; desde entonces, Dios dejó de ser uno. (...) El destino de los hombres es la dispersión. Cada minuto que se vive nos aleja más del origen, que es el bien, que es la unidad. Jamás los recuperamos; por eso somos mortales (*Cumpleaños*, p. 192).

El ser humano, expulsado del Paraíso original, está condenado a la multiplicidad y a la muerte y tan sólo puede alcanzar a entrever la unidad primordial en el momento-supremo del amor. Tal es la experiencia de George en el verano que vive con Nuncia, episodio en el que se vuelve a reactualizar el mito del andrógino:

> No creo, en ese verano, bajo esas enramadas, cerca de esos abedules (...) haber poseído a Nuncia: fuí Nuncia (*Cumpl.*, p. 195).

Las reflexiones acerca de la unidad y la multiplicidad vuelven a aparecer en *UFL*, pero ahora referidas de una manera más directa al plano temporal. Las alusiones en este sentido son múltiples a lo largo de la novela y se centran casi con exclusividad en la idea de la "unidad del tiempo" frente a la linealidad y sucesión ilusorias que percibe el hombre[16]. El tema también aparece ligado al concepto de "perfección de los orígenes" mediante la fusión de lo disperso, que Víctor Heredia intenta conseguir

---

[16] Ver punto dedicado al "tiempo" en el apartado anterior.

por medio de la unión de los dos jóvenes; como le comenta a Branly: "nada impedirá que lo que estuvo unido una vez vuelva a juntarse" (*UFL*, p. 122). Se trata, como ya ha quedado apuntado anteriormente, de una unión en la que vuelven a reunirse los fragmentos divididos del ser americano, rotos tras la inmersión del hombre en la Historia. Por medio de esta complicada madeja conceptual, Fuentes está aludiendo a la necesidad de la integración con el fin de elaborar un proyecto unitario de futuro que supere las fragmentaciones y posibilite un mundo con mejores perspectivas.

El mito de la "Edad de Oro" se convierte también en el trasfondo subconsciente que guía el pensamiento y la actitud de Ixca Cienfuegos y Teódula Moctezuma en *RMT*, con la diferencia de que en este caso el tema va a aparecer recubierto con contenidos pertenecientes a la cultura prehispánica.

Como ha quedado señalado en otra parte del presente estudio, la intención que preside el mandato de la anciana a su hijo se fundamenta en un deseo de propiciar el retorno al pasado indígena, época que Ixca describe a lo largo de sus intervenciones como el hogar de pureza y perfección destruido tras la conquista, y que contrasta con la hostil civilización de hoy:

> ¿Es mejor este poder barato, sin grandeza, de mercachifle, a un poder que tenía, por lo menos, la imaginación de aliarse al sol y a las potencias reales, permanentes e invioladas del cosmos? Yo te digo que prefiero morir inmolado en una piedra de sacrificios que bajo la mierda de una triquiñuela de capitalistas y de un chisme de periódico (*RMT*, p. 472).

Dentro de la más pura línea milenarista, ambos personajes expresan su descontento con el mundo actual y conciben el retorno a las antiguas prácticas sacrificiales como una forma de propiciar la restauración del mundo antiguo tras la conclusión del ciclo que ven cercano:

> Nos acercamos a la división de las aguas. Ellos morirán y nosotros resucitaremos al alimentar. Hemos pagado nuestro tributo de sueños (*RMT*, p. 499).

> La salvación del mundo depende de este pueblo anónimo que es el centro, el ombligo del astro (...) si los mexicanos no se salvan, no se salvará un sólo hombre de la creación (*RMT*, p. 476-478).

La separación que se establece entre el mundo occidental y la civilización antigua queda patente en esa dicotomía ellos/nosotros que se plantea en el primer párrafo, en tanto que en el segundo se manifiesta la creencia en que el pueblo azteca, el pueblo que se consideraba a sí mismo el elegido del Sol, retornará a su antiguo esplendor al término del ciclo por haber mantenido alimentado al astro. Parece claro que para Cienfuegos y su madre este fin se halla muy próximo, y en este sentido puede estar funcionando de forma subliminal una información que el autor introduce de forma casi inadvertida: los hechos narrados tienen lugar en 1951; si tenemos en cuenta que los "ciclos" aztecas finalizaban al cabo de 52 años, creo posible afirmar que Fuentes está jugando con esta identificación o superposición de calendarios para dar a entender la cercanía del evento en la mente de los "guardianes". Esta posibilidad adquiere mayores visos de verosimilitud si se atiende a la forma en que Fuentes esboza el carácter de estos personajes, que, a pesar de su ideología, nunca van a actuar como representantes puros del orden antiguo, sino como ejemplos vivos del mestizaje cultural de la nación. Esto es particularmente perceptible en el caso de Teódula, quien en sus oraciones entremezcla referencias a dioses aztecas y temas cristianos[17], al tiempo que celebra rituales prehispánicos (el acto de barrer o las ceremonias de los difuntos) que alternan con sus visitas a la catedral (pp. 368-369). El proyecto de los indígenas es endeble e indefinido y los personajes, sobre todo Ixca, parecen atrapados en el conflicto que se plantea entre sus sueños y su realidad. La empresa de Cienfuegos tenía que desembocar irremediablemente en el fracaso, y probablemente tras este final se esconda una subrepticia crítica del autor a todos aquellos planteamientos que veían en el orden anterior a la conquista española el lugar feliz destruido por la cultura occidental. Para Fuentes, como se colige de sus múltiples ensayos y artículos, no es el momento de "mitificar" pasados, sino de ser consciente de la rica personalidad mestiza del mexicano y encarar el futuro desde una sólida base de autoconocimiento[18].

El idealismo utópico que conlleva toda revolución o levantamiento histórico debe también mucho de su sentido a esta dinámica del "cambio de ciclo" con la derrota del mal y el triunfo del bien. Dos personajes van

---

[17] "–No me hace falta ir a la Villa porque la madrecita santa anda suelta por todos lados –murmuraba la viuda Teódula Moctezuma mientras se paseaba con la escoba sobre el piso de tierra de su jacal (...) –Tú no necesitas altar, pues yo te ofrezco mi corazón, ay tilma de rosas, ay falda de serpeintes, ay madre misericordiosa, ay corazón de los vientos". (*RMT*, pp. 332-333).

[18] Como ya se ha señalado en otro lugar, en este sentido se encaminan las reflexiones de Manuel Zamacona a lo largo de esta novela.

a encarnar estos ideales en las obras que nos ocupan: Gonzalo Bernal, en *MAC*, y el general Arroyo y su tropa en *GV*, quienes, en una línea "milenarista" creen en el poder de la Revolución Mexicana para acabar con la historia de opresión del país y darle la libertad al pueblo. Ambroise Bierce ve con claridad el trasfondo utópico de Arroyo, y comenta con cierta ironía "... esas vagas ideas sobre cómo serían las cosas cuando se acabara la guerra y luego el milenio" (*GV*, p. 92). Pero en el mundo de Fuentes no tienen cabida los idealistas; para el autor la Historia enseña que tan sólo sobreviven los hombres sin escrúpulos (Artemio Cruz o Federico Robles) que han levantado su imperio sobre la ruina de los demás, en tanto que a quienes se rebelan contra este estado eterno de cosas sólo les espera una muerte anónima y solitaria, como les sucede a los dos personajes mencionados.

La segunda perspectiva en que se plantea el tema de la "Edad de Oro" es aquélla que se manifiesta en el plano de la historia individual de varios personajes de Fuentes. Estos, en su mayoría, son seres solitarios, insatisfechos o desquiciados, que se encuentran atrapados en un mundo hostil y que buscan un refugio en el recuerdo de un tiempo pasado que falsean o idealizan como forma de huida del presente. Este regreso posee en una dimensión particular el mismo significado que el mito tratado en este apartado presenta en un sentido genérico: el hombre intenta recuperar una etapa feliz de su vida, un edén que en algún momento ha vislumbrado, frente a la situación insatisfactoria en que se halla. El tratamiento de este tema en las obras del escritor mexicano deja en evidencia la presencia subyacente del concepto del "Paraíso perdido" en la mente de los personajes.

Es nota común el deseo de retorno a la infancia, época que estos seres contemplan como un reino de inocencia del que fueron expulsados para caer en los problemas del mundo. Así interpreta su vida Filiberto, el protagonista de *Chac Mool*, de cuyo apego al pasado da fe su afición por coleccionar objetos antiguos:

> Sentí la angustia de no poder meter los dedos en el pasado y pegar los trozos de algún rompecabezas abandonado; pero el arcón de los jueguetes se va olvidando, y al cabo, quién sabrá a dónde fueron a dar los soldados de plomo, los cascos, las espadas de madera. (...) No dejaba, en ocasiones, de asaltarme el recuerdo de Rilke. La gran recompensa de la aventura de la juventud debe ser la muerte; jóvenes, debemos partir con nuestros secretos (*LDE*, p. 12).

Los mismo le sucede a Artemio Cruz, quien recuerda obsesivamente su existencia feliz al lado de Lunero, o a Branly, a quien también asaltan las imágenes de sus juegos en el Parc Monceau, y no es otro el sentido que guía a Carlos, protagonista de *La muñeca reina* en su intento de volver a ver a Amilamia, la compañera de una infancia que secretamente el personaje desea recuperar. Elizabeth, por su parte, ante la ausencia de momentos verdaderamente felices en su vida, se inventa su propia historia, que enmarca en un contexto beatífico e ideal:

> Tú dices que corrías o saltabas o caminabas sola durante el largo verano, vestida de muselina (...) tú pasabas los días bajo almendros rumorosos y sicomoros gigantes (*CP*, p. 257).

El deseo de regresar a un tiempo feliz se manifiesta en *ZS*, en las fantasías de retorno al seno materno que experimenta Guillermo. El joven, mediante la unión con su madre, pretende una "vuelta al origen", a la unidad previa al nacimiento: "Seré la pareja. La completaré. Formábamos una pareja. La primera pareja. Madre e hijo" (*ZS*, p. 128). Este deseo se manifiesta repetidamente en determinadas actitudes de Mito: "... abrazado a los pies de Claudia que mantengo unidos con una ligerísima presión. Temeroso de que se abran" (*ZS*, p. 56). "Escondo el rostro entre sus rodillas" (*ZS*, p. 47). El personaje concibe su nacimiento como una auténtica "caída" del Paraíso primordial: "Creímos que salir de ella, abandonarla, era morir" (*ZS*, p. 190).El problema básico del desequilibrio mental de Guillermo se fundamenta, de esta forma, en un estado de insatisfacción con el mundo que le rodea, lo cual le impulsa a crear sus propios "refugios" y a soñar con una vuelta a la madre como forma de regreso a un paraíso perdido.

Del mismo modo, como ha quedado señalado con anterioridad, la idealización de una historia pasada se convierte en el eje central del tono nostálgico que destilan los cuentos de *AQ*, cuyos personajes, viejos, tarados o delincuentes, son un producto de la sociedad alienante y despersonalizadora de los años 80.

La huída a un "paraíso personal" se opera en otras ocasiones a través del recuerdo de amores de juventud. Esto sucede de forma especial en el caso del moribundo Artemio Cruz, quien en el repaso de su vida intenta hallar consuelo en aquellos momentos que puedan redimirlo de su sórdida existencia. Una de las imágenes que retornan con mayor insistencia a la mente del agonizante es la de Regina, la joven a quien amó cuando él era un soldado de la Revolución, y en cuya compañía sintió por primera y última vez la sensación de felicidad. Los párrafos que refieren estos sucesos desbordan un lirismo que contrasta con el tono del resto de la narración:

La imaginación del joven saltó por encima del amor (...) ¿Cuándo es mayor la felicidad? Acarició el seno de Regina. Imaginar lo que será una nueva unión; la unión misma; la alegría fatigada del recuerdo y nuevamente el deseo pleno, aumentado por el amor, de un nuevo acto de amor (*MAC*, p. 67)[19].

Tan sólo el amor que más tarde le profesó a su hijo muerto en la guerra civil española, vuelve a activar en el personaje su vertiente "humana". El recuerdo de ambos retorna en la novela de manera obsesiva por medio de dos "estribillos" que se repiten de forma insistente: "Cruzamos el río a caballo", que hace alusión al encuentro entre padre e hijo, y "yo sobreviví", referido al fallecimiento de la joven amada.

Otro personaje que ve cercana su muerte, el conde de Branly, se evade también a los tiempos de amor juvenil con la bella Myrtho y su otra amante desconocida. El mismo considera este retorno al pasado feliz como lo más positivo que le sucedió en su estancia en la mansión Heredia:

> Soñó con una mujer a la que amó en el pasado y aunque no la pudo identificar sí pudo recobrar el sentimiento de un tiempo en el que le bastaba saberse enamorado sin esperanza para ser feliz. Recuperó la soberanía sin ambición y las preguntas sin respuestas de su propia infancia (*UFL*, pp. 200-201).

También Elizabeth, en el curso de su historia inventada, sueña con los momentos idílicos de amor, en compañía de Javier, en el "espacio mítico de la isla de Falaraki, donde, según la mujer, ambos experimentaron "la comunión absoluta (...) en ese calor y frescura de la piel unida a la piel, de las manos entrelazadas y los besos repetidos". (*CP*, p. 86)[20].

La imagen del Edén personal del amor y felicidad aparece representada frecuentemente bajo el símbolo del *jardín*, que constituye una de las figuraciones mitológicas más usuales para describir el Paraíso primige-

---

[19] Lanin A. Gyrurko ha señalado que la conquista del imperio económico de Artemio puede ser interpretada como un intento de compensación por la pérdida de Regina; el personaje, tras la muerte de la joven, se habría lanzado a la búsqueda de un nuevo ideal, de un paraíso sustitutorio, tarea en la que fracasará humanamente. (Gyrurko, Lanin A.; "Women in Mexican Society; Fuentes's Portrayal of Oppression". *Revista Hispánica Moderna*, 38, (1974-1975), pp. 206-229).

[20] El episodio de la isla de Falaraki es uno de los que componen la historia apócrifa de Elizabeth. Distintas partes de la narración así nos lo advierten. En un momento dado, el narrador, tras escuchar esta aventura de labios de la joven, apunta la posibilidad de que todo sea producto de su imaginación "cinematográfica":

nio[21]. El deseo oculto de Artemio Cruz es regresar, volver de nuevo a ese lugar del que fue expulsado al comenzar su vida pública:

> ... las cosas y sus sentimientos se han ido deshebrando, han caído fracturadas a lo largo del camino: allí, atrás, había un jardín: si pudieras regresar a él, si pudieras encontrarlo otra vez al final (*MAC*, p. 17).

Pero Artemio ha perdido ya la posibilidad de redención, tal y como le señala Catalina:

> ... ¿crees que después de hacer todo lo que has hecho tienes todavía derecho al amor? (...) perdiste tu inocencia en el mundo de afuera (...) Quizás tuviste un jardín. Yo también tuve el mío, mi pequeño paraíso. Ahora ambos lo hemos perdido (*MAC*, p. 113).

El jardín, símbolo para Fuentes de "la inocencia perdida e irrecuperable" –en palabras de Befumo Boschi y Calabrese[22] – reaparece en los recuerdos idealizados del conde de Branly:

> ... regresaba a su memoria la sensación de la mujer ausente amada en un jardín donde nacer y morir eran actos simultáneos (*UFL*, p. 83).

Sea cual fuere el camino que adopten, de los ejemplos anteriores se infiere con claridad que los personajes de Fuentes son en su mayoría seres inadaptados, que buscan continuamente una salida a su penosa situación personal y que, ante la ausencia de refugios o compensaciones en el contexto hostil en que habitan, se entregan al recuerdo o al sueño de los

---

"Se me hace que sólo viste la película. Para qué es más que la verdad. –No. Leí el libro y ví la película. Fredrich Mars y Claude Rains y Olivia de·Havilland cuando era chulísima y todavía no la aventaban al pozo de las víboras". (*CP*, p. 94). Poco más adelante, ella le comenta a Javier: "¿No quieres saber la verdad? Esa otra historia, no la soñada" (*CP*, p. 274). En otro momento vuelve a surgir la conversación sobre Grecia y Falaraki entre ambos esposos en estos términos: "–¿Cuánto tiempo pasamos en Falaraki? –El que quieras. Nunca estuvimos allí (*CP*, p. 318). Por boca de Javier conocemos parte del auténtico pasado de Elizabeth (p. 358) quien, finalmente, reconoce la realidad: "–Está bien. Fue solo un sueño" (*CP*, p. 364).

[21] Así ocurre p. ej. entre los chinos o en las tradiciones judeo-cristianas y prehispánicas.

[22] Befumo Boschi, L. y Elisa Calabrese; *Nostalgia del futuro...*, p. 184.

momentos más significativos e importantes de su vida, que en su subconsciente identifican con el Paraíso primordial de inocencia –la infancia, el amor de juventud– al cual desean fervientemente regresar. La dinámica inherente al Mito de la "Edad de Oro" se halla operando claramente bajo estos planteamientos.

b) La Mujer

El especial tratamiento del amor y de la figura femenina en la narrativa del autor mexicano es un tema que entronca directamente con el
asunto general de este capítulo y que tiene amplias relaciones con el apartado anterior.

En líneas generales, ya se ha tenido oportunidad de comprobar que
el amor surge en estos relatos como el sentimiento más auténtico del ser
humano, que puede "redimir" toda una vida (Federico Robles, p. ej.).Lu-
gar destacado en relación con este sentimiento va a ocupar la Mujer, cuya
configuración suele salirse por completo de los límites "realistas" para
desempeñar una función simbólica. La Mujer, en las novelas aquí estudiadas, es el vehículo de acceso a una realidad superior *(Aura)*, el principio
que permite la regeneración del mundo *(TN)* o el hogar originario adonde desea regresar el ser humano víctima de las agresiones del mundo
contemporáneo *(ZS)*. Ella es, sobre todo, la bruja *(CP, UFL, ZS, Aura,
Cumpleaños)*, mujer poseedora del conocimiento oculto y trasunto deformado de las antiguas deidades femeninas desplazadas tras el advenimiento
de un orden patriarcal[23]. Ella es también la representante de las realidades ocultas por el logicismo contemporáneo y, como señala Fuentes
"reserva para sí aún a costa de la muerte por fuego, los secretos de la sabiduría prohibida por la razón moderna"[24]. La Mujer es simultáneamen-

---

[23] En *TN* el diablo le dice lo siguiente a Celestina: "Piensa que en otro tiempo
la mujer fue diosa. Lo fue porque era dueña de una sabiduría más profunda (...).
Los hombres no podían dominar al mundo mientras las mujeres supieran estos secretos. Se unieron para despojarlas de dignidad, sacerdocio, privilegio; mutilaron y
enmendaron los antiguos textos que reconocían el carácter andrógino de la primera
Divinidad, suprimieron la mención de la esposa de Yavé, cambiaron las escrituras
para ocultar la verdad (...) Reconocerán en ti a las antiguas diosas del mundo mediterráneo, condenadas a la hechicería por los poderes cristianos y ejecutadas en las
plazas públicas con tanta crueldad como lo fue Cristo en el Gólgota". *(TN*, pp. 531-
532).

[24] Fuentes, Carlos; " 'Aura' (Cómo escribí algunos de mis libros"). *Quimera*,
núms. 21-22 (Julio-Agosto, 1982), p. 49.

te madre y amante, joven y vieja, lo cual, unido a la variedad en las identificaciones mitológicas de determinados personajes femeninos, la convierte en una verdadera *figura arquetípica* portadora de los principios de "origen" y "sabiduría". Se trata de la "Gran Madre" o "Madre Tierra"[25], la "Diosa Blanca" de Robert Graves[26], y la fusión con ella se convierte por tanto en una ceremonia sagrada que hace regresar al hombre a su pureza inicial o le permite acceder a los grandes misterios del ser y de la naturaleza humanas; como indica el propio Fuentes, "el contacto carnal con ella es una de las formas perennes de iniciación a los misterios del mundo"[27].

Tras estas figuraciones se vuelve a percibir de forma clara el mito del andrógino y del paraíso original. El hombre es el ser dividido, roto tras la caída en el mundo de la historia y la muerte. Pero, como señala Octavio Paz, el ser humano, desde el mismo momento de la separación, ha intentado alcanzar de nuevo esa "comunión", esa unidad que sólo entreví en la celebración del ritual amoroso, forma de reactualización pasajera del andrógino primigenio. El amor, por lo tanto, se convierte en una ceremonia sagrada y trascendente, y en una de las posibles vías de escape del hombre de hoy al mundo hostil que le rodea. Esta es la experiencia de varios personajes de Fuentes, quienes, tras su unión con la Mujer, sufren un pasajero o definitivo cambio de "status" y logran la trascendencia del tiempo y la personalidad individual[28].

---

[25] Así caracteriza en un momento dado Guillermo a Claudia: "Hubo que inventar todo un mito, toda una fe, toda una razón, para justificar el cultivo amoroso de la tierra y vencer la repugnancia de asesinarla con azadones, de mutilarla con palos; de arrancar la cabellera de mi madre" (*ZS*, p. 45). Este fragmento guarda una clara relación con las fórmulas rituales de adoración de la tierra en las culturas primitivas. Mas concretamente parece tomado del profeta indio Smohalla, quien se negaba a trabajar la tierra, que consideraba sagrada: "¿ –Me pedís que labre el suelo? ¿Voy a coger un cuchillo y a hundírselo en el seno de mi madre? (...) ¿Me pedís que corte la hierba y el heno y lo venda para enriquecerme como los blancos? Pero, *¿cómo me voy a atrever a cortar la cabellera de mi madre?"* (el subrayado es mío) (Citado por Mircea Eliade: *Lo sagrado y lo profano*, pp. 119-120).

[26] Dice Graves hablando de esta figura: "Como la Luna Nueva de la Primavera era Doncella; como la Luna llena del Verano era la Mujer; y como la Luna vieja del Invierno era una bruja". (Graves, Robert; *La diosa blanca*. Madrid, Alianza Ed., p. 543).

[27] Harss, Luis; *ob. cit.*, p. 371.

[28] Tras este destacado papel de la mujer en la obra de Fuentes no parece arriesgado percibir el trasunto de una tendencia filosófica contemporánea que ve próximo

c) Mitología de la Memoria y el Olvido

La llamada por Eliade "Mitología de la Memoria y el Olvido"[29] abarca una serie de temas míticos que se hallan presentes de diferentes maneras en diversos sistemas culturales. Quizás su elaboración más acabada responda a las teorías "kármicas" de la filosofía hindú y a los planteamientos efectuados por los pensadores clásicos, especialmente Platón. Jean Pierre Vernant y Mircea Eliade ponen de relieve que los dos conceptos enfrentados de "memoria" y "olvido" generan un amplio campo de referencias en las que al primer término se le añaden las connotaciones de "pureza" y "unidad", mientras que al segundo se le relacionan las ideas de "historia" y "muerte"[30]. La conocida leyenda platónica de la fuente de Leteo, en la que el hombre bebía para olvidar su vida y posteriormente perderse en el reino de las sombras, supone una cierta elaboración de este contenido mítico. Para Platón, el retorno a un estado de pureza original viene determinado en parte por la idea de la *anamnesis,* es decir, del *recuerdo* que libera al hombre de sus ataduras espaciales y temporales y le permite ingresar en el gran tiempo real a través del conocimiento de todas sus reencarnaciones. Como señala Vernant:

> Permitiendo al fin reunirse con el principio, el ejercicio de la memoria, se hace conquista de salvación, y liberación con respecto al devenir y a la muerte. En revancha el olvido está íntimamente ligado al tiempo humano, el tiempo de la condición mortal cuyo flujo 'que nunca se detiene' es sinónimo de 'inexorable necesi-

---

el final de la sociedad patriarcal y profetiza el retorno a los "valores femeninos" de la naturaleza humana vigente en otro tiempo. Este "retorno de la Diosa" se está manifestando de modo paulatino en un progresivo rechazo del logicismo contemporáneo y una vuelta a concepciones y formas de ver el mundo más acordes con el llamado "pensamiento mítico". Quizás por ello, como indica Graciela Maturo, la mujer aparece frecuentemente en la actual narrativa hispanoamericana como símbolo del paraíso y de la regeneración. No es difícil observar esta idea subyacente en las obras de Fuentes: el sentido apocalíptico, la necesidad de cambio, la crítica al logicismo y, quizás como símbolo de todo ello, la figura de la Mujer, diosa, madre o bruja, que parece encerrar todas las respuestas. (Sobre esta interpretación de la Historia, ver el libro de Edward C. Whitmont *Retorno de la Diosa.* Barcelona, Argos-Vergara, 1984).

[29] Eliade, Mircea; *Mito y realidad.*

[30] Eliade Mircea; *Ibid.,* Vernant, Jean-Pierre; *Mito y pensamiento en la Grecia antigua.* Barcelona, Ariel, 1983.

dad' (...) El puesto central concedido a la memoria en los mitos escatológicos, traduce así una actitud de menosprecio respecto a la existencia temporal. Si la memoria es exaltada, lo es en tanto que constituye un poder que realiza la salida del tiempo y el retorno a lo divino[31]

La dinámica memoria/olvido ocupa lugar destacado en algunos de los relatos de Carlos Fuentes. Ya se ha indicado en otra parte cómo la "iniciación" que, a través de procedimientos diversos, alcanzan algunos personajes, comporta una salida del mundo "objetivo" o "profano" y una inmersión en un nivel más elevado de conocimiento. Esta es la experiencia de Felipe Montero en *Aura* o de George en *Cumpleaños,* quienes llegan a comprender la falacia del "tiempo lineal" y acceden a la *anamnesis,* al recuerdo de todas sus reencarnaciones. Su experiencia les sirve para vislumbrar desde su altura la realidad de una historia detenida en la que, como en su propia personalidad, sólo han existido una serie de 'máscaras' superpuestas. A esta conclusión llega también Polo Febo en su encuentro "iniciático" con Celestina:

> ... se repitieron los mismos errores, las mismas locuras, las mismas omisiones que en otra cualquiera de las fechas verídicas de esa cronología linear, implacable, inagotable (*TN,* p. 779).

Estos temas encuentran su explicación en un necesario nivel de referencia contextual alusivo a las convicciones y preocupaciones del autor sobre el devenir histórico.

Para Fuentes, como ya se ha evidenciado en las páginas precedentes, México es un país que cíclicamente ha partido de cero en sus aventuras históricas y que ha caído repetidamente en los mismos errores. Esta nota no es sin embargo privativa del país americano, sino que algo similar puede percibirse un estudio de la evolución general de la Humanidad. Para el autor, el error fundamental, factor primordial perpetuador de esta dinámica, ha sido el *olvido:* siempre se ha empezado de nuevo sin tener en cuenta el pasado, y por ello todo se ha vuelto a repetir. La única forma de romper este proceso fatal y de conseguir ese utópico proyecto latinoamericano —y universal— de futuro radica precisamente en un sólido conocimiento y asunción del pasado, como enseñanza primordial que evite la recaída. Tal es el planteamiento repetido una y otra vez en sus ensayos y artículos:

---

[31] Vernant;*Ibid.,* pp. 107-108.

Si ignoramos nuestro pasado, tendremos que afirmar que todo lo duradero de nuestras sociedades fue construido por fantasmas y entonces nosotros mismos seremos fantasmas[32].

En otro lugar, y en línea con esto, el novelista define así una de las pretensiones de su obra:

> Darle vida al pasado, para que tenga vida el presente y el futuro, ceñir la realidad del presente, ser y no sólo estar en el presente y contribuir a un futuro libre de los fantasmas de ayer y de los opresores de hoy, pero pródigo en la memoria de la tradición viva y vivificante sin la cual ese futuro nacería viejo[33].

Acudiendo a su obra, son muy significativas en este sentido las palabras del conde Branly:

> Todo está siendo, nada muere por completo sino porque, criminalmente, nosotros lo condenamos a muerte olvidándolo: el olvido es la única muerte, la presencia del pasado en el presente es la vida (*UFL,* p. 164).

2) Referencias mitológicas

En las narraciones de Carlos Fuentes resulta frecuente hallar referencias a contenidos mitológicos y religiosos pertenecientes a diversas culturas humanas, cuyo simbolismo o significado particular se pone en relación con el sentido central del relato. Un rastreo profundo de estos temas nos llevaría a descubrir figuraciones procedentes de la India, de las antiguas culturas mediterráneas, de religiones paganas europeas, así como de todo

---

[32] Fuentes, Carlos; "Una perspectiva iberoamericana", p. 56.

[33] Fuentes, Carlos; Discurso en la entrega del Premio Internacional de novela "Rómulo Gallegos", p. 15. En una entrevista con Gladys Feijóo Fuentes señala que el mito es una de las formas de "recordar" ese pasado: "sólo el mito hace presentable el pasado, o si quiere usted, sólo gracias al mito el pasado es un presente: o vemos al pasado como un presente disfrazado. Pero el mito nos liga a la historia, hace presente el pasado, y yo creo que tener un pasado muerto, un pasado inerte, es tener un presente muerto, un presente inerte. Esto es un poco más difícil de hacer comprender a las sociedades orientadas socialmente hacia el futuro, como son básicamente las sociedades anglosajonas, o en general las sociedades industriales" (Feijóo, Gladys: "Entrevista a Carlos Fuentes", p. 74).

el caudal de creencias ancestrales del continente americano. No es mi intención abordar esta empresa con un carácter exhaustivo, lo cual me conduciría a elaborar listas interminables de temas y deidades, sino tan sólo estudiar aquéllos contenidos y personajes que surgen de una manera reiterada en estas obras y que actúan como trasfondo operativo de caracteres y actitudes. La gran mayoría de temas mitológicos presentes en esta narrativa pertenecen a la antigua cultura índigena del Valle de México y a la griega clásica:

a) Mitología prehispánica

Las referencias a esta cultura ocupan el primer lugar en las obras del autor mexicano y operan en función de contenidos distintos.

En *Chac Mool* y *Por boca de los dioses* asistimos a la presencia de ídolos antiguos que, como el dios maya de la lluvia o Tlazol, diosa azteca de la inmundicia, llevan a cabo una venganza en forma de sacrificio ritual sobre el personaje representante del mexicano medio contemporáneo. Tales hechos vienen a incidir en la idea del pasado no asimilado y en la pervivencia en el mundo actual del espíritu indígena, que parece seguir pidiendo de forma misteriosa un periódico tributo de sangre, y que, en opinión de Fuentes, no ha de ser negado, sino comprendido y asumido como parte integrante del mexicano mestizo.

El mismo significado se puede percibir tras el juego de identificaciones que se establece entre determinados personajes femeninos y ciertas deidades antiguas. El acto ritual de barrer y la simbología de las serpientes, relacionan a Teódula Moctezuma con la diosa Coatlicue[34] : ella, a un cierto nivel, es la "Tierra Madre", el México eterno, que reclama, por encima del tiempo y las transformaciones, la sangre y el sacrificio. Por su

---

[34] Se trata de los dos atributos clásicos de esta diosa en las figuraciones aztecas Con el primero se relaciona el hecho de su milagroso embarazo —del que nacería Huitzilopochtli— acaecido mientras barría el templo. Por su parte, el segundo hace relación a su aspecto externo; como señala Alfonso Caso, Coatlicue "lleva una falda de serpientes entrelazadas, de acuerdo con su nombre, sostenida por otra serpiente a modo de cinturón". (Caso, Alfonso; *El pueblo del sol,* México, FCE, 1953, p. 73). Cuando acude a ver a su madre, Ixca se la encuentra barriendo la casa (p. 332). Ella misma en un momento declara: "Quería hacerme una falda de fiesta con las pieles de las serpientes" (*RMT,* p. 336). Esta identificación la corrobora Ixca al final del relato al afirmar: "Mi madre es de piedra, de serpientes" (*RMT,* p. 544).

parte, Claudia Nervo aparece identificada con Tlazoltéotl, diosa de la redención y la inmundicia[35]:

> Mi madre devora porque no admite la ilusión y castra porque su vida es más violenta que tus sueños (ZS, p. 20).

> Tlazoltéotl era la diosa indígena de la muerte, la fertilidad y la inmundicia; sus manos embarradas de sangre y excremento eran también las manos (...) de la purificación (...). La veo, confundida y segura, con un pie en el rito y otro en el juego (ZS, pp. 45-46)[36].

Sin embargo, los casos de mayor interés son aquéllos en los que el autor utiliza de forma directa la simbología de un ídolo o dios como correlato o paradigma del tema central del relato o del carácter de un personaje. Caso evidente de la primera posibilidad es la función solapada que está ejerciendo Xipe-Tótec, destacada deidad del Olimpo azteca, en la trama de CP[37]. Se trata del dios que mejor ejemplifica el sentido azteca de renovación y de cambio, e incluso algunos autores, como Laurette

---

[35] En la mitología azteca, la diosa Tlazoltéotl simbolizaba las ideas de "inmundicia" y "purificación": ella era la que se "comía" los pecados de los hombres, lo cual daba lugar a un rito de confesión similar al cristiano, que se practicaba ante sus sacerdotisas (Ver, Caso, Alfonso: ob. cit., p. 75).

[36] En este caso, la confluencia de identificaciones mitológicas pertenecientes a culturas distintas que concurren en la madre de Guillermo dejan al descubierto su auténtico caracter de figura arquetípica universal. Se trataría, en un plano particular, de la misma confluencia mitológica indicadora de un orden común que ya hemos percibido en el estudio de la estructura mítica de la novela.

[37] El culto a Xipe-Tótec es considerado como uno de los más sangrientos llevados a cabo en el México antiguo. Sus fiestas rituales se celebraban en el segundo mes, llamado Tlacaxipehualitzi (que vendría a abarcar parte de los meses de Marzo y Abril en el calendario actual) y tenían un significado relacionado con el advenimiento de la Primavera, del nuevo ciclo anual. Como indica de nuevo Alfonso Caso, se trata de una auténtica personificación de la nueva estación, y su ceremonia central (el desollamiento de una víctima cuya piel se enfundaba un sacerdote) simbolizaba el cambio de piel que la Primavera representaba para la tierra. A este dios se le ofrendaban los primeros frutos y flores, aunque el rito central consistía en esa acción sangrienta. Este rito causó el lógico horror a los españoles que lo contemplaron por vez primera; es significativa en este sentido la opinión de Fray Diego Durán, que se muestra escandalizado "de ver la multitud de gente racional que moría en toda la tierra por año sacrificado al demonio que podemos afirmar que eran más que los que morían de su muerte natural" (Fray Diego Durán: Ritos y fiestas de los antiguos mexicanos. México, Ed. Innovación, 1980, p. 148). En realidad tras esta ceremonia latía un auténtico sentido religioso no comprensible sin tener en cuenta la concepción del tiempo de los náhuas y el sentido propiciatorio de sus sacrificios.

Sejourné van más allá en su caracterización al considerarlo como el ente que "simboliza la liberación de los obstáculos que el mundo interpone entre las distintas realidades del individuo"[38]. Xipe-Tótec, como queda comentado, es un símbolo mexicano operante en *CP* y profundamente relacionado con los temas básicos de la novela: la necesidad de cambiar el tiempo, de "renovar la piel" del ser humano. Varios datos vienen a abundar en este "contenido mexicano" del relato: su propio título hace referencia al acto ritual de este dios, y su mismo narrador, en un momento dado, se identifica con él: "El Narrador, Xipe-Tótec, Nuestro Señor el Desollado, cambia de piel" (*CP,* p. 415). A esto se ha de añadir la localización de los hechos en el mes de Abril, época en que los nahuas llevaban a cabo sus ritos de renovación, y sobre todo el "sacrificio" final que tiene lugar en la pirámide, lugar ceremonial por excelencia. De esta forma, la muerte de los personajes, especialmente de Franz, se carga con todas las connotaciones que tenía el acto sacrificial en la cultura antigua: es un acto propiciatorio de un ciclo nuevo —con lo que ello supone de cancelación del anterior— y positivo, puesto que redundará en el bien futuro de la colectividad.

Las figuras enfrentadas de Quetzalcóatl y Tezcatlipoca funcionan en muchos casos como correlato caracteriológico de distintos personajes que, o bien encarnan en su actitud la "moral" particular de cada uno, o "escenifican" en todo o en parte los relatos mitológicos en que estas deidades intervienen.

Quetzalcóatl es el dios benefactor de la cultura náhuatl y su figura se confunde con la de un sacerdote —rey del mismo nombre que parece haber vivido en Tula. De la mezcla de ambas tradiciones, la mítica de la "serpiente-emplumada" y la histórica del sacerdote-rey surgieron los mitos y leyendas, que contaban los hechos de este extraño ser. Aparece siempre como ente benéfico y héroe cultural: a él se le atribuye un papel decisivo en el nacimiento de los sucesivos soles; es el creador de la Humanidad y el defensor de una moral basada en el autoconocimiento, la paz, el amor y la unidad y, por tanto, opuesta a los sacrificios humanos. Como enemigo y contrario de Quetzalcóatl aparece su hermano Tezcatlipoca, dios del Espejo Humeante, asociado a los contenidos de oscuridad, maldad y dualidad. La lucha entre ambos principios opuestos en la cultura náhuatl es la historia de las sucesivas creaciones y destrucciones del mundo. En una de las narraciones mitológicas más importantes del mundo antiguo, Tezcatlipoca acude disfrazado a ver a Quetzalcóatl y le hace contemplar su propio rostro en un espejo; éste se sobresalta, se

---

[38] Sejourné, Laurette. *Antiguas culturas precolombinas. Historia Universal siglo XXI,* vol. 21, Madrid, Ed. Siglo XXI, 1971, p. 284.

embriaga, comete incesto con su hermana y al día siguiente se marcha de su pueblo sacrificándose en la hoguera y convirtiéndose en el planeta Venus, no sin antes prometer que regresará en el futuro a restaurar su reino. Desde entonces, uno de los atributos distintivos de Tezcatlipoca será el espejo, que se va a convertir también en uno de los símbolos culturales de la filosofía y de la religión de los antiguos pobladores del Valle de México. Los sabios o "tlamatinime" van a tener como especial misión la de "colocar un espejo' delante de los demás para enseñarles su cara, reflejo para ellos de la identidad profunda del ser humano[39].

Con el tiempo, el papel preponderante de Tezcatlipoca fue desplazado por un nuevo dios que, traído originariamente por los pueblos nómadas que se instalaron en el Valle del Anáhuac, adquirió especial protagonismo tras la etapa histórica conocida como "reforma de Tlacaélel"[40]: se trata del dios guerrero Huitzilopochtli, encarnación del Sol en el cénit, que exigía la sangre humana como alimento. La moral de Quetzalcóatl es vencida por la nueva mística de Huitzilopochtli de la misma manera que en la leyenda el ardid de Tezcatlipoca hace huir a Quetzalcóatl de la tierra. No es difícil percibir el paralelismo entre ambos sucesos (histórico y legendario) sobre todo si tenemos en cuenta que, como señala Laurette Sejourné, en realidad Tezcatlipoca y Huitzilopochtli son tal sólo variantes de un único dios, y ambos aparecen frecuentemente identificados[41].

Estos dioses y lo que representan hacen su aparición de forma directa o solapada en varios relatos de Fuentes.

---

[39] León-Portilla señala en este sentido que buena parte del ideal educativo se sustentaba en esta idea de "dar un rostro" al hombre; los maestros "tratan de hacer tomar una cara a los otros; se empeñan en ponerles un espejo para hacerles cuerdos y cuidadosos". (León-Portilla, Miguel; *La filosofía náhuatl*. México, UNAM, 1979, p. 79). Para este autor, tal concepto conecta "con un pensamiento común a los griegos y los pueblos de la India: la necesidad de conocerse a sí mismos; *el gnothi seauton*, 'conócete a ti mismo' de Sócrates". (*Ibid,*. p. 69).

[40] Tlacaélel fue un caudillo azteca que, decidido a otorgar a su pueblo un protagonismo histórico que no había tenido en realidad, ordenó quemar los antiguos códices y libros de pinturas que recogían la historia mexicana y reemplazarlos por otros falsos en los que se daba especial relevancia a los hechos de su pueblo. Al mismo tiempo, elevó a sus dioses tribales, Huitzilopochtli y Coatlicue, al mismo nivel que tenían las deidades "tradicionales" toltecas −como Quetzalcóatl− inaugurándose así la etapa de los sacrificios humanos en la civilización del Valle de México. (Ver: León-Portilla, Miguel: "La reforma de Tlacaélel", en *Los antiguos mexicanos a través de sus crónicas y cantares*. México, FCE, 1961, pp. 90-97).

[41] Sejourné, Laurette; *Pensamiento y religión en el México antiguo*. México, FCE, 1957, p. 182.

Así, en *TN*, el autor establece una dicotomía entre la realidad del mundo mexicano de hoy, dominado por la barbarie, la destrucción y la violencia, componentes de la moral de Tezcatlipoca-Huitzilopochtli, y la figura de Quetzalcóatl que, como Jesucristo, es el portador de unos ideales de renovación y paz que han salido permanentemente derrotados. En esta obra al peregrino del Nuevo Mundo se le impone la máscara del dios benefactor, portador del mensaje de unidad y, finalmente enfrentado de nuevo a Tezcatlipoca, se ve obligado a huir. Se trata de una acción que, como profetiza el anciano indígena, nunca concluirá:

> Fracasarás siempre. Regresarás siempre. Volveras a fracasar.
> (...) Ese gemelo oscuro renacerá en tí, y seguirás combatiéndole.
> Y renacerá aquí (*TN*, p. 483).

El suceso mitológico se vuelve a repetir en el año 1999. En este caso, el Espejo Humeante es significativamente el Presidente de la República, que sirve a las fuerzas invasoras de los EE.UU. y que fomenta una política de destrucción con el fin de paliar el grave problema de la superpoblación. Su hermano es el idealista y opositor que repite el crimen fratricida y forma su propia guerrilla en Veracruz para combatir al imperialismo y rescatar la indentidad y la unidad de su pueblo:

> El resto de la república está ocupado por el ejército norteamericano. Y frente a las costas del Golfo, la flota del Caribe vigila, bombardea e incursiona. Aquí en Veracruz, fuimos fundados por una conquista y aquí, casi cinco siglos más tarde, otra conquista intenta destruirnos para siempre. Conocemos palmo a palmo, sierra a sierra, de barranca en barranca, de árbol en árbol, esta ciudadela final de nuestra identidad. (*TN*, pp. 724-725).

Pero el guerrillero también fracasa y se ve obligado a exiliarse en París, donde vive –o sueña– la necesaria destrucción de este mundo de dualidad y oposición.

Las figuras de Quetzalcóatl y Tezcatlipoca y su "moral" respectiva, sirven en este caso para caracterizar la historia de México: el mito se ha repetido hasta perpetuarse; el Nuevo Mundo es el territorio de Tezcatlipoca que ha gobernado desde la época azteca hasta el momento actual de dominio estadounidense[42].

---

[42] En *TN* se plantea como una de las posibles soluciones para encontrar la identidad del país la victoria ante el invasor extranjero. No parece difícil percibir en este punto una solapada defensa de Fuentes a los grupos guerrilleros que luchan en

En otro orden de cosas, el símbolo del *espejo*, relacionado, como se ha visto, con Tezcatlipoca, ocupa también lugar destacado en estas novelas.

En momentos claves de su experiencias, los personajes de Fuentes contemplan su rostro reflejado en un espejo; esto sucede reiteradamente en *MAC*, novela en la que, según el crítico Bernard Fouques, la obsesión por la propia imagen se convierte en uno de los motivos más relevantes[43]. Con ello se está acentuando uno de los contenidos centrales del relato: la búsqueda de la identidad tanto en un plano individual como nacional.

También cobra una especial importancia este símbolo en la última novela de Fuentes hasta el momento: *GV*. La tropa de Arroyo se va a contemplar extasiada en los grandes espejos del salón de baile de la hacienda Miranda:

> Los hombres y mujeres de la tropa de Arroyo se miraban a sí mismos. Paralizados por sus propias imágenes, por el reflejo corpóreo de su ser, por la integridad de sus cuerpos (...) Fueron capturados por el laberinto de espejos (...) Uno de los soldados de Arroyo adelantó un brazo hacia el espejo. —Mira, eres tú. Y el compañero miró hacia el reflejo del otro. —Soy yo—. —Somos nosotros (*GV*, pp. 44-45).

La escena supone el "autorreconocimiento" que para Fuentes significó la Revolución Mexicana, único momento en la Historia en que el país se sintió vivo y se conoció a sí mismo. El hecho contrasta con la actitud de la norteamericana Harriet Winslow, que vive inmersa en los prejuicios sociales de su país y no sabe interpretar las auténticas dimensiones del proceso del que está siendo testigo. De aquí procede el repetido reproche que le dirige el viejo Bierce: "—Harriet: ¿te viste en el espejo del salón de baile cuando entramos hoy en la noche?" (*GV*. p. 47).

Siguiendo la simbología de la cultura prehispánica, el espejo surge en estos relatos como el objeto que refleja la verdadera esencia, el auténtico "rostro" del ser humano, y que hace derrumbarse las "máscaras" —símbolo éste también muy repetido en la obra de Fuentes— que han ocultado desde siempre la faz del hombre y, particularmente, del mexicano.

Hispanoamerica por la independencia de la nación en contra de gobiernos más o menos totalitarios impuestos por el vecino del Norte.

[43] Fouques, Bernard; "El espacio órfico de la novela en 'La Muerte de Artemio Cruz' ". *Revista Iberoamericana* XLI, núm. 91, (Abril-Junio, 1975), p. 244.

La acción de Ixca Cienfuegos en *RMT* guarda asimismo un cierto paralelismo con la simbología del dios nocturno y el espejo. Como ya se ha señalado anteriormente, el personaje "confiesa" a los demás, y trata de hacerles penetrar en lo más hondo de su personalidad para encontrar la raíz de una identidad perdida o enmascarada. Los símbolos culturales del "espejo" y el "rostro" y asociados a ellos los conceptos de "recuerdo" y "memoria" se hallan muy presentes en las intervenciones del "guardián". Como Tezcatlipoca y los tlamatinime, Cienfuegos "viaja" a través de los distintos ambientes de México poniendo un "espejo" ante los personajes para tratar de que se reconozcan en él. Su identificación a un cierto nivel con este dios viene dada por otros datos: Teódula, trasunto, como se ha visto, de Coatlicue, es la madre de Ixca, de la misma forma que la diosa azteca guarda idéntico parentesco con Tezcatliploca; por otra parte, en un momento dado, la viuda se dirige a su hijo identificándole directamente con el Espejo Humeante:

> —Estás negro, hijo, negro y morado como las noches de antes, las que recuerdo (...) como que has peleado con el Sol, se ve lueguito (*RMT*, p. 446)[44]

En el caso concreto de Artemio Cruz, la rememoración del pasado también podría interpretarse como una especie de narración-espejo que permite averiguar la verdadera personalidad del protagonista. De todas formas, y dejando aparte estas especulaciones, la relación entre este personaje y Tezcatlipoca, ha sido señalada por varios comentaristas[45]. Uno de estos, Bernard Fouques, sostiene que la contraposición entre la moral de Tezcatlipoca y la de Quetzalcóatl marca ideológicamente la novela:

> La carrera del personaje, con sus características fases de Sol y sombra, parece entonces dominada por el antagonismo de los astros gemelos y de la antigua cosmogonía[46].

Aunque en la obra, al contrario de lo que sucede en otros relatos, no se

---

[44] En una de las variantes de su compleja personalidad, Tezcatlipoca, cuyo color representativo es el negro, se ve obligado a luchar diariamente contra las fuerzas de la luz, como representante que es de la oscuridad y la noche.

[45] V. gr. Bernard Fouques; *ob. cit.,* pp. 243-244, René Jara; *ob. cit.,* p. 208; Aida Elsa Ramírez Mattei; *ob. cit.,* p. 108; María Stoopen; '*La muerte de Artemio Cruz' una novela de denuncia y traición.* México, UNAM, 1982, p.28.

[46] Fouques, Bernard; *ob. cit.,* p. 243.

ofrecen datos fehacientes que permitan demostrar con cierta coherencia esta identificación, sin embargo se advierte que determinados temas de la misma podrían encajar perfectamente en esta interpretación; de manera especial me estoy refiriendo al motivo del *doble*.

En las distintas encrucijadas vitales de Artemio, suele hacer su aparición al lado del protagonista un personaje que cumple la función de "doble" y que acaba falleciendo. Ya en su mismo nacimiento se cumple la primera etapa de ese destino: por los indicios que se ofrecen, parece que Cruz es gemelo y que su hermano muere antes de nacer al asesinar Atanasio Menchaca a Isabel Cruz:

> Lunero cortó el cordón, amarró el cabo, lavó el cuerpo, el rostro, lo acarició, lo besó, quiso entregarlo a su hermano, pero Isabel Cruz, Cruz Isabel ya gemía con una nueva contracción y se acercaban las botas a la choza donde yacía la mujer sobre la tierra suelta, bajo el techo de palmeras, se acercaban las botas y Lunero detenía boca abajo ese cuerpo, le pegaba con la palma abierta para que llorara, llorara mientras se acercaban las botas: lloró: él lloró y empezó a vivir... (*MAC*, p. 315).

Como señala Chavero, una de las múltiples variantes mitológicas de la cultura náhuatl consideraba que Quetzalcóatl y Tezcatlipoca-Huitzilopochtli eran hermanos gemelos, hijos de la diosa Cihuacóatl que murió en el parto[47]. Artemio en la novela parece encarnar la moral del segundo, que desde siempre ha aniquilado la de su hermano, y éste podría ser el significado de esas muertes sucesivas de los "dobles" de Artemio Cruz.

Tras su hermano gemelo, que no llega a nacer, el personaje es testigo de la muerte de Lunero y Regina –la inocencia y el amor– y del soldado anónimo a quien no presta ayuda:

> ... trató de apartar el rostro torcido de dolor: pómulos altos, boca abierta, ojos cerrados, bigote y barba revueltos, cortos, como los suyos. *Si tuviera los ojos verdes sería su gemelo (MAC*, p. 75. (El subrayado es mío).

Otro de los "dobles" de Artemio es el idealista Gonzalo Bernal, de cuyo destino se apodera Cruz al ser él quien regrese tras la guerra a la hacienda de su padre. Artemio por tanto, ha ido viendo cómo a lo largo de su vida se iban "muriendo" los valores positivos del amor, la lealtad y el idealis-

---

[47] Robelo, Cecilio A.; *Diccionario de la mitología nahoa*. México, Porrúa,1982, p. 81.

mo —representativos de una moral quetzalcoatliana— mientras él ha escogido la senda opuesta. Unido esto a la interpretación cíclica de la historia apuntada anteriormente, se puede acceder de nuevo a la idea precedente del triunfo de Tezcatlipoca-Huitzilopochtli en México que una y otra vez ha expulsado a su hermano y doble.

Un último aspecto merecedor de cierta atención es el relativo a la aparición directa y explícita de contenidos culturales prehispánicos como elemento "ambiente" que rodea la acción o el comportamiento de algún personaje. En el primero de los casos, la aventura del peregrino en el Nuevo Mundo que se refiere en *TN* abunda en descripciones de los rituales de la antigua cultura y en narraciones de sus mitos centrales. Así el anciano, al poco de su llegada, le refiere al joven los mitos cosmogónicos aztecas (pp. 395-396), y el propio viajero es más tarde testigo de las ceremonias de "confesión" a la sacerdotisa de Tlazoltéotl (pp. 434-435) y de los ritos preparatorios de las fiestas en honor de Tezcatlipoca (p. 441).

Este factor "ambiental" se trasluce en una dimensión individual en las intervenciones de Ixca y Teódula en *RMT*. En sus conversaciones los "guardianes" refieren los mitos cosmogónicos de la antigua civilización:

> ... cada Dios fue engendrado por la pareja, y la pareja por dos parejas, y las dos parejas por cuatro, hasta poblar el cielo de más dioses que hombres han sido (*RMT*, p. 379).

> Fue un leproso... un leproso, sí, el que se arrojó al brasero de la creación original para alimentarlo. Renació convertido en astro (*RMT*, p. 380).

También transmiten los conceptos centrales de la filosofía religiosa azteca, como es la necesidad de alimentar al Sol:

> El mundo no nos es dado (...) tenemos que recrearlo. Tenemos que mantenerlo (*RMT*, p. 377).

o el férreo determinismo que marca la vida del hombre desde su nacimiento:

> ... cada hombre, cada sucesión de hombres, refleja el rostro y los colores sin forma de un Dios que lo marca y lo determina y lo persigue hasta que en la muerte se reintegra a la dualidad original (*RMT*, p. 380).

o las ideas sobre la muerte y el más allá (pp. 337-339). La propia forma de expresarse de estos personajes evidencia la penetración en su lenguaje de formas estilísticas y figuras simbólicas pertenecientes a la cultura náhuatl:

209

Arca de turquesas, corazón de piedra, viento de serpientes, no
sueñes más (*RMT*, p. 449).

Fuentes, en resumen, refleja en sus obras de forma recurrente los
temas centrales del acervo cultural prehispánico como factores que aportan su propia simbología y ofrecen una interpretación del mundo, la historia y la vida humana. Su aparición se complementa con la de otras referencias mitológicas que adquieren ya una menor relevancia en sus relatos.

b) Mitología griega

Las referencias a la mitología griega, cultura madre del mundo occidental, se unen a las anteriores como forma de caracterización del mundo
mestizo americano. Estas, sin embargo, son ya mucho menos abundantes
que las relativas a la civilización prehispánica, y se advierten de manera
destacada en *ZS*, obra en la que el autor juega con el mito de Ulises y sus
diferentes versiones. Concretamente en la novela se van a ofrecer cuatro
posibilidades: a) la versión "oficial", homérica, que es referida al comienzo por Guillermo (p. 5); b) la modificación que introduce Giancarlo:

> El jefe amarrado dijo haber escuchado y resistido. Mintió.
> Cuestión de prestigio, conciencia de la leyenda. Ulises era su pro-
> pio agente de relaciones públicas. Las sirenas, esa vez, sólo esa vez,
> no cantaron (*ZS*, p. 6)[48].

c) la que se desarrolla en el palacio de Madonna dei Monti, que sirve para
proyectar las distintas correspondencias en el plano general de la acción:

> Telémaco se hunde en el lecho de Circe. Telégono, el hijo de
> Ulises y la hechicera, reinicia la peregrinación abandonada, el re-
> greso que es el arranque: viaja a Itaca, al hogar negado, a consu-
> mar las sustituciones, a negar la verdadera crónica (*ZS*, p. 174).

d) la nueva modificación que introduce Giancarlo al final del relato:

> Ulises no se amarra al palo mayor (...): no debe regresar al ho-
> gar, allí lo esperan la infidelidad de la esposa y la muerte por ma-
> no del hijo. Ulises nunca regresó, cretino, Ulises se quedó en las

---

[48] Gloria Durán advierte la procedencia de esta versión de un artículo de Kafka titulado "El silencio de las Sirenas". (*La magia y las brujas...*, p. 91).

islas, con las sirenas, eternamente joven, eternamente sensual (*ZS*, p. 183).

Del mismo modo, y en consonancia con el correlato odiseico que estructura la obra, se advierten distintas identificaciones simbólicas entre los personales "reales" y los "mitológicos". Así la pareja Giancarlo-Guillermo se relaciona con Telémaco-Telégono, y simultáneamente con los gemelos antagónicos Apolo y Dionisos:

> Hermanos nacidos de una misma madre. Apolo y Dionisos que sólo durante el invierno compartían su oráculo. Adelphoi, gemelos (*ZS*, p. 107).

Por su parte, Claudia también es identificada con distintos personajes de la mitología griega. El papel de Penélope le corresponde en función de la proyección mitológica general de la novela, y es evidente en el episodio de la filmación en Madonna dei Monti. Su relación con la Medusa Gorgona se sugiere en varios pasajes del relato (pp. 152, 152, 167) mientras que las referencias a Circe son claras en su carácter de hechicera (p. 122), en su unión simbólica con Telémaco-Telégono y en la entrega a Giancarlo de "la flor blanca con raíz negra" (*ZS*, p. 173), acción cuyo paralelo se encuentra en *La Odisea*[49]. Por su parte, las muchachas que acompañan a la actriz aparecen identificadas en la imaginación de Mito con las Erinnias, divinidades violentas que "cuando se apoderan de una víctima la enloquecen y la torturan de mil maneras"[50]. En una fiesta celebrada en casa de Claudia, el joven se siente objeto del castigo de las temibles diosas:

> Me cubro el sexo con las dos manos, pero no importa; ellas me paran de cabeza, me abren las piernas en una Y, me meten la cabeza en la jarra de martini, me introducen flores por el ano, en medio de sus aullidos y cánticos y veo, invertida, la imagen del tríptico, los hombres expuestos en las copas de los árboles, picoteados por las aves... (*ZS*, p. 128).

A través de estas proyecciones constantes que el narrador establece entre los personajes del plano real y los dioses de la mitología griega, se advierte la intención de Guillermo por engrandecer su propia historia y sus traumas personales, contemplándose a sí mismo y a los que le rodean

---

[49] Homero; *La Odisea*. Madrid, Editora Nacional, 1983, pp. 197-198.

[50] Grimal, Pierre; *Diccionario de la mitología griega y romana*. Barcelona, Paidós, 1981, p. 169.

como partes integrantes del mito clásico. No obstante, esta misma comparación produce un fuerte contraste que deja al descubierto el auténtico mundo de Mito: Ulises ya no es el gran guerrero semidios de la antigüedad, sino un humilde vendedor de útiles escolares (p. 150) o un oscuro soldado atrapado en un burdel de Trípoli (p. 105). Tampoco su hijo (Telémaco-Telégono) es el joven virtuoso y valiente, sino un muchacho enfermizo y neurótico, incapaz de valerse sin el apoyo económico y afectivo de su madre. La grandeza del mundo clásico se convierte a su vez en el clasismo y la mezquindad de la alta sociedad mexicana, encastillada en sus privilegios y ajena a todo lo que le rodea (ej. pp. 114-115). Las referencias mitológicas y el ropaje clásico con que aparecen revestidos hechos y personajes en ZS evidencian *por contraste* la realidad de un "héroe" moderno que vive en un lugar sórdido donde ya no tienen cabida las hazañas del mundo antiguo.

El mito griego, en este caso el entramado de los misterios eleusinos, se encuentra asimismo operante en *Cumpleaños*. También en esta obra asistimos a determinadas identificaciones simbólicas, como las que se establecen entre Nuncia y las deidades clásicas Perséfone-Deméter y Selene, cuyo simbolismo en la cultura clásica se relacionaba con el sentido cíclico del tiempo y las ideas consiguientes de regeneración y reencarnación que, como se ha visto, se erigen en uno de los contenidos mas reseñables del relato.

Por último, en *CP* las referencias son ya menos abundantes y sobre todo menos "operativas" que en las dos novelas anteriores. Las alusiones a los mitos griegos del laberinto, con la consiguiente aparición de personajes mitológicos (Teseo, Perséfone, Medea, Perseo o Jasón), o el título de la frustrada novela de Javier, *La caja de Pandora,* surgen en el curso de algunas conversaciones de los protagonistas como forma de enriquecer su discurso netamente intelectual, pero nunca se convierten en símbolos de la acción o correlatos de algún carácter determinado[51].

---

[51] No obstante, se ha de señalar que Margo Glantz ha puesto de relieve la existencia en la novela de tres mitos helénicos: el de la caja de Pandora, el retorno de Orestes y el Niño Perdido. Aunque se podría admitir a un nivel muy tenue la presencia del primero de los mencionados (en el título de la novela anterior) no he encontrado ningún dato fehaciente en el desarrollo de la acción ni mención explícita alguna que permita afirmar con claridad la presencia de estos otros dos temas en *CP.*

c) Doctrina judeo-cristiana

Fuentes, estudioso y conocedor de varias tradiciones religiosas y mitológicas de la Humanidad, gusta de jugar también en sus obras con temas procedentes de la historia y la doctrina del judeo-cristianismo. Amén de las ocasiones en que se plantean en sus relatos de una manera directa problemas de teología profunda (v. gr. *TN*) —que revelan un amplio conocimiento del autor de la historia del dogma católico y sus "desviaciones"— o de aquellos casos en que, como sucede en *LBC* o en *Vieja Moralidad*, la religión aparece como la máscara tras la que se oculta la mala conciencia de la burguesía mexicana, el principal motivo de atención del escritor se centra en la figura de Jesucristo.

En consonancia con el sentido escatológico ya advertido en gran parte de los relatos de Fuentes, la aparición de Cristo vendrá a sugerir la idea del cambio y la renovación, sobre todo moral, de la Humanidad. Es significativo que las novelas en las que esta figura aparece de una manera directa sean *CP* o *TN*, las dos obras que inciden de una manera más directa en estos temas.

En *CP* Jesucristo surge como la encarnación del primer revolucionario de la Historia, como el primer hombre que logró una auténtica transformación de la Humanidad (pp. 300-301). Su sacrificio y muerte son considerados en la doctrina cristiana como la condición esencial de expiación de la culpa del hombre y el advenimiento de un nuevo ciclo, y en este sentido se establece un paradójico paralelismo con el personaje de Franz. Este es concebido también como un revolucionario, participante en un importante movimiento histórico con tintes mesiánicos y, del mismo modo, su sacrificio y su muerte supondrán un cambio simbólico en la historia humana[52].

Un tratamiento similar es el que el novelista hace en *TN*, donde Cristo va a aparecer signado con el estigma de la cruz encarnada en la espalda y el sexdigitismo, marca de los grandes héroes culturales y dioses de la Humanidad (ver p. ej. pp. 161 y 704). Es también el portador de las ideas de cambio, y en este caso su buscada identificación con personalidades similares de otras culturas demuestra su verdadera condición de figura arquetípica, depositaria de las esperanzas inconscientes y universales del hombre de todo tiempo y lugar, que siempre ha soñado el retorno a una

---

[52] Otro posible contenido de raigambre cristiana es la celebración de los hechos el Domingo 11 de Abril de 1965, Domingo de Ramos, fecha "umbral" de la Pascua cristiana, que finaliza con la muerte y resurrección del Mesías con el consiguiente cambio de ciclo en la Historia. Se podría establecer claramente un paralelismo con lo sucedido en la novela.

pureza primigenia que se conseguiría tras el regreso del dios o héroe benefactor. Este carácter lo pone de relieve en la novela el viejo del Nuevo Mundo:

> Conozco tantas ciudades fundadas por tí. Junto a los ríos. Junto a los mares (...). Descubre quien fundó esas ciudades lejanas y cercanas y te descubrirás siempre a tí mismo. Serpiente de plumas fuiste llamado en esta parte del mundo. Otros nombres portaste en tierras de dátil, y arcilla, de aluvión y marea, de lino y coba (...) fuiste siempre el educador primero (...) el que predicó el amor entre los hombres (*TN*, p. 483).

Jesucristo, Quetzalcóatl, Tanchelmo o los jóvenes protagonistas, vienen a asumirse en la personalidad única del *Mesías* mítico de todas las culturas humanas; con ello se vuelve a percibir el afán integrador de Fuentes quien, por encima de las figuraciones mitológicas concretas, intenta siempre descubrir lo común, lo universal, trasunto, como señala Lévi-Strauss, del "Espíritu humano".

La visión heterodoxa o herética del Hijo de Dios se nos ofrece en *Cumpleaños.* Como ya he apuntado, el relato se halla recorrido en toda su extensión por contenidos extraídos principalmente de las herejías medievales, muchos de cuyos fundamentos doctrinales afloran directamente en la obra. El dualismo, gérmen de muchas de estas desviaciones, ocupa un lugar destacado y bajo su perspectiva se contempla el problema de la auténtica realidad de Jesucristo. Para esta corriente filosófica, Cristo al haber sido creado hombre, no puede albergar en sí la naturaleza divina[53]. Muy por el contrario, él ha sido uno de los vehículos que ha generado la dispersión, que cada vez aleja más al hombre de la unidad total y de la perfección[54]. Su vida, contada por Nuncia —reencarnación de la Virgen María— fue en realidad la de un hombre astuto que pretendió que el pueblo se levantara en armas contra la opresión romana; por ello urdió el plan de presentarse como mártir:

> El pobrecito pensó que su desafío incendiaría la soberbia imperial; el imperio, más discreto, lo entregó en manos de sus más seguros verdugos: sus semejantes (*Cumpleaños*, p. 213).

---

[53] Ver punto dedicado a la "Edad de Oro".

[54] "¿Por qué tuvo Dios —sepreguntaba Nuncia— que es la unidad absoluta, esta tentación de negarse procreando, proliferando, multiplicando unos atributos que, al exiliarse de la unidad, por fuerza se opondrían a ella?. *(Cumpleaños*, pp. 190-191).

214

En otro momento aparece caracterizado como un ser "ambicioso, intrigante, más fariseo que el más blanqueado de los sepulcros humanos" (*Cumpleaños*, p. 212).

El personaje de Cristo se presenta pues bajo figuraciones distintas y enfocadas bajo prismas divergentes en uno de los juegos de identificaciones y transformaciones a los que tanto propende el autor como forma de transmitir la idea de la realidad múltiple, de la inexistencia de la verdad unívoca y del carácter multiforme y hasta contradictorio de la naturaleza humana.

d) Mitos culturales mexicanos

El último aspecto que merece atención en el estudio de las referencias mitológicas es el relativo a lo que denominaré "mitos culturales mexicanos". No se trata de mitos en el sentido tradicional del término, pero su función de "marca" determinante de una comunidad (idea de "cohesión", y su profundo enraizamiento en el inconsciente del mexicano, les confiere un cariz muy próximo al de los temas mitológicos.

El proceso de introspección en el carácter del país iniciado hacia el primer tercio del presente siglo y conocido con el nombre genérico de "filosofía de lo mexicano" puso al descubierto una serie de rasgos que fueron considerados como auténticas señas de identidad del mexicano mestizo. Es de nuevo Octavio Paz quien pone en relación directa estas notas con los "mitos de origen", de los cuales, en opinión de Eliade, se derivan la práctica totalidad de temas mitológicos de una cultura. Para Paz, el comienzo de la personalidad mexicana se ha de cifrar en el momento de la conquista, que marca para siempre el carácter del futuro habitante del país: éste se va a considerar hijo de una madre violada —que la figuración popular identifica con la Malinche— y del macho violador —identificado con el conquistador español— y va a renegar de uno y de otro, lo cual le crea ese sentimiento de orfandad que subyace en lo hondo de su personalidad. La Malinche, la madre violada, es también la "Chingada", término derivado del verbo "chingar" que Paz y Fuentes consideran como el "santo y seña" de México[55]. Se trata de una palabra que alude a la idea de "violencia, salir de sí mismo y penetrar por fuerza en otro. Y

---

[55] Esta definición con las mismas palabras se repiten en *MAC* (p. 224) y en *El laberinto de la soledad* (p. 67).

también herir, rasgar, violar —cuerpos, almas, objetos—, destruir"[56]. La dialéctica entre "lo abierto" y "lo cerrado" —entre el "chingón" y el "chingado"— es consecuencia lógica de este tema: el "chingón" será el "macho", en tanto que el "chingado", lo "abierto", será la hembra que se somete a la penetración —forma de posesión y humillación— por parte del hombre. Paz trata estos temas al modo de "traumas infantiles" profundamente grabados en el inconsciente colectivo de la nación y que, en cierta medida, determinan su historia posterior, en la que el ideal del "macho" será el causante de una escisión entre una clase opresora (los "chingones-machos") y otra oprimida (los "chingados").

Estos planteamientos de Paz harán mella en los ensayos y novelas de muchos escritores del momento, entre los que se cuenta Carlos Fuentes, quien en *MAC* desarrolla buena parte de los temas que el gran maestro mexicano trata en su obra.

En *MAC* la dialéctica de la "chingada" aparece como uno de los estigmas generadores de los ciclos repetidos en el desarrollo histórico de México:

> La chingada que envenena el amor, disuelve la amistad, aplasta la ternura, la chingada que divide, la chingada que separa, la chingada que destruye, la chingada que empozoña (*MAC*, p. 146).

El autor plantea la necesidad de superar esa marca de origen con el fin de romper el determinismo. Los párrafos que recogen estas reflexiones se incluyen en el nivel del "tú", con lo que se hace evidente el deseo de aludir al lector en la apelación y hacerle consciente y partícipe de la admonición:

> ...déjala en el camino, asesínala con armas que no sean las suyas: matémosla, matemos esa palabra que nos separa, nos petrifica y pudre con su doble veneno de ídolo y cruz: que no sea nuestra respuesta ni nuestra fatalidad (*MAC*, p. 146)[57].

---

[56] Paz, Octavio; *El laberinto...*, p. 69.

[57] Como indica María Stoopen, en estos párrafos la primera y segunda persona "se convierten en nosotros, víctimas y cómplices de una misma cultura. Y, desde esta complicidad, la voz tú invita a sus narratarios —protagonistas y lector virtual— a olvidar el origen común: la chingada, causa y suma de nuestros males". *(ob. cit.*, p. 104).

Artemio Cruz surge también como el representante activo de este mito cultural: él al igual que el país, es mestizo; es un "hijo de la chingada", puesto que es fruto de una violación, y hace del "chingar" el lema de su vida, perpetuando así la repetición de una estructura de explotación cuyo sentido hunde sus raíces en el subconsciente colectivo de la nación.

La violencia de los "chingones" primordiales —los conquistadores— ha perdurado hasta hoy. Con ellos se identifica significativamente Artemio en uno de sus sueños (pp. 35-36) y con sus acciones se superpone la actuación de los beatniks al comienzo de *CP* como forma de establecer el paralelismo entre dos situaciones pertenecientes a tiempos distintos pero de similar sentido.

El "mito de la Malinche" hace su aparición también en *CH,* pero ahora aplicado al mundo actual. Esta figura, además de la madre primordial violada, representa en el alma mexicana el símbolo de la traición, de la entrega del país a un poder extranjero. Fuentes hace uso de este contenido cultural que, como descubrimos en el epílogo, enmarca el sentido mitológico subyacente de la obra. Para el novelista, México se halla en un momento importante de su historia, similar en cierto modo al que precedió a la conquista: es dueño de amplios recursos naturales que atraen la avaricia de los nuevos conquistadores. El mexicano corre el peligro de entregar de nuevo el país, ahora en manos del capital norteamericano que aparece recubierto con la doble faz de Quetzalcóatl-Cortés: con su máscara de dios benefactor promete el bienestar material, el progreso y la felicidad; pero tras estos señuelos se esconde la rapiña de Cortés y sus acompañantes y el deseo de apoderarse del nuevo oro de México. La penetración norteamericana ya se ha producido en otros muchos campos[58] y no cejará hasta conseguir el último reducto de la soberanía nacional, que son sus reservas petrolíferas. El peligro radica en que los propios mexicanos, crédulos de las promesas y ambiciones del poder, pueden llevar a cabo esta nueva entrega. La imagen de la Malinche planea de nuevo sobre México, y el autor advierte del peligro. Ruth, la esposa de Félix, es quien representa a esta figura de una manera más directa: ella se descubre finalmente como una agente israelí, que ha trabajado para facilitar la entrega de los recursos mexicanos a su gobierno, tras el cual se encuentra el de los EE.UU. Ella, en palabras de Gladys Feijóo, "sirve a los nuevos conquista-

---

[58] Ver el apartado siguiente dedicado a los "mitos del mundo occidental".

dores que quieren aprovecharse del oro negro mexicano"[59] y por tanto cumple la función de la traidora mitológica.

Aparte de estas obras señaladas, en las que el mito cultural mexicano surge como un trasfondo operativo importante en distintos niveles, estos temas se repiten en la práctica totalidad de las novelas aquí estudiadas en conversaciones o reflexiones de los personajes; son particularmente perceptibles en las disquisiciones de Ixca y Zamacona en *RMT*, en las opiniones de los viajeros de *CP* o en la caracterización del México de hoy y del futuro en *TN*.

3) El mito moderno

Una última instancia en el análisis referencial del mito es aquélla relativa a lo que en la introducción denominé "mito social" o "mito moderno", vertiente que, como ya quedó indicado entonces, es objeto de análisis por parte de numerosos estudiosos de esta materia.

La existencia del "mito social" no es algo privativo de la sociedad actual, muy por el contrario, su presencia se puede advertir en los grupos humanos de cualquier tiempo y lugar, enmascarado a menudo bajo formas religiosas.Como pone de relieve Martín Sagrera, ya Arístoteles sostenía que los mitos se habían creado para conseguir una obediencia a las leyes por parte del ciudadano[60], lo cual constituye la primera advertencia clara de esta particular función. En nuestro mundo, la progresiva pérdida del sentido mágico y religioso del universo ha provocado una "desacralización" de la sociedad que ha supuesto el que los grupos gobernantes ya no puedan acudir a explicaciones superiores o trascendentes como excusa para dar legitimidad a su mandato o a su ideología rectora[61]. Sin embargo, los "mensajes" lanzados desde el poder continúan existiendo, aunque desprovistos de su ropaje anterior: donde antes estaba Dios, ahora se encuentra el progreso, el dinero o el bienestar; donde había guerra santa ahora hay acciones para evitar el avance del mal, de los enemigos de la pa-

---

[59] Feijóo, Gladys; "Notas sobre 'La cabeza de la hidra' ". *Revista Iberoamericana,* núms. 110-111 (Enero-Junio, 1980, p. 221.

[60] Sagrera, Martín: *Mitos y sociedad*. Barcelona, Ed. Labor 1969, p. 71.

[61] Excepción hecha, por supuesto, de países del Tercer Mundo donde en los últimos años se percibe un nuevo florecimiento de este orden social sustentado en una doctrina religiosa como forma de cohesión y legitimidad; el caso más evidente es el de la revolución iraní.

tria, llámense capitalismo o comunismo. Se trata, como nuevamente advierte Martín Sagrera, del desquite o la venganza de los dioses sobre el hombre contemporáneo, que creía ser libre y estar dotado de una mente racional con la que había superado y dejado atrás los viejos mitos. Hoy .día el ser humano se cree el amo, el dominador y controlador del mundo y de la realidad, cuando, por el contrario, "es dominado por los medios sociales que le han dado ese dominio. La impotencia histórica es el precio de su poder sobre el mundo"[62].

Esta especie de "slogans" emanados hoy día desde los grandes centros de decisión mundial cumplen una función de *cohesión,* fundamental en todo mito; sin embargo, en este caso, el objetivo se centra en un intento de predominio mundial, de dominación del orbe por medio de la alienación y el engaño del hombre, que se deja arrastrar por determinados "mensajes" que han adquirido en su sociedad un prestigio "mágico". Se trata de lo que Jean Paul Borel y Pierre Rossel han denominado "heteromito", el cual "ya no circula sino en la medida en que coincide, a nivel de contenido, con los intereses de un grupo social específico y, a nivel profundo (o estructural) con la lógica de reproducción de ese sistema desigual"[63].

El "mito social" se convierte en un tema de gran importancia en la narrativa de Fuentes. El autor en sus relatos trata de desenmascarar la realidad de un país y un continente —México e Hispanoamerica— dominados por los mensajes lanzados principalmente desde el núcleo de poder más importante del mundo occidental: los EE.UU.

a) Mitos del mundo occidental

El "podersos vecino del norte" surge en la obra de Fuentes como un factor negativo, que coarta la posibilidad de desarrollo libre del mundo hispanoamericano y que, a través de una sutil penetración de índole comercial y la progresiva implantación de sus postulados políticos, está convirtiendo a todo el continente en una auténtica colonia. Los "mitos" rectores de esta gran potencia y su influjo fuera de sus fronteras son objeto de primordial atención en los relatos que nos ocupan.

El interés por estos temas se percibe ya en *LDE;* concretamente, en

---

[62] Segrera, Martín; *ob. cit.,* p. 83.

[63] Borel. Jean Paul y Pierre Rossel; *La narrativa más transparente.* Madrid, Asociación europea de profesores de español, 1981, p. 115.

el cuento titulado *En defensa de la Trigolibia* el autor lleva a cabo una sá-
tira contra el lenguaje hueco del poder político, que maneja una serie de
"fórmulas" para aglutinar en torno a sí a los ciudadanos, pero que en realidad actúa por sus propios intereses económicos o imperialistas. En este
caso, la retórica oficial se basa en la palabra "trigolibia", equivalente, según el caso, a Democracia, Libertad o Revolución, de la que se creen de-
positarios las dos potencias mundiales que se hallan enfrentadas: Nusita-
nia y Tundriusa. En otro cuento del mismo volumen, *El que inventó la
pólvora*, la crítica se encamina más particularmente a las absurdas depen-
dencias que la sociedad capitalista está creando en el ser humano. El
hombre de hoy se convierte en un autómata que acepta sin crítica el
mensaje del consumo:

> Eramos nosotros los que cambiábamos el automóvil viejo por
> el de este año. Nosotros, quienes arrojábamos las cosas inservibles
> a la basura. Nosotros, quienes optábamos entre las distintas mar-
> cas de un producto. A veces, las circunstancias eran cómicas; re-
> cuerdo que una joven amiga mía cambió de desodorante por otro
> sólo porque los anuncios le aseguraban que la nueva mercancía
> era algo así como el certificado de amor a primera vista (*LDE*, p.
> 74).

Es clara la crítica soterrada de Fuentes al imperialismo económico norteamericano que propaga por todo el mundo occidental sus "mitos" del
consumo y del progreso —pilares de su filosofía— para posteriormente penetrar en los distintos países con sus grandes multinacionales que determinan, principalmente en América Latina, una práctica dependencia
del gobierno local al capital extranjero[64]. Para Fuentes, Hispanoamérica
—y México en particular— está siguiendo nuevamente un modelo impor-
tado que tan sólo llevará a la despersonalización del país y no contribuirá para nada a su desarrollo:

> Se trata —dice el autor— de un desarrollo por el desarrollo mis-
> mo que, al cabo, nos hace persistir en el atraso y nos convierte en
> depositarios del excedente plástico, descafeinado y kotequizado
> de la gran industria norteamericana: somos el Bajo Chaparral de
> la producción y el consumo de la metrópoli yanqui. Quetzalcóatl

---

[64] La probada participación de multinacionales estadounidenses en el golpe de
estado que derrocó al presidente Allende en Chile es una clara muestra del poder
que estos emporios económicos pueden alcanzar con grave deterioro de la soberanía
nacional de un país.

nos prometía el Sol; Pepsicóatl nos promete una lavadora Bendix pagable a plazos[65].

Los personajes de *CP* van a repetir en diversos momentos estas ideas. Como afirma irónicamente el Narrador:

> ... use y consuma, luzca bella, mi Pepsicótl. Amable lector: ¿sabes que los gringos gastan cada año en cosméticos una suma igual al presupuesto nacional de los Estados Unidos... Mexicanos? (*CP*, p. 460).

En la novela se caracteriza así el modo de vida de los mexicanos de hoy:

> Compran latas en Minimex para que pronto caigan bombas en Pekín y el mundo se salve para la libertad y los jabones Palmolive, huyen de las rotiserías con el cadáver de un pollo frito bajo el brazo para que los infantes de marina crucen pronto el río Bravo del Norte y el Bío-Bío del Sur (...) Salen de Sears-Roebuck con una aspiradora nuevecita para que el mundo pronto sea un campo de fósforos, suben a sus Chryslers y Plymouth y Dodges para cuanto antes el universo esté en orden, en paz, tranquilo, decente, sin amarillos, sin negros, sin colores... (*CP*, p. 465).

Pero el peligro principal, una vez más, se encuentra dentro del propio país, en una clase poderosa que trata de imitar el modo de vida de los vecinos del norte y que acoge con los brazos abiertos la entrada del capital estadounidense, arropada en el mito del "progreso". Son partidarios de esta postura, entre otros, los ex-revolucionarios Artemio Cruz y Federico Robles.

Para Robles la salida del subdesarrollo de México pasa necesariamente por la instalación de empresas norteamericanas:

> ... para llegar a la riqueza hay que apresurar la marcha hacia el capitalismo y someterlo todo a ese patrón (*RMT*, p. 393).

> Tenemos, en bien del país, que admitir inversiones norteamericanas que, al fin y al cabo, se encuentran bien controladas por nuestras leyes (*RMT*, p. 397).

---

[65] Fuentes, Carlos; *Tiempo mexicano*, p. 34.

Artemio Cruz muestra también su admiración por sus poderosos vecinos:

> ... desde entonces clavaste tu mirada allá arriba, en el Norte, y desde entonces has vivido con la nostalgia del error geográfico que no te permitió ser en todo parte de ellos: admiras su eficacia, sus comodidades, su higiene, su poder, su voluntad y miras a tu alrededor y te parecen intolerables la incompetencia, la miseria, la suciedad, la abulia, la desnudez de este país que nada tiene; (...) tú quieres ser como ellos y ahora, de viejo, casi lo logras (*MAC*, p. 33).

También la élite desocupada y grandes sectores de la clase media mexicana se esfuerzan por imitar los signos exteriores de la nación cercana[66].

Fuentes denuncia esta nueva forma de malinchismo en que está cayendo México que, de continuar en esta línea, podría conducir a las situaciones hipotéticas que se plantean en *TN* y *CH*. En esta última obra, la posibilidad de invasión total del territorio mexicano por parte de EE.UU. como forma de asegurarse el suministro petrolífero, se proyecta en el horizonte como una serie amenaza. El propio novelista declara al mencionar el transfondo ideológico del relato:

> México tiene petróleo (...) Chile tuvo un gobierno democrático hasta el día de la muerte de Salvador Allende. (...) Ese gobierno era una amenaza para los Estados Unidos, a los ojos de Richard Nixon y Henry Kissinger. Yo me pregunto: ¿qué se puede crear como política, que se le puede proponer al público norteamericano para apoderarse de una reserva petrolera de 200.000 millones de barriles? Se pueden inventar muchas cosas, crear muchos incidentes; se pueden hundir muchos *Maines*, organizar muchos Pearl Harbors, crear nuevos Alamos[67].

El mismo tema se plantea como un hecho consumado en la obra teatral *Todos los gastos son pardos* y de una forma totalmente grotesca en *TN*. En esta novela, la intervención tiene lugar en el año 1999: el gobierno estadoudinense instala en el poder a hombres de confianza que van a

---

[66] Ver. p. ej. el tratamiento que se hace de estos grupos sociales en *RMT*.

[67] Anadón, José; "Entrevista a Carlos Fuentes". *Revista Iberoamericana,*núms. 123-124 (Abril-Sept. 1983), pp. 623-624.

tratar de resolver de una forma muy particular el problema de la superpoblación: restaurando, ahora en forma de competición, los sacrificios humanos. Se percibe en este punto una crítica implícita a los medios de co-
·municación, al servicio del poder, que funcionan como instrumentos
propagadores de estos nuevos mitos:

> ... los asesores de relaciones públicas, sutilmente, distribuyeron
> entre los doce canales a los comentaristas adecuados para darle
> a las ceremonias un tono deportivo, religioso, festivo, económico,
> político, estético, histórico; este locutor, con voz premiosa y exci-
> tada, llevaba cuentas de la competencia entre Teotihuacán y Ux-
> mal: tantos corazones a favor de este equipo, tantos a favor del
> contrario (*TN*, p. 735).

Esta "exageración futurista" encierra una llamada de atención sobre el
engaño a que es sometido el país que, paulatinamente, se va entregando
en brazos del imperialismo atraído por el prestigio de los "slogans" que
—como "democracia", "libertad" o "anticomunismo"— han mantenido
en el poder a las más férreas dictaduras del continente[68].

En el fondo del problema, se halla la contemplación pesimista de una
sociedad robotizada, dirigida por los esquemas impuestos desde el "centro" y que anulan la capacidad de acción individual. El ejemplo más claro
de esta situación es Félix Maldonado, quien cree actuar por cuenta propia
cuando en realidad, como descubre al final, ha sido un juguete en manos
de los intereses del poder que gobierna el orbe, ese monstruo de dos
cabezas, "águila sangrienta que es el origen de toda la violencia del mundo" (*CH*, p. 277).

b) El mito de la Revolución Mexicana

La crítica al "mito social" se percibe también en las obras de Fuentes en una dimensión relativa a la historia del país, y de forma particular
en lo que Borel y Rossel han denominado "mito de la Revolución Mexicana"[69], que aparece tratado en las dos primeras novelas importantes del
autor: *RMT* y *MAC*.

---

[68] Como ejemplo de estos "slogans" vacíos, Fuentes describe la invasión en
TN como una acción encaminada a "mantener el orden y asegurar el tránsito a la
paz y la prosperidad" (*TN*, p. 734).

[69] Borel, Jean-Paul y Pierre Rossel; *ob. cit.*, pp. 147-154.

La Revolución se inició en México como un levantamiento casi espontáneo del pueblo contra la dictadura opresora de Porfirio Díaz. Carente de un claro ideal y fraccionada en numerosos ejércitos —a veces incluso enfrentados entre sí— la revuelta tan sólo tenía un claro objetivo: el deseo de acabar con los abusos y con una estructura social rígida que explotaba a las clases menos favorecidas. Sin embargo, finalizada la contienda con el triunfo del ejército carrancista, los vencedores y sus allegados no pusieron en marcha las anheladas transformaciones y se ocuparon tan sólo de su provecho personal[70]. En realidad, lo que en principio se presentaba como un movimiento histórico de posibilidades inimaginables para el futuro del país, se resolvió en una mera sustitución de gobernantes que en buena medida y bajo "disfraces" distintos, prolongaron el "status" existente con anterioridad. Frente a esta realidad, los triunfadores, agrupados en el omnipontente "Partido de la Revolución Mexicana" —convertido poco más tarde en "Partido Revolucionario Institucional"— van a forjar el "mito de la Revolución Mexicana" que, en definición de Borel y Rossel, "demostrará que el resultado, la forma de vivir mexicana, surgida de la contienda es lo justo, lo bueno, lo auténticamente revolucionario y que el sector dirigente, que 'fue' el núcleo dinámico de la revolución, es el mejor, el único garante de la pureza del ideal revolucionario 'común'. La Revolución no es ni puede ser un mito: es una realidad histórica"[71]. Los Mass-media, dirigidos desde el poder, se van a encargar de propagar esta idea: se trata de hacer ver a los mexicanos los grandes logros y avances obtenidos desde el proceso bélico, exaltando las acciones y la abnegación de sus líderes, que aparecen con una categoría semi-divina ante los ojos del pueblo. En realidad, se trata una vez más de un intento de "lavado de cerebro", de usurpación de la Historia, para legitimar la ostentación de un poder corrupto. Fuentes, en conversación con Luis Harss, deja clara su postura al respecto:

En México el gobierno necesita justificarse con una serie de

---

[70] Según Fuentes, la Revolución propició el nacimiento de "una burguesía rapaz, poco ilustrada, egoísta, que estaba logrando una extraordinaria acumulación de capital". (Soler Serrano, Joaquín; *ob. cit.,* p. 161). De esta denuncia se hace eco Manuel Zamacona en *RMT:* "No puedo pensar que el único resultado concreto de la Revolución Mexicana haya sido la formación de una nueva casta privilegiada, la hegemonía económica de los EE.UU. y la paralización de toda vida política interna". (*RMT,* p. 397).

[71] Borel, Jean-Paul y Pierre Rossel; *ob. cit.,* p. 157.

mitos. Todos sabemos que es el gobieno de la clase burguesa mexicana el que condujo y llevó a su triunfo a la Revolución. Pero esta clase burguesa se presenta a sí misma envuelta en una serie de mitos (...) ellos necesitan fomentar una retórica mitológica que tiene una validez bárbara en México, porque está sustentada por el poder mismo[72].

Federico Robles y Artemio Cruz serán de nuevo los genuinos representantes de esta nueva clase dominante y, principalmente el primero, divulgaran sus mitos esenciales por medio de un falseamiento de la realidad histórica:

—Mire para afuera. Ahí quedan todavía millones de analfabetos, de indios descalzos, de harapientos muertos de hambre (...). Pero también hay millones que pudieron ir a las escuelas que nosotros, la Revolución, les construimos, millones para quienes se acabó la tienda de raya y se abrió la industria urbana, millones que en 1910 hubieran sido peones y ahora son obreros calificados, que hubieran sido criadas y ahora son mecanógrafas con buenos sueldos, millones que en treinta años han pasado del pueblo a la clase media, que tienen coches y usan pasta de dientes y pasan cinco días al año en Tecolutla o Acapulco (*RMT*, pp. 246-247).

Con México sólo se puede hacer lo que nosotros, la Revolución hemos hecho. Hacerlo progresar (*RMT*, p. 394).

Este papel de "salvadores de la patria" les da derecho a los antiguos soldados a lo que consideran una justa retribución:

... nosotros habíamos pasado por ésas, y teníamos derecho a todo. Porque nos habíamos criado en jacales teníamos —así, sin cortapisas— derecho a una casota con techos altos y fachadas labradas y jardines y un Rolls a la puerta (*RMT*, p. 247)[73].

---

[72] Harss, Luis; *ob. cit.*, p. 349.

[73] La divulgación de este "mito" se lleva a cabo en *RMT* a través de una "retórica" particular que coincide en sus puntos básicos con las características de la recitación del "mito burgués" señaladas por Roland Barthes. Estas son, principalmente: a) *La vacuna*, que consiste en confesar el mal accidental como forma de ocultar un mal principal (recordemos las afirmaciones de Robles del "mal menor" que supuso la Revolución). b) *La privación de la Historia*, que, en este caso es evidente con la desvirtuación y enmascaramiento de lo realmente ocurrido. c) *La identificación*, mediante la cual se tiende a asumir al receptor en los puntos de vista del recitante; en el mundo moderno es la burguesía la que intenta una identificación de todas las

El gobierno del PRI basa su continuidad en la eficacia de este entramadao propagandístico. Como destaca de nuevo Fuentes:

> El origen del poder ya no es celestial, pero el PRI es aceptado como la fuente de toda investidura porque míticamente simboliza la continuidad de la Revolución, la integridad de la nación y el panteón de los héroes de la historia[74].

En *MAC* el tratamiento del tema es muy similar, y el resultado del proceso se asimila a esa repetición de la dinámica entre "chingones" y "chingados". El autor destaca la realidad corrupta que late bajo la apariencia[75]. y pone de relieve la ausencia de idealismo en esta mecánica del poder post-revolucionario; así lo demuestra el fusilamiento de Gonzalo Bernal, el único personaje que hace un análisis en profundidad de la campaña y es consciente de sus riesgos:

> ... ve nada más cómo se han ido quedando atras los que creían que la revolución no era para inflar jefes sino para liberar al pueblo (...) los que quieren una revolución de verdad, radical, intransigente, son por desgracia hombres ignorantes y sangrientos. Y los letrados sólo quieren una revolución a medias, compatible con lo único que les interesa: medrar, vivir bien, sustituir a la *élite* de don Porfirio. Allí esta el drama de México (*MAC*, pp. 194-195).

---

personas con sus ideales y en *RMT* este hecho es palpable en el caso de los beneficiarios de la contienda de 1910. Estos tres puntos nucleares del acto de comunicación del "mito social" se cumplen claramente en *RMT*, y no sería difícil rastrear la existencia en la novela de los demás factores que suelen acompañar este acto. (Ver Barthes, Roland; *Mitologías*, pp. 247-252).

[74] Fuentes, Carlos; *Los narradores ante el público*. México, Joaquín Mortiz, 1966, p. 139.

[75] "... El sólo venía a reiterarle su adhesión al señor Presidente, su adhesión incondicional y el gordo le preguntó si deseaba algo y el le habló de algunos terrenos baldíos en las afueras de la ciudad, que no valían gran cosa hoy pero que con el tiempo se podrían fraccionar y el otro prometió arreglar el asunto porque después de todo ya eran cuates, ya eran hermanos, y el señor diputado venía luchando, uuy, desde el año '13 y ya tenía derecho a vivir seguro y fuera de los vaivenes de la política". (*MAC*, p. 138).

c) El Nazismo

Este tema aparece tratado casi con exclusividad en *CP*.

El fenómeno del nazismo se convirtió en una de las grandes ideologías vertebradoras y cohesionantes de una importante masa popular, lo cual le ha deparado el dudoso honor de haberse convertido en uno de los más eficaces mitos sociales de la historia reciente. Mircea Eliade señala que esta ideología logró una honda penetración debido a su fundamento mítico inconsciente, basado en la idea del "prestigio de los orígenes":

> ... el "ario" representaba a la vez al antepasado "primordial' y al 'héroe' noble revestido de todas las virtudes que obsesionaban aún a aquellos que no lograban reconciliarse con el ideal de las sociedades surgidas de las revoluciones de 1789 y 1848. El 'ario' era el modelo a imitar para recuperar la 'pureza' racial, la fuerza física, la nobleza, la moral heróica de los 'comienzos' gloriosos y creadores[76].

En *CP* Fuentes introduce este tema para poner de relieve lo pernicioso que puede ser para el hombre dejarse llevar por esa forma de dominación del poder sin oponer crítica alguna. El mito produce la pérdida de la capacidad valorativa del ser humano, y de aquí surge el problema planteado en la novela sobre la *culpa* personal: ¿Hasta qué punto —se pregunta Fuentes— personas como Franz son responsables de haber colaborado con el nazismo? Tal disyuntiva no se resuelve en el relato, y queda tan sólo apuntada esta pregunta que, como ya se ha indicado con anterioridad, ha originado una cierta polémica[77].

Fuentes, incisivo analista de la realidad del mundo contemporáneo, pone al descubierto a través de esta crítica del "mito social" la evidencia de un hombre engañado y dirigido por los intereses de las potencias que se dividen el orbe, y prácticamente sin defensa ante la agresión de mitos, en forma de "slogans" lanzados desde el poder para perpetuar una situación determinada. El libre albedrío no existe; la libertad del hombre se halla permanentemente coartada y limitada, y lo peor es que no se perciben a corto plazo posibilidades de romper este orden que corre parejo a la popia historia del ser humano. Quizás, de nuevo, la solución esté en

---

[76] Eliade Mircea; *Mito y realidad*, p. 191.

[77] Ver punto dedicado a esta novela en el apartado de "Estructuras Míticas".

la ruptura total, en la subversión violenta o en el fin del mundo actual. Sea como fuere, una vez más, se percibe la perentoria necesidad de un cambio profundo.

CONCLUSIONES

A través de un planteamiento metodológico guiado por los distintos factores que conforman el mito, creo haber sacado a la luz los puntos nucleares sobre los que gravita a nivel semántico la narrativa de Carlos Fuentes. Estas últimas páginas constituirán tan sólo un breve resumen final de los contenidos a mi juicio más interesantes y significativos advertidos a lo largo de todo el trabajo.

Desde un punto de vista formal, los relatos de Fuentes destacan ante todo por su notable complejidad. Bajo la influencia de autores contemporáneos como Joyce, Kafka, o Faulkner, o de tendencias actuales como el estructuralismo, el autor lleva a cabo continuas distorsiones y experimentaciones con las categorías estructurales de la novela, lo cual da como resultado que la mayoría de sus obras encierren una gran dificultad de comprensión. Fuentes rechaza frontalmente los cauces expresivos de la novela tradicional —que identifica con la "comodidad" de la clase burguesa— y trata de impactar al lector, de hacerle "moverse de su asiento" para que colabore con él en la elaboración de un relato del que cada cual ha de extraer sus propias consecuencias y enseñanzas, e incluso, como sucede en CP, la conclusión que considere más oportuna. Con esta forma de construir sus narraciones, el escritor está manifestando también su oposición a la obra "cerrada", que muestra una imagen presuntamente real del mundo, y está expresando su creencia en el relativismo de las cosas y en la subjetividad esencial de la realidad.

Desde un punto de vista temático, las obras de Carlos Fuentes están recorridas por una serie de preocupaciones que hacen su aparición de una forma insistente y obsesiva. Entre otras cobra singular relevancia desde

231

su primeras novelas el problema de la identidad de México, que se convierte en uno de los temas primordiales de la narrativa de un autor que ha rechazado siempre vivir en este lugar. No es tampoco ajena a su obra la denuncia social de la situación en que viven las clases menos favorecidas de su país natal, que se ve acompañado del compromiso izquierdista del escritor en sus múltiples y variadas colaboraciones periodísticas y libros de ensayo. Sin embargo, Fuentes es en realidad una persona contradictoria, al menos en apariencia, que no duda en codearse con la élite intelectual y económica mundial y en llevar una vida de lujo que contrasta vivamente con el tono advertido en su obra literaria. El escritor mexicano, como demuestra su biografía, no es, ni mucho menos, un "hombre del pueblo" y sus especulaciones sobre el país parecen en la mayoría de los casos elucubraciones abstractas de un intelectual hasta cierto punto distante y no pautas de acción o de compromiso con una realidad inmediata.

Entre los temas "mexicanos" más frecuentes en estas obras se encuentra la crítica latente o manifiesta al estado del México post-revolucionario, donde, a juicio del autor, se han perpetuado las mismas estructuras dictatoriales del pasado, enmascaradas ahora bajo la fachada del estado democrático. En el orden cultural, México es un país mestizo en el que la superposición cultural se manifiesta en la convivencia de formas de vida adoptadas del mundo consumista occidental y aspectos del pensamiento indígena prehispánico, aún vivo y actuante en el subconsciente de la nación. Sin embargo, se trata de un mestizaje no asimilado ni aceptado por el habitante del país, que aún no ha superado el "trauma de origen" que supuso la conquista. Desde ese momento, en que se forjó la verdadera personalidad del mexicano, éste ha rechazado por igual las dos ramas culturales que conforman su ser y ha vivido marcado por el estigma de la violencia primera, de la "chingada", que se ha perpetuado a lo largo de la Historia. Fuentes, influído claramente por el pensamiento de Octavio Paz, concibe este proceso histórico como un eterno presente que ha dado lugar a la repetición de los mismos errores y que no permite hablar ni de evolución ni de progreso; la dinámica de la violencia y la opresión se han mantenido siempre bajo distintas apariencias y circunstancias, y el mexicano se ha seguido negando a sí mismo entregándose en brazos de la imitación extranjera, sea de España, de Francia, o, como sucede en la actualidad, de EE.UU., de donde se están adoptando las pautas que rigen la estructura económica y social y las formas de vida del país, con el riesgo consiguiente de despersonalización del mismo. Para el autor la solución a estos problemas descansa en la utopía de la unidad: el mexicano ha de superar todos los factores que dividen su personalidad, ha de eliminar la imitación foránea y entregarse a una profunda labor de introspección con el fin de averiguar su propia identidad. Este conocimiento ha de partir necesariamente de una asimilación de la Historia, que contiene todas las "claves" necesarias para impedir la recaída en los mismos errores y las normas para elaborar ese imprescindible proyecto mexicano —y latinoamericano— de futuro que Fuentes postula en la mayoría de sus escritos.

Conceptos similares podemos encontrar en la interpretación que el autor lleva a cabo del mundo contemporáneo y de su historia.

Los protagonistas de los relatos de Fuentes suelen ser personajes solitarios, a menudo desquiciados, que parecen buscar una meta, un fin que ni ellos mismos conocen pero que les ha de servir como salida o refugio al mundo hostil en que viven. En su "aventura" se trasluce la realidad de un hombre atrapado dentro de los engranajes de una maquinaria social cuyo funcionamiento depende de determinadas "supraestructuras" de poder que crean "slogans" o "mitos sociales" con los que pretenden —y normalmente consiguen— anular la capacidad crítica del individuo y convertirlo en un peón de su particular y macabro juego. Sin embargo, éste no es un mal exclusivo del mundo de hoy; la Historia no es más que la sucesión repetida de un mismo ente que con distintas "máscaras" ha venido desempeñando el papel de "centro dominador" y ha canalizado la violencia innata del individuo a favor de sus propios intereses. En esta dinámica no tienen cabida los idealistas ni los renovadores, a quienes no cabe otro fin que una muerte solitaria y violenta. Ante este estado de cosas es inútil hablar de progreso y libertad: el hombre es —ha sido siempre— un mero objeto manipulado sin posibilidad de acción individual y profundamente determinado por su entorno; a su vez, la Historia no es, como se ha pretendido, una continua progresión lineal, sino una serie de ciclos repetidos que han vuelto una y otra vez conformando un camino sin aparente salida. De estas ideas se deriva el tono pesimista y el determinismo que destilan buena parte de los relatos de Fuentes. El escritor consciente de lo utópico de su propuesta, plantea, sin embargo, soluciones: el hombre, por un esfuerzo sobrehumano de voluntad, ha de ser capaz de romper esa dinámica eterna, y la mejor manera es, una vez más, el conocimiento y asunción de la Historia y el rescate de los valores y sentimientos más profundos y auténticos que, como el amor, puedan ser capaces de desterrar el odio, la violencia y la muerte. Si esto no se consigue, tan sólo cabe la ruptura violenta, la eliminación física y total de este mundo como única forma de poder emprender un camino diferente. Esta idea, latente en la práctica totalidad de las obras del autor mexicano, se inscribe en una corriente "apocalíptica" de pensamiento de gran relevancia hoy en día, que pronostica el próximo —y necesario— fin del mundo contemporáneo y la llegada de una nueva era de esperanza.

Al margen de estos problemas, la obra de Fuentes es también una especulación sobre el hombre, su realidad más profunda y sus pautas de comportamiento. Para el escritor, el ser humano es portador de una serie de facultades desconocidas y negadas por el mundo de hoy. La "realidad" es en la actualidad un concepto de acuñación burguesa, que se confunde con los procesos de observación científica o empírica; pero el hombre es mucho más: en su interior se encuentra toda la historia de la especie humana, todos los conocimientos acumulados durante siglos, todos los mitos y creencias que han movido al mundo, todos los tiempos y todos los espacios; sin el conocimiento y la potenciación de esta "otra cara", exponente de una "segunda realidad" negada por el logicismo contemporáneo, el hombre será un ser incompleto, ignorante de su historia y víctima fácil de la superestructura de poder. El ser humano es asimismo depositario de una serie de factores contrapuestos: encierra en su interior una violencia congénita que ha de ser canalizada y dirigida y que en ocasiones da lugar a crímenes sin sentido o a estallidos sangrientos, pero también es capaz de sentir amor hasta el punto de convertir el acto amoroso en una verdadera ceremonia de comunión en la que el ser abandona por completo su individualidad para entregarse totalmente al otro.

El mito se convierte en el vehículo, a varios niveles, de todas estas inquietudes. Como se ha podido comprobar en los distintos capítulos y apartados del presente trabajo, el proceso de "búsqueda" del hombre aparece sugerido en determinados relatos en que se siguen directamente las pautas estructurales de determinado tipo de narraciones míticas, y en los que, además, la imagén del "héroe" mitológico aparece como contrapunto del "héroe" moderno, solitario y sin grandeza alguna. En el orden interno de la narración, el autor crea una particular "atmósfera", lograda a partir de los componentes básicos del llamado "pensamiento mítico", en la que, a través de las distorsiones espacio-temporales, consigue crear la sensación de tiempo cíclico o anulado y construir distintos lugares representativos de diversos niveles de realidad. Por último, las múltiples referencias míticas y mitológicas que surgen en estas páginas vuelven a incidir en la negativa presentación de una sociedad que aliena al individuo, quien busca o sueña mundos mejores tan sólo entrevistos en la unión con la Mujer, símbolo del conocimiento y la regeneración.

En resumen, estamos ante una narrativa que halla su último nivel de referencia semántica en la situación de crisis que azota al hombre de hoy. Una narrativa de corte especulativo, cercana en muchas ocasiones al ensayo filosófico, que no pretende en ningún caso divertir o entretener al lector, sino hacerle consciente de su realidad, de su identidad y embarcarlo en una acción necesaria: la transformación y el cambio, ideas que constituyen el punto central de las preocupaciones de Carlos Fuentes y se erigen en el núcleo ideológico básico de toda su obra.

BIBLIOGRAFIA

OBRAS DE CARLOS FUENTES

Novelas y cuentos (Primeras ediciones)

— "Pastel Rancio". *Mañana*, XXVI, 326 (26 Nov. 1949), pp. 226-227. (Cuento)

— "Pantera en jazz". *Ideas de México*, I,3 (Enero-Febrero 1954), pp. 119-124. (Cuento).

— *Los días enmascarados*. México, Los Presentes, 1954. (Cuentos)

— "El muñeco". *Revista de la Universidad de México*, X,7 (Marzo, 1956), pp. 7-8. (Cuento)

— "Trigo errante". *Revista de la Universidad de México*. XI, 1 (Sept., 1956), pp. 8-10. (Cuento)

— *La región más transparente*. México, FCE, 1958.

— *Las buenas conciencias*. México, FCE, 1959.

— *Aura*. México, ERA, 1962.

— *La muerte de Artemio Cruz*. México, FCE., 1962.

— *Cantar de ciegos*. México, Joaquín Mortiz, 1964, (Cuentos)

— *Zona sàgrada*. México, Siglo XXI, 1967.

— *Cambio de piel*. México, Joaquín Mortiz, 1967

— *Cumpleaños*. México, Joaquín Mortiz, 1967

— *Obras completas*. Vol. I, Madrid, Aguilar, 1971.

— *Cuerpos y ofrendas*. Madrid, Alianza Editorial, 1972. (Incluye fragmentos de *Los días enmascarados, Cantar de ciegos* y *Terra nostra*, además de las novelas *Aura* y *Cumpleaños*).

- *Terra Nostra*. México, Joaquín Mortiz, 1978.
- *La cabeza de la hidra*. México, Joaquín Mortiz, 1978.
- *Una familia lejana*. México, ERA, 1980.
- *Agua quemada*. México, FCE, 1981. (Cuentos)
- *Gringo Viejo*. México, FCE, 1985.

Teatro

- *Todos los gatos son pardos,* México, Siglo XXI, 1970.
- *El tuerto es rey.* México, Joaquín Mortiz, 1970.
- *Los reinos originarios.* Barcelona, Barral, 1971.
- *Orquídeas a la luz de la luna.* Barcelona, Barral, 1982.

Ensayo

- *París: la revolución de Mayo.* México, ERA, 1968.
- *El mundo de José Luis Cuevas.* México, Galería de Arte Misrachi, 1969.
- *La nueva novela hispanoamericana.* México, Joaquín Mortiz, 1969.
- *Casa con dos puertas.* México, Joaquín Mortiz, 1971.
- *Tiempo mexicano.* México, Joaquín Mortiz, 1971.
- *Cervantes o la crítica de la lectura.* México, Joaquín Mortiz, 1976.

ESTUDIOS SOBRE LA OBRA DE CARLOS FUENTES (Selección)

- Acker, Bertie. *El cuento mexicano contemporáneo. Rulfo, Arreola, y Fuentes.* Madrid, Playor, 1984.
- Befumo Boschi, Liliana y Elisa Calabrese. *Nostalgia del futuro en la obra de Carlos Fuentes.* Buenos Aires, F. García Cambeiro, 1974.
- Blanco Aguinaga, Carlos. "Sobre la idea de la novela en Carlos Fuentes". En *De mitólogos y novelistas.* Madrid, Turner, 1975, pp. 73-108.
- Borel, Jean Paul. "Aproximación a la obra novelística de Carlos Fuentes". *Boletín de la Asociación Europea de Profesores de Español.* Madrid, 3,5 1971, pp. 31-56.
- Borel, Jean Paul y Pierre Rossel. *La narrativa más transparente.* Madrid, Asociación Europea de Profesores de Español, 1981.
- Brody, Robert and Ch. Rossman (eds.). *Carlos Fuentes, a Critical View* Austin, University of Texas Press, 1982.
- Carranza, Luján. *Aproximación a la literatura del mexicano Carlos Fuentes.* Santa Fe, Edit. Colmegna, 1974.
- Durán, Gloria. *La magia y las brujas en la obra de Carlos Fuentes.* México, UNAM, 1976.

— Durán, Gloria. *The Archetypes of Carlos Fuentes. From Witch to Androgyne.* Archon Books, 1980.

— Durán, Manuel. *Tríptico mexicano: Juan Rulfo, Carlos Fuentes, Salvador Elizondo.* México, Secretaría de Educación Pública, 1973.

— Faris, Wendy B. *Carlos Fuentes.* New York, Frederick Ungar Publishing Co., 1983.

— Filer, Malva E. "Los mitos indígenas en la obra de Carlos Fuentes". *Revista Iberoamericana,* (Abril-Junio 1984), núm. 127, pp. 475-489.

— García Gutiérrez. *Los disfraces: la obra mestiza de Carlos Fuentes.* México, El Colegio de México, 1981.

— Giacoman, Helmy F. (ed.). *Homenaje a Carlos Fuentes.* New York, Las Américas Publishing co., 1972.

— Goldemberg, Isaac. "Perspectivismo y mexicanidad en la obra de Carlos Fuentes". *Cuadernos Hispanoamericanos.* Vol. XCI, (Enero, 1973), núm. 271. pp. 15-33.

— González, Michel. *'Cambio de Piel' or the Myth of Literature.* University of Glasgow, Institute of Latin American Studies, 1974 (Occasional Papers, núm. 10).

— Guzmán, Daniel de. *Carlos Fuentes.* New York, Twaine, 1972.

— Harss, Luis. "Carlos Fuentes o la nueva herejía". En *Los nuestros.* Buenos Aires, Edit. Sudamericana, 1977.

— Levy, Isaac y Juan Loveluck (eds.) *Simposio Carlos Fuentes: Actas.* Columbia, University of South Carolina, 1980.

— Ortega Martínez, Fidel. *Carlos Fuentes y la realidad de México.* México, 1959.

— Pamies, Alberto y Dean Berry. *Carlos Fuentes y la dualidad integral mexicana.* Miami, Ed. Universal, 1969.

— Ramirez, Mattei, Aida Elsa. *La narrativa de Carlos Fuentes.* Universidad de puerto Rico, 1983.

— Reeve, Richard M. "An Annotated Bibliography on Carlos Fuentes: 1949-1969". *Hispania* (EE.UU.) (Oct. 1979), LIII, pp. 595-652.

— Reeve, Richard M. "Los cuentos de Carlos Fuentes: de la fantasía al neorrealismo". En Pupo Walker, E. (ed.) *El cuento hispanoamericano ante la crítica.* Madrid, Castalia, 1973, pp. 249-263.

— Sánchez Reyes, Carmen. *Carlos Fuentes y 'La región más transparente'.* Editorial Universitaria de Puerto Rico, Col. Uprex, 1975.

— Sommers, Joseph. *Yáñez, Rulfo, Fuentes: la novela mexicana moderna.* Caracas, Monte Avila, 1969.

— Stoopen, María. *'La muerte de Artemio Cruz': una novela de denuncia y traición.* México, UNAM. 1982.

— Velarde Rosas, Agustín. *Carlos Fuentes y las buenas conciencias.* México, Buena Prensa, 1962.
— VVAA. "Carlos Fuentes Issue". *World Literature Today.* University of Oklahoma, vol. 57, núm. 4 (Autumn, 1983).

INDICE GENERAL

Pág.

Indice de Abreviaturas 4
Introducción 5
Capítulo I. El Marco 11

A) Contexto general: La novela
   hispanoamericana contemporánea 13
B) Contexto particular. Carlos Fuentes
   apuntes biográficos 22

Capítulo II. La Obra. Introducción a la obra narrativa
de Carlos Fuentes 35

Relatos de Juventud (1949-1957). 37
Primeras novelas (1958-1963) 39
Período de madurez (1964-1980). 47
Obras recientes (1981-1985) 62
Conclusión parcial: Evolución de la
trayectoria narrativa de Carlos Fuentes 65

Capítulo III. Presencia y función del mito en la
obra narrativa de Carlos Fuentes. 69

A) Estructuras míticas 72
   1) RMT: La búsqueda del sacrificio. 72
   "Destinador" y "Oponente". 82
   2) MAC: Los "ciclos" de México 87

3) ZS: El mito universal   93
   Nivel literal o superficial   93
   Nivel profundo o mítico   98
4) La estructura mítica del héroe   101
   4.1) Aura   108
   4.2) Cambio de Piel   116
   4.3) Cumpleaños y los mitos mistéricos . . .   127
   4.4) Terra Nostra y el mito escatológico. . .   131
B) Atmósfera mítica   155
   1) Tiempo   155
   2) El espacio.   170
   3) Rituales   177
C) Referencias mítica y mitológicas
   en la obra narrativa de Carlos Fuentes   180
   1) Referencias míticas   181
     a) La "Edad de Oro"   181
     b) La Mujer.   196
     c) Mitología de la Memoria y el Olvido. . . .   198
   2) Referencias mitológicas.   200
     a) Mitología prehispánica.   201
     b) Mitología griega   210
     c) Doctrina judeo-cristiana   213
     d) Mitos culturales mexicanos   215
   3) El mito moderno   218
     a) Mitos del mundo occidental   219
     b) El mito de la Revolución Mexicana   223
     c) El Nazismo   227

Conclusiones   229
Bibliografía   237
   Obras de Carlos Fuentes   239
Indice General   243

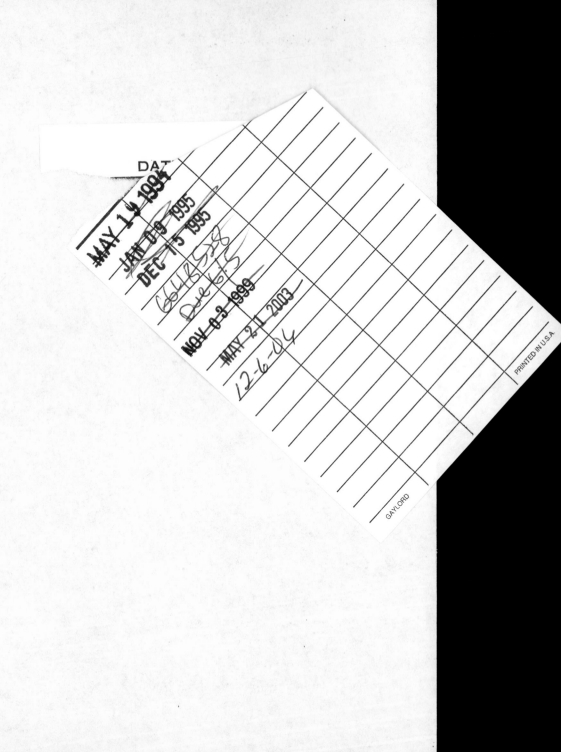

DAT

MAY 14 1994

JAN 09 1995

DEC 15 1995

NOV 03 1999

MAY 21 2003

12-6-04

PRINTED IN U.S.A.

GAYLORD